Le Sablier/Le Cardinal

Tome III

est le huit cent quaran...

publié che...

VLB ÉDITEUR

La collection « Roman »
est dirigée par Jean-Yves Soucy.

On peut communiquer avec l'auteure par courriel à l'adresse suivante :
grenadine@vl.videotron.ca

Visitez son site :
www.nadinegrelet.com

VLB éditeur bénéficie du soutien de la Société de développement des entreprises culturelles du Québec (SODEC) pour son programme d'édition.

Gouvernement du Québec – Programme de crédit d'impôt pour l'édition de livres – Gestion SODEC.

Nous reconnaissons l'aide financière du gouvernement du Canada par l'entremise du Programme d'aide au développement de l'industrie de l'édition (PADIÉ) pour nos activités d'édition.

Nous remercions le Conseil des Arts du Canada de l'aide accordée à notre programme de publication.

LA FILLE DU CARDINAL

Tome III

DE LA MÊME AUTEURE

Le souffle de vie, Montréal, Éditions Quebecor, 1991.

La fille du Cardinal, t. I, Montréal, VLB éditeur, coll. «Roman», 2001.

La belle Angélique, avec la collaboration de Jacques Lamarche, Montréal, VLB éditeur, coll. «Roman», 2003.

Les chuchotements de l'espoir, Montréal, VLB éditeur, coll. «Roman», 2004.

La fille du Cardinal, t. II, Montréal, VLB éditeur, coll. «Roman», 2006.

Nadine Grelet

LA FILLE DU CARDINAL

Tome III

roman

vlb éditeur

VLB ÉDITEUR
Une division du groupe Ville-Marie Littérature
1010, rue de La Gauchetière Est
Montréal (Québec) H2L 2N5
Tél. : (514) 523-1182
Téléc. : (514) 282-7530
Courriel : vml@sogides.com

Maquette de la couverture : Anne-Maude Théberge
Illustration de la couverture : John Stanton Ward (1917-   ), *Portrait of two girls, seated indoors, with grape vine*, © Private Collection, The Bridgeman Art Library

Catalogage avant publication de Bibliothèque et Archives Canada

Grelet, Nadine, 1944-
    La fille du Cardinal : roman
    (Collection Roman)
    Éd. originale : Montréal : Éditions Mille pages, 1997.
    ISBN 2-89005-781-X (v. 1)
    ISBN 2-89005-932-4 (v. 2)
    ISBN 978-2-89005-975-7 (v. 3)
    I. Titre.

PS8563.R447F54   2001   C843'.54   C2001-940975-3
PS9563.R447F54   2001

DISTRIBUTEURS EXCLUSIFS :

• Pour le Québec, le Canada
et les États-Unis :
LES MESSAGERIES ADP*
955, rue Amherst
Montréal (Québec) H2L 3K4
Tél. : (514) 523-1182
Téléc. : (450) 674-6237
*Filiale de Sogides ltée

• Pour la Belgique et la France :
Librairie du Québec / DNM
30, rue Gay-Lussac
75005 Paris
Tél. : 01 43 54 49 02
Téléc. : 01 43 54 39 15
Courriel : direction@librairieduquebec.fr
Site Internet : www.librairieduquebec.fr

• Pour la Suisse :
TRANSAT SA
C.P. 3625, 1211 Genève 3
Tél. : 022 342 77 40
Téléc. : 022 343 46 46
Courriel : transat-diff@slatkine.com

Pour en savoir davantage sur nos publications,
visitez notre site : **www.edvlb.com**
Autres sites à visiter : www.edhexagone.com • www.edtypo.com
• www.edjour.com • www.edhomme.com • www.edutilis.com

PREMIÈRE PARTIE

Chapitre premier

Montréal, avril 1984.

Guillaume serra les freins pour ralentir l'allure. Il décrocha les écouteurs de son walkman qui se mirent à ballotter autour de son cou et, saisi, tendit l'oreille. Le son qui venait de la ruelle était envoûtant. De la vraie musique... C'était une de ces mélodies contemporaines aux rythmes saccadés qui, dès qu'elle vous pénètre les sens, accélère les battements du cœur... Du rock, du reggae, ou quoi de nouveau? Son esprit se figea, ses mains se mirent à trembler et une envie folle de battre la mesure inonda ses tempes et se répandit jusque dans son bassin. Le nez au vent, il arrêta de pédaler, déposa sa bicyclette le long de la clôture et se laissa guider. Cela venait d'ici... Ou de là! Les trottoirs portaient encore des petits tas de neige vieillie. Il fit quelques pas et se planta à peine trois maisons plus loin, devant un garage à l'aspect délabré et aux portes de guingois couvertes de peinture écaillée. L'espace tout entier vibrait de sarabandes de notes qui prenaient naissance en plein centre et éclataient ensuite, folles et stridentes.

— Yé! Ça, c'est quelque chose..., prononça-t-il sans même s'en apercevoir. *C'est écœurant!*

Son visage s'illumina et il fit mine de gratter les cordes d'un instrument. Une grosse femme qui balayait sa cour le regarda faire en bougonnant :

— Un de plus qui va nous briser les oreilles !

Puis, s'approchant de lui, menaçante, avec son balai :

— Hé, toi, tu diras à ces beaux tapageurs que s'ils finissent pas, et vite, y vont avoir affaire à moi !

Comme Guillaume semblait sourd, elle ajouta :

— Je leur envoie la police, entends-tu ?

Le jeune homme n'eut pas un seul regard pour la femme. Il l'avait entrevue dans une espèce d'état second, un songe qui l'emportait malgré lui à cet endroit précis. Il ne savait pas très bien si elle était une fantaisie de son imagination ou une personne réelle… Peut-être un monstre sorti d'un pays mythique ! D'ailleurs, cela n'avait pas d'importance. Il avançait comme un homme ivre qui sait d'instinct où est son refuge : à l'endroit où son corps le guide. Plus il s'approchait du point stratégique et plus la musique devenait assourdissante. Des accords s'envolaient, fusaient de tous côtés, montaient en formant des spirales, passaient au travers des murs et, sans gêne, bondissaient au-dessus des corniches, se disséminant en jets de notes joyeuses qui finissaient par ricocher au ras du sol. Perdue dans la ville, isolée des avenues affairées, la symphonie des temps futurs épousait à merveille le rêve du jeune musicien. Médusé, Guillaume se planta devant la porte. Derrière lui, la grosse femme dans sa cour avait disparu, elle s'était barricadée pour s'isoler du bruit. Au milieu de la ruelle, une autre, vieille celle-là, promenait son chien qui tirait sa laisse. Mélomane, l'animal jappait en cadence et battait la mesure avec sa queue. La dame grogna en haussant les épaules :

— Si c'est pas malheureux d'entendre c'te cacophonie!

Perché sur une échelle, un voisin qui délestait ses fenêtres de leurs doubles châssis souleva sa casquette et renchérit au discours de la dame :

— Y vous entendent pas, ma pauvre madame! Y ont tous leur machine sur les oreilles...

Insensible à l'environnement et au contexte grincheux, décidé, Guillaume, collé au seuil du lieu magique, martelait la porte de petits coups secs, qui se perdaient au milieu du vacarme. Pas de réponse... Accélérant le tempo, il commença à tambouriner en mesure. Tout à coup, ce fut le silence. Les instruments d'un commun accord se turent, et un jeune homme à l'opulente chevelure noire entrouvrit le battant avec précautions. Il passa le nez dans l'embrasure, l'air à la fois interrogateur et inquiet, et toisa son vis-à-vis :

— Tu veux quoi, *man*?

Comme Guillaume restait muet, il répéta sa question. Alors, le rêveur descendit de son nuage et balbutia :

— Ben, moi, je joue de la guitare, j'voudrais vous écouter...

Plusieurs rires déferlèrent en cascade derrière le portier.

— On dirait qu'y nous entendait pas!...

— C'est pas l'avis des voisins...

L'atmosphère détendue, la tête noire ouvrit en grand pour laisser passer le visiteur.

— C'est bon, entre!

À l'intérieur, ils étaient trois au milieu d'une pagaille d'instruments de toutes sortes posés sur le sol ou empilés. Guillaume vit un clavier, des chevalets, des fils et des haut-parleurs placés pêle-mêle. Il faisait sombre.

— T'es qui, toi?

— Moi, c'est Guillaume…

— Correct, *man*… Moi, c'est Sandro et voici Alex notre batteur…

— Dédé, fit le troisième en lui tendant la main.

Ce dernier avait des cheveux raides qui lui descendaient jusqu'à la taille et une voix de ténor dont il usait abondamment. En les regardant tour à tour avec des yeux d'enfant émerveillé, Guillaume sentit qu'il avait rencontré son destin et qu'il était prêt à entrer dans son avenir comme il l'envisageait. Sa timidité s'envola d'un coup sec quand il osa demander:

— J'voudrais jouer avec vous…

— C'est *cool*, mais montre-nous ce que tu fais, *man*…, lui dit Sandro.

Guillaume prit la guitare que l'autre lui tendait et gratta ses accords préférés. Au bout de quelques secondes, d'eux-mêmes ses doigts se délièrent, accélérant leur danse sur les cordes pour libérer une sorte de trop-plein qu'il refoulait depuis longtemps. Il avait un plaisir fou à jouer et l'instrument sonnait rondement. Voyant qu'il avait de la pratique, pris par la cadence, les compères enjoués improvisèrent avec lui.

— Hé, mais t'es pas mal bon! firent Alex et Sandro d'une seule voix.

Le rouge envahit les joues de Guillaume. Il se tourna vers Alex qui était à moitié disparu derrière sa caisse claire et ses cymbales:

– Ouais, j'ai pris des cours depuis cinq ans… Mon vrai rêve, c'est de jouer de la batterie!

– Alors, si t'es sérieux, dit Alex en pointant ses baguettes vers lui, viens répéter avec nous tous les soirs. Je vais te montrer les premiers exercices… Tiens, mon chum…

Il lui tendit une partition et, en se retournant, assena un coup magistral sur ses cymbales, puis fit valser ses baguettes.

– Suis mes poignets, fit-il à son élève.

Placé au beau milieu de sa batterie il se déchaîna alors dans un solo mémorable, grimaçant tout seul, pour faire corps avec l'énergie. Les autres l'écoutaient, ravis, en balançant des hanches. Convaincu de vivre un miracle, Guillaume suivait ses gestes et n'avait pas assez d'yeux pour tout voir. Quand il eut fini, Sandro ajouta:

– On pense être prêts en été pour donner des spectacles dans les bars! Peut-être jusqu'en Gaspésie… On a des demandes… Tu nous suis, *man*?

– Yé!

Ils frappèrent leurs mains en guise de contrat. Guillaume exultait. Il se voyait sur une scène immense, au milieu de ses nouveaux compères, jouant des compositions endiablées devant des foules conquises. Des images dansaient derrière ses paupières. Il vacillait de bonheur, écarquillait les yeux pour ne pas s'envoler et regardait tour à tour chacun de ces garçons enjoués qui semblaient tombés du ciel et l'accueillaient sans complication. Il trouvait enfin son appartenance, la famille sympathique qu'il attendait. Le vieux garage transformé en caverne d'Ali-Baba était idéal pour rassembler les rêves de quatre jeunes. Guillaume se laissa couler dans le flot que charriait la musique, effaçant les souvenirs, les amertumes et les difficultés qui barraient sa route depuis quelques mois. Lui qui n'avait que des déceptions, qui s'était fait plaquer sans ménagement par sa blonde et qui subissait les critiques acerbes de son père, le sort était bon pour lui! Il trouvait enfin une planche de salut pour exercer son côté artiste et le lancer fièrement à la face de ceux qui ne croyaient pas dans ses capacités…

Fils aîné de Myriam Langevin, enfant doué et depuis toujours raisonnable et responsable, Guillaume Dagenais, parvenu au tournant de l'adolescence, avait changé du tout au tout, au grand désespoir de son père Laurent Dagenais, l'honorable juriste. Parmi ses proches, nul ne le reconnaissait. Étaient-ce eux qui le rejetaient ou était-ce lui qui les provoquait? Guillaume détestait tous les bourgeois de son entourage, sauf sa mère… Dans ses moments rebelles, il aimait se réfugier à Kanesataké chez Gaby, son grand-oncle maternel. Là-bas, avec Jason, son ami d'enfance, le fils aîné de celui-ci, il trouvait la paix.

Dans le petit local, les minutes passaient et les accords se succédaient, mais il arriva un moment où les jeunes commencèrent à manquer d'énergie. Quand les tympans menacèrent d'éclater, quand les voisins excédés vinrent cogner à la porte en menaçant d'appeler la police, l'étrange symphonie tarit comme elle était venue. Les compères se dispersèrent et se donnèrent rendez-vous le lendemain.

Guillaume sauta sur sa bicyclette et, heureux, fila d'un trait jusqu'à Rosemont, pressé d'aller voir celle qu'il appelait depuis toujours grand-maman Pierrette. Il faisait beau. Un vrai printemps qui vous tombe sur la tête et la remplit d'idées neuves. Depuis plus de deux semaines, l'adolescent manquait ses cours sans avoir le courage d'en parler à Myriam Langevin, sa mère. Il évitait Dany, son presque frère, le fils de Mike, et, honteux, s'éloignait de lui pour ne pas avoir à avouer ses faiblesses… À ses deux sœurs qui l'avaient surpris en flagrant délit d'école buissonnière, il avait fait jurer le silence. L'une et l'autre étant fières de leurs résultats scolaires, Guillaume se méfiait de Lydia, trop bonne, et encore plus de Laurence, qu'il qualifiait volontiers de «tigresse». À cette heure précise, il n'avait rien de mieux à faire que de se promener, regrettant de ne pouvoir pédaler jusqu'à Kanesataké pour surprendre son oncle Gaby, ou Jason, et parler musique avec eux, leur raconter ses secrets… Le village indien était loin et son oncle était sans doute absent, lui qui partait souvent «là-haut», chez les Cris. À la maison, Mike, le compagnon de sa mère, jouait admirablement de la flûte, mais ses mélodies n'étaient pas au goût de sa génération et puis, tout simplement, il n'était pas son père! Guillaume fuyait ses conseils et évitait de se confier… Il lui restait la possibilité d'aller chez Pierrette, qui, avec son bon sourire, saurait le confesser.

*

Un châle posé sur les épaules, Pierrette arpentait son jardin. Elle observait les petits signes qui annoncent le printemps et profitait des premiers rayons chauds en imaginant ses récoltes de légumes. Quand Guillaume siffla derrière la barrière, elle releva la tête :

– Si je m'attendais à avoir de la visite! fit-elle, étonnée et joyeuse.

Guillaume laissa choir son véhicule au milieu de l'allée et tourna trois fois sur lui-même en signe de joie, puis il la prit dans ses bras et la souleva de terre. Il aimait la voir rire, et quand il lui jouait ce genre de tour, c'était gagné d'avance; elle était bon public...

— Tu es déjà sorti de tes cours?

— Heu, balbutia Guillaume, j'ai pensé que c'était un bon jour pour faire de la bicyclette...

Incrédule, elle hocha la tête:

— Ne m'en conte pas! Tu n'es pas allé à tes cours...

Déjà, il était découvert. Sans insister, il la suivit dans la cuisine, cherchant à détourner son attention, mais rien ne vint qui pût lui servir d'alibi.

— J'ai faim, lança-t-il comme un argument.

— C'est rien de neuf! rétorqua Pierrette en se penchant pour fouiller dans son réfrigérateur.

Il avait des scrupules. Il fallait qu'il parle:

— En fait, grand-m'man, je suis mal en point au collège! dit-il, les bras ballants, en la contemplant qui sortait des victuailles.

— Tiens donc!... fit Pierrette en le regardant droit dans les yeux. Toi, si brillant? Raconte, mon gars... Je t'écoute!

Guillaume, gêné, se balançait sur ses jambes comme un gamin de six ans.

— Tu diras rien à m'man?

Pierrette sursauta et ajusta ses lunettes: les jeunes ne doutaient de rien!

— Tu me demandes quelque chose de pas ordinaire...

Elle hocha la tête avec conviction et reprit:

— Impossible!

— Oh! grand-m'man...

Et il la serra encore une fois en la gratifiant d'un bec sur la joue. Elle disposa une assiette sur la table, l'air sévère:

— Me promets-tu de te remettre à travailler comme du monde?

Il la souleva de terre:

— Oui grand-m'man... Je promets...

Guillaume qui, ces derniers temps, traînait comme une âme en peine avait ce jour-là des yeux pétillants. Pierrette fut obligée de reconnaître qu'il s'était passé quelque chose.

— Je promets, répéta-t-il pour la convaincre.

— Dis-moi donc, qu'est-ce qui te rend si joyeux, mon grand?

Il se pencha vers son oreille et lui souffla:

— Je vais partir en tournée, avec des musiciens...

— Qu'est-ce que tu me chantes là?

Elle avait l'air si incrédule qu'il regretta aussitôt ses confidences.

— La vérité, grand-m'man, la vérité, c'est que je fais partie d'un groupe qui deviendra célèbre! Écoute bien ça! Mais chut, n'en parle à personne...

Pierrette lui remplit son assiette et se gratta la tête en réfléchissant. Guillaume la prenait au dépourvu et elle ne trouvait aucun moyen de refréner l'enthousiasme du jeune homme, flairant un danger qu'elle n'arriverait pas à démontrer par des paroles: celui de son irréalisme enfantin. En bonne grand-mère, elle répéta une série de mises en garde, des rengaines connues qui lui venaient à l'esprit, et dont l'adolescent ne tiendrait pas compte, elle en était consciente:

— Tu ferais mieux de rattraper tes cours et de ne t'adonner à la musique que s'il te reste du temps! Et puis, que vont dire ta mère et ton père?...

En l'écoutant, le jeune homme s'imposait un calme sous lequel affleurait la tempête.

– J'sais tout ça, grand-m'man! Sois tranquille, je resterai sérieux… Je te le promets! Dis oui, grand-m'man… alors, c'est oui?

Il affirmait sa bonne volonté avec un accent sincère. Ne fallait-il pas lui donner une chance? Guillaume était un bon garçon et sa seule faute était d'être incompris de son père. Cette mésentente qui allait en grandissant au fil des mois le perturbait. Sans rien dire, Pierrette le voyait devenir amer et se laisser aller. Impuissante, elle s'apercevait du manque d'enthousiasme qui grugeait son bon caractère et l'attitude défaitiste qu'il affichait désormais l'inquiétait. Que faire pour le remettre sur le droit chemin? Il suffirait sans doute de peu. Elle se devait de lui donner une chance. Avec un peu de courage, il regagnerait son retard… Les réserves de Pierrette désappointaient Guillaume. Au fond, elle était un peu vieille. Comment pourrait-elle comprendre sa génération? Lui qui était dans la montée de sa jeunesse, il aurait tôt fait, avec ses acolytes, de conquérir le monde. Peut-être aurait-il été mieux de taire ses projets? Il sentait qu'elle le toisait sans croire qu'il tiendrait parole, qu'il entreprendrait un réel changement… Quel dommage! Guillaume était sérieux pourtant dans ses résolutions. Il n'aurait pas dû venir. Il aurait aimé être déjà parti, n'avoir rien dit.

Attendrie par sa silhouette d'adolescent qui avait trop vite grandi et par son besoin vital de dévorer, Pierrette lui servit un goûter digne d'un bûcheron et lui fit jurer de se remettre sérieusement à ses devoirs avant de le laisser filer.

Myriam sauta dans l'autobus qui remontait l'avenue du Parc et s'assit précipitamment sur un des sièges libres. Sur le flanc du mont Royal, la neige imprimait des formes blanches percées ici et là par le tapis d'herbe encore jaunie. Le soleil reprenait ses droits. Elle promena son regard sur la montagne. Les carcasses des arbres s'étiraient au loin, soulignant la silhouette de l'ange juché sur son piédestal. Le paysage montréalais, égal à lui-même, en continuelle transformation, se modelait suivant les saisons. Elle était lasse. À ses côtés, des inconnus à la mine triste, emmitouflés dans des vêtements sombres, et un bébé qui tirait les cheveux de sa mère en riant aux éclats. Elle n'eut pas le courage de s'en amuser... La matinée au bureau avait été essoufflante : les dossiers se bousculaient et il manquait deux secrétaires depuis trois jours. Myriam sentait la migraine pointer derrière sa nuque et si elle laissait le mal monter pour lui barrer le front, c'en serait fini de sa journée. Elle fouilla dans son sac, dénicha un minuscule flacon et, sans eau, avala deux comprimés du remède miracle qu'elle emportait partout. Ce simple geste lui fit du bien. Sa poitrine se desserra et la douleur commença à s'estomper. Une fois descendue au coin de l'avenue Laurier, marchant d'un bon pas, elle n'y pensa plus. Des hommes d'affaires, attablés dans la verrière d'un restaurant, discutaient, agenda en main, et de l'autre côté, le Café Laurier était tranquille, entre deux périodes d'affluence. Elle pressa le pas. Les rues d'Outremont étaient dégagées de traces hivernales. Il lui sembla que les maisons avaient déjà le visage pimpant qui naît avec la belle saison. Elle n'eut plus envie de rentrer chez elle : « Trop tôt pour que les enfants soient revenus du collège », se dit-elle. Quant à Mike, son compagnon, elle songea qu'il devait être absorbé dans les pages de quelque document, au fond d'une bibliothèque universitaire. Elle était libre !

Un besoin soudain de voir Pierrette traversa son esprit. Il y avait si longtemps… Pierrette s'affairait chez eux depuis tant d'années, veillant au quotidien, pendant qu'elle, avocate, travaillait sans relâche. Quand les enfants étaient plus jeunes, Pierrette était là chaque jour et préparait les repas, mais, depuis quelques mois, elle ne venait que deux ou trois fois par semaine : tous prenaient leur lunch à l'extérieur et sa présence devenait moins indispensable. Trop occupée, Myriam avait rarement le temps d'aller la visiter. Chaque fois qu'elle y songeait, un empêchement quelconque l'écartait de sa trajectoire et, bien que sa conscience lui soufflât souvent de se ressourcer auprès de la chère Pierrette, elle n'en faisait rien. Elle scruta le ciel : il était d'un bleu parfait. Impossible d'hésiter. C'était l'après-midi idéal. Excitée par sa décision impromptue, elle se précipita dans sa voiture qui sommeillait devant le garage et prit le chemin qu'elle empruntait jadis pour aller jusqu'à la 18e Avenue.

*

Pierrette ne semblait pas marquée par le passage des ans. Elle avait toujours la mine accueillante et les yeux rieurs. Seules quelques mèches blanches disséminées dans ses boucles dévoilaient qu'elle avait largement passé la soixantaine. Les deux femmes, ravies, bavardaient, assises dans la maison de Rosemont face au jardin en admirant les restes des bancs de neige. Les voir ensemble ainsi détendues et sans souci de l'heure était inhabituel.

— Ça sera pas long avant que les jonquilles sortent, remarqua Pierrette en se balançant sur sa chaise.

Myriam s'approcha de la fenêtre et laissa son regard glisser sur les taches claires que le soleil printanier allumait, ici et là, de milliers d'étincelles.

— Ça fait du bien de sentir la chaleur… Regarde, les iris ont verdi le long de la clôture !

Pierrette remonta ses lunettes et ouvrit la porte :

— Hé, mais c'est bien trop vrai, ça pousse !

— Il y a si longtemps que je n'étais pas venue chez toi, soupira Myriam. Ici, rien ne change, c'est comme si le temps s'était arrêté pour nous envelopper dans une paix rassurante.

Pierrette fixa la jeune femme, amusée. Son décor était pourtant bien ordinaire…

— Ton fils est venu me voir, hier…, annonça-t-elle à brûle-pourpoint.

— En quel honneur ?

La vieille horloge se mit à sonner, ce qui coupa toute forme de réponse. Quatre coups. Myriam, émue, se tourna vers la pendule :

— Elle sonne avec la même voix que lorsque j'étais petite…

Pierrette se mit à rire :

— Dans mes jours de solitude, quand les enfants ne peuvent venir me voir, elle est ma meilleure amie ! Elle me fait revivre les années où Gaétan était auprès de moi. À chaque heure qui passe, elle me chante son vieux refrain et me tient compagnie…

Pierrette n'avait jamais oublié son homme. Encore aujourd'hui, après de longues années, elle le chérissait et parlait de lui avec tendresse, comme s'il était vivant. Et de fait, il l'était dans sa mémoire. Pierrette, ravie de recevoir de la visite, se balançait sur sa chaise, tandis que Myriam, fascinée, faisait le tour de la maison. Il régnait dans chaque recoin l'ordre qu'elle avait toujours connu et qu'elle aimait. Rien n'avait changé depuis son enfance. La cafetière en faïence qui attendait, patiente, sur le comptoir, le vase en cristal qui trônait au centre du buffet sur un napperon de dentelle et le téléphone noir posé au milieu du guéridon... Et toutes ces photos jaunies que Pierrette avait accrochées sur les murs. Son défunt mari, ses enfants et ses petits-enfants, qui vivaient loin de Montréal. Il y avait aussi un cadre où on la reconnaissait, jeune fille, au milieu de ses compagnes du couvent. Elles avaient posé, ensemble, toutes celles qui travaillaient chez les sœurs de la Sainte-Famille... Myriam reconnut la silhouette de Kateri, sa mère, à côté de Pierrette, parmi les autres. Un pli barra son front.

— C'est vieux! s'exclama Pierrette.

— Tu n'as pas changé...

— Alors tu ne vois pas clair!

Pierrette fut prise d'un fou rire contagieux qui détendit Myriam. Les jeunes filles étaient groupées autour du Cardinal, vêtues de leur uniforme. C'était en 1946, avant sa naissance... Des sensations étranges montèrent dans sa poitrine. Loin de l'univers trépidant dans lequel elle vivait au quotidien, elle retrouvait chez Pierrette les formes, les odeurs et l'insouciance qui avaient marqué ses jeunes années. En ce lieu familier, il lui était facile de se promener dans un passé lointain enfoui au fond de sa mémoire. Chaque objet sur lequel elle posait son regard faisait resurgir une autre vie, constellée d'infimes détails qu'on ne remarque jamais, car ils sont invisibles dans les moments ordinaires. Songeuse, Myriam se pencha pour ramasser son foulard qui avait glissé sur le plancher et, en même temps, sortit de son sac un petit paquet qu'elle tendit à Pierrette :

— Tiens, je t'ai apporté des chocolats !

Pierrette se leva pour lui donner un baiser :

— Tu me gâtes trop, mon enfant…

— Jamais de la vie ! Heureusement que tu es là, Pierrette ! Mes jeunes, qu'est-ce qu'ils feraient sans toi ? Le quotidien devient compliqué… Je dois faire face à tant de choses que je ne m'appartiens plus. Alors, mon fils t'a rendu visite ?

Pierrette hocha la tête, ne sachant comment aborder le sujet. Depuis que son mari était décédé, voilà environ dix ans, la famille de Myriam était devenue sa seconde famille. Comme une grand-mère attentive, elle veillait sur tous. Elle offrit un chocolat à Myriam qui, gourmande, le porta à sa bouche. Elle remarqua à ce moment, au-dessus de la porte d'entrée, l'empreinte du crucifix qu'elle avait toujours vu là. Son absence la fit sursauter. Quelqu'un l'avait changé de place et celui-ci, comme pour se venger, avait imprimé sa forme claire dans la couleur défraîchie des murs. Elle cligna des yeux pour être sûre qu'elle ne rêvait pas. C'était d'autant plus étrange que Pierrette conservait religieusement tout ce qui avait jalonné sa vie. Pierrette observait Myriam sans mot dire, un sourire énigmatique au coin des lèvres. Myriam, de plus en plus intriguée, interrogeait son amie du regard. Elle se souvenait du crucifix. Quand elle avait quatre ou cinq ans, il lui semblait énorme. Il l'impressionnait. Maguy, sa mère adoptive, l'obligeait à faire une génuflexion chaque fois qu'elle passait là. C'était une croix de bois sculptée, ornée en son centre de la traditionnelle statuette de bronze, qui présidait aux allées et venues des habitants de la maison... Là où Pierrette et Gaétan avaient vécu tant d'années, il symbolisait leur appartenance religieuse, leur foi, et, par-dessus tout, il proclamait leur dévotion à chaque visiteur. Combien de fois les uns et les autres n'avaient-ils pas fait le signe de croix en passant devant lui? Myriam, qui revoyait Pierrette s'agenouiller fréquemment jadis et se signer, ne put s'empêcher de questionner:

— Pierrette, tu as ôté ton crucifix?

Pierrette hocha la tête en donnant une poussée à sa chaise berçante:

— Oh, il y a déjà deux ou trois ans...

Et elle n'en dit pas plus. Myriam ne put se retenir:

— Quel changement chez toi!

La brave Pierrette planta ses yeux dans ceux de Myriam:

— Ne crois pas que j'aie fait cela à la légère, Myriam... D'ailleurs, je ne vais plus à la messe le dimanche...

— Hein? Quoi!

Myriam n'en croyait ni ses yeux ni ses oreilles. Étaient-elles si loin les années où le soir, en famille, on s'agenouillait pour réciter le chapelet? Fréquemment, Maguy l'obligeait à s'asseoir avec elle pour prier. Et voilà que sa pieuse amie avouait avec l'air le plus naturel du monde qu'elle avait déserté la messe dominicale et supprimé sans arrière-pensée ce qui représentait sa discipline de vie et ses convictions... Jamais Pierrette n'aurait pris une décision semblable sans avoir une raison grave. Myriam s'étonna encore :

— Toi si pieuse !

— Tu te demandes ce qui m'a fait changer à ce point ?

— Évidemment...

— Eh bien, disons que maintenant je prie et je fais mes dévotions moi-même, directement avec le Seigneur !

Myriam, encore abasourdie, voulut en savoir plus. Pierrette sauta sur l'occasion pour vider son sac :

— Les curés nous ont trop manipulés ! Ils nous tenaient de beaux discours, nous faisaient des promesses contre lesquelles il fallait tout leur donner, obtenir leur approbation. Ils se comportaient en maîtres et nous en esclaves ! On était soumis. On était à leur merci. On leur a donné nos vies, notre temps, de l'argent. Et eux, que nous ont-ils donné en échange ? Seulement de belles paroles et, en prime, des mystères incompréhensibles que tout le monde a gobés !

La révolte de Pierrette était inattendue. Elle avait le feu aux joues et la colère plissait son front.

— Des belles histoires pour nous faire courber la tête, pour nous faire avoir honte de notre condition et vivre dans la peur d'être excommuniés !

Myriam, qui ne s'attendait pas à déclencher cette sorte de cataclysme, l'écoutait sans réaction, et Pierrette, une fois lancée, semblait ne plus pouvoir s'arrêter :

— Ça ne finissait plus, la dîme et le reste... La dîme !... J'en ai donné plus que mon quota, ne serait-ce que pour l'âme de Gaétan. Un beau jour, je me suis trouvée ridicule : le pauvre n'avait jamais fait de mal à une mouche, je ne vois pas ce qu'il serait allé brûler en enfer... Son âme était propre ! Y avait pas plus travaillant ni plus honnête que Gaétan. Alors, je me suis choquée la dernière fois que le curé est venu pour me quêter encore des sous à moi qui étais veuve… Je me suis dit : fini ! J'ai fini de me laisser embobiner…

Devant l'air ébahi de Myriam, Pierrette se tut et alla chercher deux verres.

— Prendrais-tu un verre de jus ?

Songeuse, Myriam but quelques gorgées. Après un silence de plusieurs minutes, durant lequel elle fit des efforts pour se calmer, Pierrette reprit :

— D'ailleurs, je ne suis pas seule à me comporter de la sorte… Regarde autour de toi, tout change. Les mentalités changent !

— C'est sûr…

— C'est avec les Amérindiens et ton oncle Gaby que j'ai commencé à réfléchir autrement. Te souviens-tu de Judy, notre sorcière ? Elle avait une façon bien à elle d'entrer en relation avec le Seigneur. Paix à son âme…

Myriam baissa les yeux. Elle avait adoré Judy « la sorcière » et quand elle avait appris son décès, deux ans auparavant, elle avait eu de la peine. Mais la vieille n'aurait pas voulu qu'on la pleure, elle était trop sage. Elle disait à qui voulait l'entendre qu'elle considérait la mort comme un changement d'état. Rien de plus. Depuis ce temps, quand Myriam partait avec Mike et Gaby pour aller chez les Innus ou dans une communauté amérindienne, elle trouvait toujours quelques instants pour se recueillir devant une source et penser à Judy et aussi à sa mère Kateri, la petite Indienne de Kanesataké. Pierrette prit la main de Myriam. Il fallait qu'elle parle :

— Tout ce chambardement à l'intérieur de moi est venu petit à petit… Tu vois, les peuples autochtones se mettent en communication directe avec Dieu et si Dieu est unique comme on nous l'a répété tant de fois, s'il est partout et en tout, ils doivent le rencontrer tout autant que nous sans avoir besoin de courber la tête comme nos missionnaires et nos curés nous ont obligés à le faire !

Myriam n'avait jamais envisagé la question de cette façon, la religion n'occupant pas la meilleure place dans son quotidien. Pour elle, il s'agissait plutôt de respect, de valeurs morales. Elle se souvint que, dans sa jeunesse, elle détestait aller à la messe et faisait semblant d'être dévote pour faire plaisir à Maguy, sa mère adoptive... Dans sa tête défilaient les années de son enfance. Dans ce temps-là, qui n'était pas très éloigné, il aurait été impensable de ne pas obéir aux enseignements religieux. Tout le Québec vivait au rythme d'une foi imposée, institutionnalisée. Jeunes et vieux se devaient de fréquenter la messe, de démontrer dans leurs moindres gestes obéissance et respect et, même si on la contestait dans l'intimité, l'autorité omniprésente de l'Église s'exerçait sur tous. Le moule social était implacable. On s'y conformait, on enfouissait au plus profond de soi les germes de rébellion, on les niait. On s'en remettait à un Dieu aux allures de patriarche dont la miséricorde ne s'adressait qu'aux inconditionnels. On tremblait. Impossible d'imaginer que quiconque trouve une échappatoire à l'oppression bien orchestrée qui devenait une seconde nature et servait les ambitions du premier ministre Duplessis. Myriam, admirative, observait Pierrette. Elle, en femme moderne, osait. Le chemin parcouru durant quatre décennies était vertigineux. Myriam revoyait Maguy, sa mère adoptive, paroissienne exemplaire qui avait elle-même fait les frais des caprices du Cardinal. Coincée entre son père et son mari, deux hommes de pouvoir qui fréquentaient Son Éminence, elle s'était perdue, oubliée, égarée le long d'un long chemin devenu désert. À force de chercher autour d'elle une gratification que sa fortune rendait illusoire, elle s'était détruite. Année après année, en grandissant, Myriam, en réaction à la dévotion sans nuances de sa mère, avait fui la religion et lorsque Maguy avait tenté de lui inculquer ses convictions, elle ne s'était jamais soumise, bien au contraire. Myriam avait jeté par-dessus bord les contraintes. Comme la plupart des jeunes Québécois, elle avait pris le parti d'éloigner de sa conscience ce qui lui paraissait n'être qu'une source de limitations, de tortures ou d'angoisse et avait tiré un trait sur les questions qui n'obtiendraient jamais de réponse. Délaissant la pratique religieuse, elle avait osé emprunter la voie du féminisme, devenir une professionnelle et tenir tête à Laurent son mari qui, lui, perpétuait la tradition étouffante qu'elle rejetait. Les réactions inattendues de Pierrette l'étonnaient et suscitaient son admiration. Myriam découvrait aujourd'hui une personne capable de se remettre en question.

— Eh bien, toi, tu vas loin dans le changement, commenta-t-elle. Tu ne m'avais jamais rien dit de pareil !

— Je ne veux pas te tracasser avec mes déductions, tu es assez occupée...

Myriam, sous le coup de la surprise, se servit un autre chocolat et Pierrette, réjouie de la voir faire, en croqua résolument un deuxième.

— Aussi étonnant que ça puisse paraître, je ne suis pas originale.

— Moi, je trouve que tu l'es !

— Les gens de ma génération font comme moi.

— Les personnes de ta génération, Pierrette, n'ont pas toutes renié l'Église, tiens ma belle-mère... et puis ma tante Suzanne, par exemple, bigote et hypocrite, elle est la confidente de Mme Dagenais... Je me tiens loin d'elles...

— Tu fais bien! À présent que les églises sont vides et que les jeunes ne choisissent plus la prêtrise, le nombre de fidèles diminue et on remplace la dévotion par la consommation...

Pierrette fit la moue. Myriam ne pouvait qu'être d'accord avec la justesse de ses déductions. N'ayant jamais eu à remettre en cause les fondements de sa croyance, ces questions lui étaient passées bien au-dessus de la tête. Ce qui, bien plus que les problèmes d'ordre religieux, avait longtemps tracassé Myriam, c'était l'hypocrisie. La facilité avec laquelle la plupart des individus, même très fortunés, n'hésitaient pas à commettre les pires bassesses pour acquérir de l'argent ou pour obtenir la gloire et le pouvoir avait été pour elle la chose la plus pénible à laquelle elle ait jamais été confrontée. Des souvenirs jaillissaient. Pendant des années, elle avait lutté pour oublier comment Philippe, son père adoptif, s'était ligué avec ses oncles et ses tantes pour la dépouiller de l'héritage de Maguy. Effacer de sa mémoire le vol du testament que les Pellerin n'avaient pas hésité à commettre avec lui, avait représenté pour elle une performance, un véritable exploit. Jeune et sans expérience, effondrée par la perte de celle qui lui avait prodigué tant d'amour, elle avait préféré reléguer dans un coin obscur de sa conscience la malhonnêteté à laquelle, trop innocente, elle avait dû faire face. Épisode peu reluisant qui décrivait la famille! À cette époque, Myriam s'était juré de ne compter désormais que sur elle-même et elle avait tenu parole. Mais sa sensibilité était encore à vif sur le sujet. Il valait mieux ne pas remuer une fois de plus ces eaux troubles... Elle finit précipitamment de boire son jus. Devant elle, Pierrette, tout en émoi, continuait sur sa lancée :

— On a cessé de se soumettre, continuait la brave femme. On a cessé de croire que l'au-delà est la fin de nos misères. On veut vivre dès maintenant! Les jeunes veulent réussir pour posséder tout de suite ce qui est mis sur le marché... Sais-tu, nous, on était ben naïfs! Ben, ben naïfs... Nos jeunes le seront moins! On se contentait de peu, «nés pour un petit pain» comme on nous répétait, mais nos petits-enfants, ils ont le vaste monde à conquérir!

Myriam était fascinée par la témérité de son amie. Dix ans plus tôt, ce genre de discours eût été impensable : exprimer ses doutes, dire tout haut son cheminement intérieur, cela signifiait s'exposer au jugement de son entourage. Et le silence des convenances régnait, quelque peu ébréché, mais impitoyable, insidieux et ravageur. Pierrette leva les yeux vers l'empreinte de son crucifix, à la fois soulagée et interrogative. Myriam comprit qu'elle n'avait pas tout dit.

— Et puis, parfois, il se passe des choses qui nous ébranlent plus qu'il n'y paraît...

— Tu veux dire que tu aurais vécu une sorte de crise de foi?

— C'est un peu ça...

— Raconte?

Pierrette hocha la tête.

— Une autre fois, peut-être... Tout ce que je peux te dire, c'est que mon Gaétan n'aurait pas aimé savoir la suite!

Myriam connaissait trop sa vieille amie. Elle ne dirait rien de plus aujourd'hui. Elle revint sur le sujet de son fils :

— Alors, dis-moi ce que Guillaume t'a confié…

Pierrette eut l'air gênée.

— Secret entre lui et moi… Mais…

— Je sais, il n'est pas dans son assiette, en ce moment !

— Surveille-le, je crains qu'il ne soit pas réaliste…

— C'est le moins qu'on puisse dire !

— Je ne viendrai pas chez vous demain, annonça Pierrette, mais regarde dans ton frigo… J'ai préparé une soupe de légumes et un pain de viande…

— Tu es notre ange gardien !

Myriam lui donna un gros baiser. Pierrette prit un air grave tout à coup comme si un autre problème occupait son esprit :

— Va, ma fille, et ne les laisse pas trop à eux-mêmes, tes jeunes…

— Que veux-tu dire ?

— Au moins, prends-tu le temps de parler avec les jumelles, avec Guillaume surtout ?

Myriam, penaude, fit signe que non.

— Ne m'en parle pas ! Ces derniers temps, lorsque la fin de semaine arrive, je suis si abrutie que je ne pense qu'à une chose : dormir ou ne rien faire… Alors, chacun s'éparpille de son côté, et Mike étudie.

Pierrette fit la moue :

— C'est pas bon… Il me semble que tu les négliges au moment où ils ont le plus besoin de toi ! Encore une fois, suis bien Guillaume…

Elle avait dit cela avec un accent si authentique que Myriam releva la tête et se tourna vers elle en fronçant les sourcils. La brave femme qui, depuis tant d'années, mettait partout son sourire et sa bonne humeur faisait rarement la morale à celle qu'elle considérait comme sa fille. C'était étrange d'entendre Pierrette lui parler sur ce ton!

— Tu le vois plus que moi, Pierrette… D'où te viennent ces inquiétudes?

— On entend partout de vilaines histoires…

— C'est vrai, mais encore?

Pierrette rougit:

— Il paraîtrait que même les enfants sont sollicités par les revendeurs de drogue à la sortie de l'école et que ça devient une épidémie…

— Guillaume aurait-il pris de mauvaises habitudes?

Myriam sentit ses jambes mollir. Elle aurait voulu ignorer les tentations auxquelles ses enfants étaient soumis. Pierrette, réalisant la gravité de ses paroles, voulut la rassurer:

— Rien de si grave, mais il faut veiller!

— Le problème, fit Myriam après avoir réfléchi quelques secondes, c'est qu'à leur âge rien d'autre ne compte que leurs amis… Ils sont devenus allergiques aux mises en garde et fuient nos recommandations comme la peste, surtout quand elles viennent de leur père…

— Même Laurence et Lydia?

— Oh, ne t'y trompe pas, elles ont leur caractère…

— Je le sais bien!

— On dirait que le fossé entre les générations se creuse…

— Ça a toujours existé… Les jeunes ne connaissent pas ce qui a fait nos belles années. Malgré les belles commodités et le confort, ils n'ont pas la vie facile…

— Ce qui est admirable, Pierrette, c'est ta sagesse, fit Myriam, qui, prête à partir, cherchait ses clés.

— Ça, c'est une vertu qui arrive à son heure avec les ans, ma chère enfant...

— Bye, Pierrette...

Myriam fit quelques pas dehors, habitée par ces dernières paroles. Les enfants avaient changé en quelques mois. Parfois, elle ne les reconnaissait plus et avait du mal à sonder leur âme et leurs réactions. Guillaume était dans un tournant qui pouvait s'avérer dangereux, elle en était consciente... Mais ce qui la laissait encore plus songeuse, c'était que Pierrette, comme tant de Québécois, ait tourné le dos à la toute-puissante Église catholique, celle qui régissait la vie de ses ouailles avec une autorité inégalée.

Elle marcha pour remettre de l'ordre dans ses pensées. Aux arbres, les bourgeons avaient éclaté et les jeunes feuilles gorgées de sève verdissaient avec une fougue impressionnante.

CHAPITRE II

À cette heure-ci, la circulation était fluide. Au volant de son camion rouge, Gaby traversait Montréal, revenant de Kanesataké. Mike, assis à ses côtés, restait silencieux. En chemin, Gaby lui avait confié son terrible secret vieux de presque trente ans… Depuis bien des années, l'accord entre les deux hommes était parfait. Ils avaient travaillé ensemble, sillonné le Nord pour trouver des façons de venir en aide aux communautés les plus pauvres, élaboré nouveaux projets et, de plus, Mike était celui qui avait gagné le cœur de sa nièce bien-aimée, Myriam, la fille de Kateri. Jamais encore Gaby n'avait raconté à quiconque les événements qui avaient désorganisé sa vie et celle de sa sœur. Le temps était venu d'en parler : sa raison et ses rêves le lui avaient dit. Mike était la seule personne qui puisse comprendre ce qu'il avait porté sur ses épaules pendant tout ce temps. Bien sûr, Myriam ignorerait sans doute toujours que c'était lui, son oncle, qui avait tiré sur le Cardinal pour venger Kateri exploitée et humiliée. Gaby le savait. Il n'avait pas eu la moindre illusion durant ces années, conscient dès le premier instant que, s'il était découvert, la prison l'attendait… Qui aurait pris en pitié un Indien, un criminel, l'homme qui avait blessé le personnage le plus révéré de la ville catholique entre toutes, Son Éminence le Cardinal... Gaby se sentait soulagé d'avoir fait le récit de ce qui le hantait depuis si longtemps. Il avait parlé de l'injustice commise envers Kateri et du calvaire qu'elle avait dû endurer quand on l'avait traitée de voleuse et qu'on lui avait enlevé Myriam, son enfant. Mike, respectueux, avait écouté sans émettre aucun jugement. Il était clair que si Gaby lui faisait cette confidence, c'était parce qu'il avait une grande confiance en lui. Son aveu était un cadeau inestimable. Il l'en admirait d'autant plus.

— Ai-je baissé dans ton estime? questionna Gaby, un peu tendu.

Pour toute réponse, Mike, ému, posa la main sur son épaule et l'y laissa longuement. Autour d'eux, le bruit et la circulation qui devenaient plus denses empêchaient de prolonger la conversation. Pressé par l'heure, Gaby se rangea sur le boulevard Saint-Laurent, derrière un autobus qui charriait des passagers affairés. On était au cœur de la ville, à l'angle de la rue Sainte-Catherine, là où les boutiques à la mode attirent beaucoup de monde. Il arrêta le moteur de son camion et se tourna vers Mike:

— Je te débarque ici et je file?

— Parfait, j'ai tout le temps de marcher avant de retrouver Myriam...

— Okay, on se revoit dès que je reviens de Mistassini?

Mike acquiesça:

— D'ici là, il y aura sans doute du nouveau pour le budget... Bye, Gaby.

Les deux hommes se saluèrent d'un signe de tête. Les grandes effusions n'étaient pas dans les habitudes

des Premières Nations. Pas besoin, entre eux, de plus de civilités : ils étaient depuis longtemps sur la même longueur d'onde et la confidence de Gaby les avait encore rapprochés. Après avoir ouvert la portière, Mike sauta sur le trottoir avec la souplesse d'un félin et resserra la cordelette qui retenait ses cheveux. Les passants, comme des automates, avançaient avec des mouvements rapides, et lui marchait d'un pas aérien, élégant. Il n'était que dix heures. Dans le ciel magnifique, pas un seul nuage. Ce serait, pendant encore deux ou trois semaines, le retour des oies dans le Grand Nord, son pays. Instinctivement, il leva les yeux. Ici, pas de voiliers mouvants au long des corridors de vent, mais des buildings de plus en plus hauts encerclant la percée béante de l'azur qui présidait cette journée. En se remémorant la conversation avec Gaby, il ne put s'empêcher de penser à ses frères, Innus et Cris, qui vivaient au rythme des saisons sur une terre encore gelée. Aller à la pêche et ferrer un achigan, sentir la nature se réveiller sous l'effet des premiers rayons chauds, voir la neige fondre et ruisseler vers les prairies basses, humer les parfums des arbres qui bourgeonnent et entendre le chant d'allégresse des oiseaux. De tous côtés, ce devait être un hymne à la vie dans toute sa splendeur... Mike n'avait pas son pareil pour repérer les traces de chevreuils qui migrent dans les broussailles. Il les suivait jusqu'à leur ravage, les surprenait à sauter, parfois à mettre bas. L'hiver, il chaussait ses raquettes, avançait dans la neige qui se tasse mollement sous les pas, recueillait la gomme des épinettes, saluait la majesté des arbres et s'arrêtait dans l'immensité pour déchiffrer le langage du ciel. Faire partie de la nature vivante... Depuis longtemps, il avait appris cela à son fils Dany et aux trois enfants de Myriam : Guillaume, Laurence et Lydia. Chacun savait, comme lui, entendre le clapotis d'une rivière invisible sous la surface gelée, marcher dans le bois jusqu'à l'épuisement et rentrer se chauffer près de la truie ou se rassasier de galettes gorgées de sirop d'érable. Mais les années avaient passé vite et, adolescents, ils recherchaient maintenant les plaisirs de la grande ville qui offrait bien des tentations. Ce matin, Mike s'ennuyait de la terre de ses ancêtres et ne pouvait renier son sang, même si la vie moderne lui imposait de se soumettre au contexte urbain. Il scruta le ciel. Gaby serait bientôt là-bas, dans cet environnement dont il rêvait à chaque période de redoux… Mais, ayant choisi de vivre avec la femme qu'il aimait et, de plus, exerçant un métier qui le passionnait, Mike en acceptait les conséquences avec philosophie : tout cela valait bien quelques sacrifices. À l'approche de la quarantaine, serein, il avait gagné en maturité. Compagnon idéal pour Myriam, doté d'un esprit scientifique, il n'arrêtait jamais ses recherches et enseignait à l'université. Chaque année il participait à quelque chantier humanitaire, mettait son énergie au service de ses frères de race, les invitait à retrouver leur fierté et leurs coutumes et avait à cœur d'apporter des solutions aux problèmes des communautés autochtones, dont il mesurait l'ampleur. Éternel étudiant, passionné par la nature humaine et par sa variété, il s'émerveillait de ce qu'il apprenait en plus d'être toujours épris de Myriam, sa compagne.

Son rendez-vous avec elle étant pour midi, il avait du temps devant lui. Il marcha en direction de la rue Saint-Denis. Les bâtiments de l'Université du Québec à Montréal, où il était chargé de cours depuis deux ans, occupaient tout le quadrilatère. Un coin très familier. Les jeunes s'inscrivaient de plus en plus nombreux à l'université, on sentait la province française avide de connaissances et de diplômes. De plus, la jeunesse nordique s'apprivoisait doucement au savoir occidental. Il arrivait que de jeunes Autochtones deviennent des étudiants assidus, comme il l'avait été lui-même. On les reconnaissait à leur curiosité notoire. Mike hésita : devait-il se rendre à son bureau pour voir s'il avait des messages ? Non, cela pouvait attendre à demain. La rue s'animait de groupes de jeunes, qui, documents en main, entraient et sortaient de l'UQAM en papotant. À chaque feu rouge, les voitures s'alignaient au croisement de Sainte-Catherine, comme pour régler un ballet sans fin, ponctué par le ronronnement des moteurs. L'odeur de la ville était désagréable, nauséabonde même, pour qui, comme lui, avait dans l'âme des rêves bucoliques… «De plus en plus puantes, nos cités modernes», déplora-t-il. Il se sentait comme un Indien dans la ville, comme un élément tombé là par hasard qui promenait, niché à l'intérieur de son crâne, un jardin plein de poésie. Et puis, ce matin, les aveux de Gaby l'avaient ébranlé sans qu'il y paraisse… Il connaissait son ami comme un homme de conviction et il le savait plein de sagesse. Un modèle que les jeunes se plaisaient à écouter. Était-il possible que, bien des années auparavant, Gaby se soit compromis dans une tentative de meurtre ? N'avait-il pas fallu des circonstances hors du commun, insupportables, pour qu'il en arrive à cette extrémité ? Mike essayait d'imaginer l'homme qu'il connaissait, pris dans les tumultes intérieurs causés par l'injustice, l'abus de pouvoir, le manque total de scrupules. Lui-même n'avait pas connu le Cardinal, ce personnage imbu de sa personne. Mais il avait ouï dire combien cet homme pouvait être méprisant et comment, partout où il passait, il recherchait les honneurs en projetant une image qui impressionnait les humbles. Quant à Gaby, même s'il avait commis une grave erreur, toute sa vie avait été orientée de façon à aider les plus malheureux que lui... Était-ce pour racheter sa faute? Mike essayait de l'imaginer, préparant un attentat, braquant son arme et prenant la fuite. Difficile de croire à cette hypothèse, et pourtant... Ce que Gaby lui avait confié tout à l'heure était la pure vérité, il en était convaincu. Inutile d'en douter. S'il en était ainsi, il avait largement payé par sa droiture. Depuis des années, son dévouement était exemplaire et on aurait pu croire qu'au cours de son existence jamais il ne s'était laissé emporter, qu'il avait toujours parfaitement maîtrisé ses instincts et ses émotions. Sa démarche, sa façon de parler, son charisme, tout en lui respirait la force et la bonté. De plus, Gaby n'avait pas à lutter contre ce penchant qui gâtait un grand nombre d'Amérindiens: il ne buvait jamais d'alcool, hormis quelques bières, quand les circonstances étaient à la fête...

Mike remonta vers le nord et s'assit à une terrasse pour prendre un café. Devant lui, le théâtre Saint-Denis affichait son nouveau programme. Plus loin, les portraits géants de stars montréalaises retinrent son attention. Myriam aimerait sans doute aller voir Yvon Deschamps à la Place des Arts ou peut-être entendre les derniers succès de Renée Claude? Elle et lui ne sortaient pas souvent et n'avaient pas assez de distractions! Eux qui, au moment de leur rencontre dix ans plus tôt, vivaient la folie de leur amour sans réserve semblaient désormais enchaînés à la raison du quotidien… Myriam se contentait de naviguer entre la maison et le bureau, et les semaines défilaient sans que l'un ou l'autre ait le cran de briser la routine… Et puis, les enfants prenaient beaucoup de place et, souvent, il lui incombait de les conduire à leurs différentes activités pendant qu'elle était occupée. Mike aurait aimé trouver un moyen de la distraire, mais Myriam n'était pas facile à décider. Depuis qu'il la connaissait, elle s'était mise en tête de sauver l'humanité souffrante! Et l'humanité, selon elle, n'avait pas fini de payer pour son manque de jugeote. Cette pensée le fit sourire… Chère Myriam! Femme à la fois fragile et forte, idéaliste, acharnée à atteindre ses objectifs terre à terre, elle en oubliait la poésie et la fantaisie qui l'habitaient jadis: des facettes importantes d'elle-même. Sans en être consciente, elle se donnait un mal fou pour améliorer le sort de ceux dont la vie était pénible, reléguant à la dernière place de ses préoccupations altruistes les proches qui l'aimaient et qui réclamaient justement sa présence, comme lui, Mike, son amoureux. Il fallait qu'il aborde bientôt le sujet avec elle: un homme ne peut pas vivre heureux si la femme qu'il aime ne dispose pas d'un minimum de temps pour nourrir leur relation intime. Elle finirait par le comprendre… Il ouvrit sa sacoche et sortit de quoi prendre des notes pour son prochain cours, tout en annonçant sa commande à la serveuse. Dans la rue, des badauds s'attardaient, conquis par la température idéale, et des femmes trottaient les bras chargés d'emplettes. Quatre ou cinq jeunes filles, bruyantes et agitées comme le sont les adolescentes, s'installèrent non loin de lui. Attentif à son plan de cours, Mike ne leva même pas les yeux. Après quelques instants, une présence le déconcentra. L'une d'entre elles s'était tant rapprochée de lui qu'il sentait son souffle parfumé. Il releva la tête.

— Bonjour…, fit-elle.

Elle avait une silhouette d'enfant, mais ses gestes et son allure étaient ceux d'une femme qui cherche l'aventure. Le contraste avait un je-ne-sais-quoi d'anachronique. Il la fixa d'un air interrogateur, puis, examinant de plus près les traits de son visage, il convint qu'il lui était connu. Une de ces gamines déjà trop maquillées, sûre de son charme et qui, pressée d'avoir l'air adulte, se tortillait sur ses talons hauts, les hanches sanglées dans des jeans trop moulants…

— M'sieur, j'ai suivi un de vos cours l'an passé, dit-elle, j'trouve que vous êtes exceptionnel comme prof!

— Bien, merci!

Recevoir des compliments, même de cette façon sommaire et surtout quand on ne les a pas cherchés, reste un cadeau inattendu. Il lui décocha un sourire et, pour être poli, demanda:

— Quel est ton nom?

— Jacinthe Robillard.

— Ah! Oui, je me souviens, merci, Jacinthe…

La jeune fille insista:

— Savez-vous que vous êtes bel homme, à part ça!

Elle était carrément accotée sur sa table. Il fronça les sourcils et se remit à écrire en pensant qu'elle irait rejoindre ses compagnes. «Quelle tristesse, se dit-il, depuis un an, elle s'est vieillie de dix années au moins! Elle a abîmé sa fraîcheur enfantine. C'est ridicule tous ces clinquants qu'elle porte…» Au contraire de ce qu'il avait présumé, sans lui demander la permission, la jeune fille approcha une chaise et s'assit face à lui. Dérangé par sa proximité comme l'est un animal qui sent une présence sur son territoire, il la fixa pour lui signifier que l'entrevue s'arrêtait là, mais Jacinthe n'en avait pas décidé ainsi. Elle se pencha pour se rapprocher, le regarda encore avec insistance et releva coquettement ses cheveux. Estomaqué, Mike ne broncha pas. Jacinthe roula des hanches et dégrafa lentement son blouson dans un geste lascif. Lui restait de glace, mais la perplexité prenait place dans sa tête. Le tout était d'un mauvais goût évident. De très mauvais goût. Agacé, il trouvait le spectacle de cette gamine qui s'offrait à lui d'une tristesse rare. Impossible à supporter. Insistante, Jacinthe inclina la nuque en une sorte de mimique de séduction vulgaire et lui tendit ses lèvres barbouillées de rouge. Le jeu était vide de sens… Mike n'avait pas l'habitude de soutenir les regards équivoques des femmes et celui-ci, qui, par surcroît, venait d'une de ses élèves, le désarmait.

— À quoi joues-tu, petite? lui demanda-t-il froidement.

Dans le fond du restaurant, ses copines s'esclaffaient sans faire attention à elle, comme si elles étaient habituées à ses façons. Jacinthe battit des paupières à quelques reprises.

— Je te plais, beau professeur?

La colère le gagnait.

— Ta place est sur un banc d'école, lui rétorqua-t-il, en prenant soin d'avoir l'air sévère. Que signifie cette mascarade?

Il se sentait gauche tout à coup. Cette fillette incarnait les milieux sordides voués au commerce du sexe. Il avait en même temps de la pitié et du dégoût. Elle était si jeune pour être tombée dans la luxure... Quelque chose de trouble l'empêchait de réagir brutalement.

— Il y a tant d'hommes qui sont avides de mes caresses, eut-elle le front d'ajouter.

— Et tu passes ton temps à vouloir les séduire ?

— Pourquoi pas ? J'ai abandonné mes cours... Je fais un métier plus payant que le tien, beau professeur...

Elle avouait sa pauvre condition. Il ne parvenait pas à y croire.

— Et pourquoi as-tu abandonné tes cours, petite fille ? demanda-t-il en détachant ses mots.

Elle eut un rire forcé qui descendit en cascade et secoua sa gorge, puis elle balaya l'air de sa main comme si cela n'avait pas d'importance.

— Ce sont les hommes de ton âge qui sont friands des femmes comme moi...

Il se sentit pâlir.

— Je ne suis plus une petite fille !

— Sais-tu, Jacinthe, que je pourrais être ton père ? dit-il d'un ton ferme.

— Justement... Mon père, il ne s'est jamais intéressé à moi ! Il se moque de ce que je fais, je n'existe pas pour lui...

Sa moue devint tendue. Elle était au bord des larmes.

— Et ta mère ?

La gamine prit un air courroucé malgré elle.

— Ma mère, elle court dans tous les sens pour faire de l'argent. Sa carrière ! L'argent, l'argent...

Mike comprit qu'il marchait sur des œufs.

— Tu dois être bien malheureuse...

— Pantoute..., rétorqua-t-elle, redevenue maîtresse d'elle-même.

— Écoute, je te propose un marché : tu reprends tes cours et je me charge de te trouver un travail honnête.

Elle éclata d'un rire forcé :

— Non, mais, es-tu fou, toi ? Penses-tu que j'vais m'enchaîner à votre système pourri ? Dans la rue, je fais ce que je veux ! Je me paye mes fantaisies… J'ai du plaisir !

— Es-tu bien certaine ?

Tout à coup, son visage changea d'expression :

— De quel droit veux-tu me diriger ?

Mike regretta aussitôt ses paroles. « Pas d'affaire à lui faire la morale, se dit-il, elle a raison. » Jacinthe haussa les épaules et, voyant qu'elle n'obtiendrait rien de ce qu'elle souhaitait, elle lança un regard furibond à Mike en marmonnant :

— Tu n'es qu'un sale Indien…

Puis, elle se rabattit sur un nouveau client qui entrait. Mike, abasourdi, paya sa consommation et sortit. Les dernières paroles de la pauvre gamine en disaient long sur l'intégration des Amérindiens à la société montréalaise… Dans sa tête se battait un mélange de sentiments et de réactions viscérales. Des souvenirs aussi. Il avait besoin de marcher et de respirer. Pourquoi le peuple venu d'Occident méprisait-il encore ceux de son sang et comment des jeunes filles qui, a priori, n'étaient pas misérables pouvaient-elles être poussées à cette extrémité ? À peine plus vieille que les jumelles… Paradoxes incompréhensibles de notre époque dont tout le monde se détournait. Tristesse des villes anonymes, sans convivialité. Il imagina les petites affublées de la sorte, mais repoussa aussitôt la vision. Insoutenable. L'éclatement des familles, le manque d'attention criant des parents faisaient leurs ravages et le résumé vivant de notre société moderne était incarné par cette adolescente privée d'affection qui compensait un manque vital par de piètres simulacres...

Pareil à un automate, il remontait la rue Saint-Denis et, perturbé par le comportement fou de cette jeune fille, reflet de l'«évolution des mœurs», il devenait aveugle au soleil qui scintillait sans vergogne, éclaboussant les édifices gris des religieuses. Sans véritable motif, il redoutait que les jumelles se trouvent un jour prises dans le circuit infernal de la rue. «Impossible, se dit-il, Laurence et Lydia de même que nos deux garçons ont hérité d'une solide échelle de valeurs.» Il en avait presque oublié les confidences de Gaby. Si Myriam avait été près de lui, il l'aurait prise dans ses bras, l'aurait entraînée à la maison pour la caresser et la faire sienne en lui murmurant des mots doux... Un soudain besoin de la couvrir de tendresse l'envahit. Il voulait la sentir frémir dans toute sa chair et lui faire comprendre combien chaque heure vécue avec elle et leurs enfants lui était précieuse. Il aspirait à la franchise de son regard, tenait à lui redire combien il l'aimait. Pourrait-il jamais assez lui exprimer tout cela? Ses souliers, souples comme des mocassins, se posaient sur le macadam en rythmant avec vigueur la force de ses pensées. Myriam... Un peu plus loin, il s'arrêta devant la boutique d'un fleuriste. Des gerbes aux couleurs délicates étaient disposées avec grâce, appelant à célébrer le printemps. Sans même y penser, il entra et choisit un bouquet de violettes. Ces fleurs lui ressemblaient. Il continua sa route, tenant dans sa main le bouquet qu'il portait de temps à autre à ses lèvres. Les petites fleurs bleues avaient une odeur exquise.

*

Le printemps hâtif réchauffait les esprits. La rue Saint-Denis grouillait de monde. La plupart des passants, excités par la douceur de la température, portaient déjà des vêtements légers. Myriam ralentit le pas pour consulter sa montre : elle avait presque une demi-heure de retard. Pourvu que Mike ne se soit pas lassé de l'attendre !... Elle s'arrêta devant l'Express et, essoufflée, s'engouffra dans l'entrée. Le restaurant en vogue, plein à craquer, bourdonnait comme une ruche. Des parfums de viande rôtie se mélangeaient à ceux des légumes mijotant dans les cuisines, et le cliquetis des couverts sur les assiettes, le son des verres qu'on emplit s'entrechoquaient avec le brouhaha des conversations. Quelques célibataires, assis au comptoir sur de hauts tabourets, dégustaient leur lunch en plaisantant avec les serveuses, tandis que des couples ou des groupes s'animaient aux tables. Jetant un coup d'œil à la ronde, Myriam aperçut Mike, seul au fond de la salle. Il lisait *La Presse* en sirotant un verre de bière. Soulagée, elle courut vers lui. Elle détestait être en retard et, ces derniers temps, cela arrivait souvent car son horaire était trop chargé. Ainsi, depuis un peu plus d'un an, un déséquilibre s'était installé dans sa vie. Myriam n'arrivait plus à maîtriser l'enchaînement de ses activités et éprouvait un sentiment d'inconfort, qui rejaillissait dans son intimité. Insatisfaite de ce qu'elle faisait et de ce qu'elle était vis-à-vis des enfants et de Mike, il lui arrivait de perdre sa bonne humeur. Jadis, pourtant, elle n'avait aucun mal à s'acquitter de toutes ses tâches et savait si bien s'organiser que rien ne lui échappait. Maintenant, elle s'épuisait au milieu d'un nombre essoufflant d'impératifs... Tout allait trop vite et la vie devenait de plus en plus exigeante. Mike semblait avoir une patience infinie, mais il ne fallait pas en abuser. Comment faire? Où couper pour se réapproprier les précieuses minutes qui lui redonneraient le sentiment de facilité qu'elle perdait malgré elle?

Dès qu'elle eut franchi la porte, Mike réagit à sa présence. Il leva la tête, replia son journal et lui adressa un grand sourire. Instantanément, une chaleur inonda la poitrine de Myriam. Elle aimait depuis toujours sentir son regard posé sur elle et l'envelopper de tendresse. Cela lui rappelait leur premier contact, leur premier regard; en vacances au Mexique, quand elle avait eu l'impression fugace de le connaître depuis toujours. Même après plusieurs années de vie commune, lorsqu'ils se retrouvaient en ville, l'un et l'autre étaient encore comme deux adolescents qui vivent leur premier rendez-vous. À chaque fois, leur cœur faisait des bonds. Elle inclina la tête vers lui comme pour se faire pardonner son retard. Il acquiesça sans mot dire en continuant de l'admirer. Il éprouvait un grand plaisir quand il la voyait rougir d'émoi… Myriam incarnait l'élégance et la simplicité. Sa coiffure, son visage et son sourire révélaient une fraîcheur qui n'appartenait qu'à elle. Sans qu'elle s'en aperçoive, sur son passage, les têtes se tournaient, les regards s'attardaient, les conversations déviaient. Quel contraste entre ses manières et l'attitude arrogante de cette jeune fille qui, un peu plus tôt, avait voulu le séduire! Myriam n'avait pas besoin d'artifice! Par sa simple présence, elle mettait de la couleur, de la vie et du mouvement là où, d'ordinaire, une retenue conventionnelle dessinait des masques aux expressions timorées. Chose surprenante pour qui la savait avocate, elle portait ce jour-là une robe d'un rouge éclatant. D'habitude, ses consœurs préféraient des vêtements de couleur sombre ou neutre, mais Myriam savait transgresser les conventions avec un naturel et un aplomb déroutant et, pour cela, Mike lui vouait son admiration.

— Tu es belle, lui dit-il.

Et il lui tendit le minuscule bouquet de violettes. Surprise, elle devint écarlate comme sa robe, ce qui le mit en joie. Elle retint son émotion, mais il vit que l'attention l'avait touchée.

— Merci, mon amour, murmura-t-elle discrètement.

Il songeait qu'elle n'avait aucune idée du charme qui flottait autour de sa personne. Lui non plus n'avait pas changé. Myriam l'admirait. Il affichait un calme impressionnant, dégageait une belle assurance et semblait maîtriser toutes les situations sans jamais céder à la nervosité. D'emblée, même s'il portait un blouson de cuir noir, on se sentait en confiance... Ses cheveux serrés derrière la nuque par un lacet tressé mettaient en relief l'éclat sombre de ses yeux et sa peau était mate. Mike était toujours aussi beau et prenait soin d'affirmer ses origines amérindiennes. Les années passées ensemble avaient imprégné sur leurs deux visages quelques sillons en haut des pommettes en plus d'une belle maturité, et à voir le plaisir qui les habitait en cet instant, il était évident qu'ils s'aimaient toujours autant. Il se leva pour la serrer dans ses bras, remonta tendrement une mèche de ses cheveux et lui avança une chaise. Myriam porta les fleurs à ses lèvres avant de les déposer dans son verre d'eau.

— Comme elles sont jolies!

Elle regardait le bouquet d'un air attendri et ses yeux pétillaient en croisant ceux de Mike. Il suffisait d'un rien pour lui faire plaisir. Pourtant, elle avait les traits tirés.

— Enfin!... fit-elle en soupirant d'aise.

— Tu cours toujours, ma pauvre chérie...

— Je n'ai pas vraiment le choix!

Mike hocha la tête.

— J'aimerais te savoir plus détendue...

Ils ne s'étaient pas vus depuis plus d'une semaine tant leurs horaires étaient en contradiction. Même le soir, alors qu'ils auraient pu profiter d'un moment de détente quand les jeunes étaient occupés ou sortis, absorbée, Myriam retournait au bureau pour mettre la dernière main à quelque dossier qui ne pouvait attendre. Il lui était même arrivé d'avoir à rencontrer un client en urgence. En plus de défendre les Autochtones, elle s'occupait de plusieurs réfugiés arrivés tout droit d'Amérique du Sud. Ils étaient nombreux en ces années à venir du Chili et à demander l'asile politique. La plupart, torturés par les sbires de Pinochet et perturbés, malades dans leur chair, fuyaient la dictature. Myriam, compatissante, se faisait un devoir de régler leur cas avec promptitude. D'autres, en provenance du Mexique, étaient égarés dans Montréal. Donner à leur famille la possibilité de les rejoindre, trouver des moyens de les aiguiller vers ce qui les aiderait. Sur ses épaules, elle en prenait beaucoup et tentait d'assumer le tout avec philosophie. Alors, esseulé, Mike profitait de ces heures pour étudier et finir d'écrire le recueil qui compléterait ses recherches anthropologiques et l'aiderait à soutenir sa thèse. Elle fit mine de consulter le menu, mais le referma presque aussitôt et s'en remit à lui:

— Qu'as-tu choisi?

– Comme d'habitude, la bavette à l'échalote…

– Alors, deux fois…

Il fit un signe à la serveuse. Myriam s'empressa d'ajouter :

– Mademoiselle, un verre de beaujolais… Et puis, non, apportez donc une bouteille…

Mike la regardait, ébahi.

– Ce n'est pas ton habitude de boire du vin à midi !

– J'ai l'impression que cela me fera du bien… Et puis, c'est le moment de fêter nos dix années…

Elle compta sur ses doigts pour vérifier ses dires, comme si elle n'y croyait pas encore. Lui, il riait de la voir faire.

– Tu as raison, il y a dix ans, rien ne nous prédisait le bonheur !

Il marqua une pause, puis plaisanta :

– Êtes-vous libre en fin de semaine, madame, que je puisse vous gâter un peu ? Dix ans !

Elle reprit tout à coup son visage enfantin :

– Si on s'offrait bientôt une semaine en amoureux, pour nous réjouir et être seuls tous les deux ?

– C'est exactement à ça que je pensais…

Elle avait l'air émue. Il lui prit la main et la gratifia d'un baiser.

– Si tu arrêtais de courir… Les années ont passé vite ! Il s'est écoulé combien de mois depuis notre dernière escapade ?

Elle chercha dans sa mémoire et ils tombèrent d'accord : cela faisait trop longtemps.

– As-tu terminé ton recueil ? s'informa-t-elle en changeant de ton, comme si le fait d'approfondir le sujet de leurs amours la troublait.

Il fit signe que oui et lança :

— Quand je pense qu'il faut se donner rendez-vous pour avoir une heure de tête-à-tête !

Pour la première fois, il lui faisait remarquer son manque de disponibilité. Myriam en convint :

— J'avoue, il y a trop de choses en même temps... Je ne compte pas sur mes collègues pour reprendre mes dossiers... L'ambiance ne s'améliore pas.

Mike ne l'écoutait que d'une oreille et laissait son regard se promener lentement sur son visage où il lisait une fatigue inhabituelle. Il insista :

— Quand vas-tu prendre un peu de repos ?

— En fin de semaine, avec toi...

— Hum, est-ce tout ?

Elle se reprit :

— Ce sera bon dans deux ou trois semaines ! D'ici là...

— Oui, je sais, d'ici là, tu es trop occupée, n'est-ce pas ?

Elle était au pied du mur : il l'observait en silence et elle sentait la frustration de son attente. Un frisson la parcourut. Elle craignait de ne pas être à la hauteur, redoutait de le décevoir.

— Pour le reste, je souhaite ralentir..., ajouta-t-elle comme pour s'excuser.

L'aveu était de taille. Jamais il ne l'avait entendue affirmer si clairement son malaise. Tandis qu'elle se servait un autre verre de vin, il quêtait des précisions. Il voulait en avoir le cœur net, savoir si elle lui cachait quelque chose.

— Aurais-tu un problème de santé ?

— Mais non, je suis juste fatiguée ! s'exclama-t-elle. Sais-tu ce qui m'a le plus bouleversée cette semaine ?

– Non...

Il s'attendait à des commentaires sur ses dernières plaidoiries, un résumé de certains débats houleux avec ses associés.

– Pierrette m'a avoué qu'elle n'allait plus à la messe!

Mike fronça les sourcils. C'était inusité.

– Si Pierrette en est là, c'est que le clergé manque de charisme. L'Église ne joue plus son rôle auprès des populations et les populations le sentent. Les foules désertent une institution qui s'est vidée de son essence...

– Tu ne peux pas dire plus juste, mais venant de Pierrette, cela me fait beaucoup réfléchir...

– Pierrette a toujours fait preuve de bon sens...

– Plus que cela, son analyse est impressionnante. Je me demande quel événement l'a amenée à ce point, elle n'a pas voulu m'en parler.

– Revenons à toi qui travailles trop...

Mike n'entendait pas laisser dévier la conversation. Il ajouta:

– Après quoi courez-vous tant, vous les honorables professionnels qui portez le monde entier sur vos épaules? Pendant ce temps, la roue tourne et vous perdez le meilleur de la vie.

Ne sachant que lui répondre, Myriam eut l'air désemparée.

– J'aimerais te voir détendue et heureuse...

– Mais ne le sommes-nous pas, toi et moi!

Ses craintes la reprenaient. Il la regarda longuement sans ajouter un mot. Pour l'essentiel de leur relation, ils l'étaient. Ils avaient su préserver la magie de leur attirance réciproque, la spontanéité de leur amour. Myriam et lui en étaient conscients. Sous l'intensité de son regard, elle se laissait troubler comme une enfant... Dans la salle, les bavardages des clients résonnaient, formant une sorte d'écran qui les protégeait mal des indiscrétions. Elle hésitait à se confier ici. Il faisait chaud. Au dehors, l'hiver avait laissé place à la belle saison en quelques jours et les habitués arrivaient en grand nombre pour célébrer la fin des contraintes. Les jours doux transportaient une allégresse refoulée pendant les longs mois de gel et l'on se laissait aller, on s'exclamait. Était-ce le moment propice pour lui avouer qu'elle changerait volontiers de rythme de vie, qu'elle en avait assez, au seuil de ses quarante ans, d'examiner des dossiers et des codes civils à la lueur d'une lampe qui lui brûlait les yeux ? Elle but une gorgée de vin, puis une autre, et se sentit désemparée. Et puis, ses enfants ! Guillaume en particulier... Ses pensées se bousculaient, un doute immense s'emparait d'elle au moment où elle s'y attendait le moins. Le jeu de la profession solide et enviée en valait-il la chandelle ? Ce qu'elle avait tant voulu et qui lui avait coûté de gros sacrifices rendait-il le plaisir attendu ? Elle en avait tant vu des causes réglées à l'emporte-pièce, des injustices flagrantes au sein de l'institution sans compassion portant le nom de justice. Les règlements et les lois où l'on avait, en fin de compte, égaré les vrais motifs : le droit de tout individu à être considéré, tout cela lui donnait une sorte de nausée... La veille, il lui était arrivé un homme qui avait subi la torture et demandait l'asile politique pour lui et sa famille. Elle ne pouvait oublier ses yeux d'animal traqué qui exprimaient le désespoir et la terreur d'avoir à retourner dans cet enfer. Les traits creusés, il pleurait. Il avait honte. Myriam n'avait pas su trouver les mots qui auraient mis un baume sur ses plaies. Un avocat s'exprime avec des phrases calculées, dictées par le Code civil… Alors, elle avait compris comment la révolte naît de l'injustice.

En 1975, devant les Amérindiens à la Grande Assemblée de Mistassini, quand on les avait dépouillés de leur terre, la même chose s'était produite et le cœur lui avait manqué. Dans ce temps-là, elle était persuadée d'obtenir gain de cause pour les plus démunis. Elle avait remué ciel et terre pour ses amis et avait appris à les connaître en parcourant leurs territoires avec Gaby. Elle avait trouvé parmi eux l'homme de sa vie : Mike. Aujourd'hui, se pouvait-il qu'elle doutât de sa vocation ? Impossible de s'épancher et de remettre en question publiquement le système. Les voisins de table pourraient l'entendre… « Vois, Myriam, tu es encore sensible aux qu'en dira-t-on ! » se fit-elle remarquer sans complaisance. Elle cherchait une échappatoire à une remise en question totale, effrayante, et n'en trouvait pas. Après tout, elle se trompait peut-être. Elle ressentait une profonde lassitude. Manquait-elle de défis ou bien tout simplement vieillissait-elle en aspirant à ce qu'en d'autres temps elle aurait qualifié d'égoïsme ou d'inconscience ? Et puis, les enfants avaient grandi si vite ! Leurs premières années s'étaient enfuies pour ne plus revenir… Parler maintenant ? Vider son cœur ? Oui, mais il valait mieux attendre d'être dans l'intimité de la maison pour envisager avec Mike ce qui adviendrait. Serait-il raisonnable de changer de voie ? À eux deux, ils avaient quatre bouches à nourrir et elle aimait le confort de leur vie. Elle s'étonnait et s'en voulait d'avoir ce genre de pensées sans nuance, de céder au matériel, de ne plus trouver dans son travail l'énergie qui fait tourner la roue, celle qui l'animait depuis tant d'années.

Les personnes proches, comme son ex-mari Laurent, et les autres ne s'apercevaient pas de son désintérêt. Et Mike, se doutait-il de ce qui couvait sous son crâne?

— Tu as l'air songeuse…

Elle fit signe que non, mais elle savait qu'il n'était pas dupe. Il lisait dans ses pensées. Il lui sourit. La serveuse s'approcha et remplit leurs verres. Ils trinquèrent.

— Alors, à nos amours!

— Raconte ce qui se passe depuis qu'on se croise entre deux portes…

— Au bureau, c'est la folie, mais ce n'est pas tout!

— Alors, amour, c'est quoi?

Myriam frissonna. Quand il l'appelait ainsi, elle se sentait fondre de tendresse.

— C'est Guillaume…

Mike fronça les sourcils. Guillaume était dans une passe difficile. Il ne le savait que trop. Chaque fois qu'une discussion avait lieu entre Guillaume et Myriam, et que Mike essayait d'intervenir ou de le raisonner comme il le faisait avec son fils Dany, Guillaume se butait. Le jeune homme lui lançait des remarques désobligeantes et lui disait sans détour: «Es-tu mon père?»

Ils avaient vidé leurs assiettes. L'heure avançait. Myriam regarda sa montre. Elle prit la poignée de violettes et la serra sur sa poitrine. Mike régla l'addition et passa un bras autour de ses épaules. Ç'aurait été bon d'aller marcher main dans la main…

— S'est-il passé quelque chose de spécial qui te mette dans cet état?

Il restait si peu de temps pour tout raconter.

— Hier soir, j'ai refusé à Guillaume de lui prêter ma voiture. Il avait l'air découragé. Mets-toi à ma place.

«On attend de toi des notes acceptables, lui ai-je répété. Tu nous déçois trop, te rends-tu compte? Vas-tu te prendre en main?» lui ai-je encore dit. Alors, il part en guerre contre son père qui le rejette de plus en plus, il nous casse continuellement les oreilles avec sa musique qu'il fait jouer à tue-tête à n'importe quelle heure.

— Ça, je ne le sais que trop…

Mike avait pris le parti d'en rire.

— Et maintenant, voilà qu'il y a la batterie! grogna Myriam. Pourrais-tu lui faire un brin de morale?

— Le problème, c'est que, pour la morale, je n'ai pas beaucoup de succès avec lui…

Il la vit terriblement inquiète.

— Ne sois pas si tendue, chérie, on reparle de tout ça!

Il lui souleva le menton et lui donna un baiser avant de la regarder partir en courant.

*

1er mai 1984.

L'air embaumait. Sans qu'on y prenne garde, les jours avaient allongé et le soleil brillait encore à l'heure où l'on soupe. Les oiseaux se répondaient d'une branche à l'autre en piaillant et, dans les rues d'Outremont, quelques femmes éprises de leur jardin préparaient déjà la terre. Des passants ravis s'attardaient en scrutant les feuilles nouvelles: le printemps précoce chatouillait les sens des Québécois. Partout, on avait entrouvert les fenêtres et les bruits de la rue s'infiltraient poliment à l'intérieur des maisons avec des parfums d'herbe fraîche… Dans la salle à manger où l'on se réunissait quand tous étaient présents, il y avait du tapage et, dans la cuisine, régnait le joyeux désordre qui préside aux préparatifs culinaires. Myriam sortit du four un plat fumant, bien garni qui contenait ce dont les jeunes raffolaient: une lasagne de sa confection, gratinée et odorante. Les exclamations fusèrent:

– Ohhh!

– Mmm! Ça sent bon icitte! claironna Guillaume du haut de ses dix-sept ans.

Myriam sourit de plaisir. Elle avait tenu compte des conseils de Pierrette et réservé la journée pour ses enfants. Le repas venait couronner l'après-midi passé à magasiner avec ses deux filles: un vrai charme. Toutes les trois aimaient batifoler au centre-ville. Cela rapprochait les jumelles, qui redevenaient complices dès les premières minutes de cette escapade avec leur mère. Elles avaient couru d'une boutique à l'autre, découvrant les dernières fantaisies de la mode, essayant tout, flânant et s'émerveillant, avant de rentrer à la maison les bras chargés de paquets. Il leur avait suffi de quelques heures pour dévaliser les rayons de La Baie à Eaton en passant par Ogilvy. Leur butin hétéroclite comportait une série de chandails destinés aux garçons, étalés sur le sofa. Il y en avait pour tous les goûts. Lydia et Laurence les avaient posés là stratégiquement, pour piquer leur curiosité. Imaginer comment chacun serait, par leurs bons soins, vêtu de neuf les avait mises en joie… Cette sorte de jeu féminin se renouvelait aux changements de saison depuis que les fillettes devenues femmes affichaient leur coquetterie.

Au sein de la famille reconstituée, il était rare que l'on soit tous réunis comme ce soir, car chacun allait à ses occupations, sans égard pour l'horaire des autres. La vie moderne imposait l'éparpillement. Alors, chaque fois que Myriam s'octroyait un jour de congé et préparait, comme aujourd'hui, un menu spécial, le souper prenait des allures de fête.

Guillaume, Laurence et Lydia, les jumelles de quinze ans, et aussi Dany, le fils de Mike, de six mois plus âgé que Guillaume, se bousculaient autour de la table. Comme tous les adolescents, mis en appétit, ils plaisantaient. Guillaume, moqueur, passa tout à coup son nez par la porte du salon et se précipita pour déployer le plus coloré des vêtements qui lui était destiné.

— Qu'est-ce que ça fait là, tous ces chiffons? s'exclama-t-il en l'exhibant.

— Chiffon, chiffon, tu le fais exprès? répliqua Laurence, vexée. On l'a déniché chez Ogilvy et on l'a choisi exprès pour toi…

— C'est laid! Jamais je ne porterai un truc pareil, une vraie horreur! insista Guillaume, qui préférait ses vieux chandails noirs.

— Mais c'est super joli, plaida Lydia.

— Pfff… Ouais, on voit pas les choses de la même façon! trancha son frère.

— Tu sauras qu'on l'a payé un prix fou, argumenta Laurence.

— Donc vous êtes complètement folles, C.Q.F.D.! en déduisit l'insolent.

Laurence avait reçu comme une gifle la réaction de Guillaume et Lydia, désolée, admirait les teintes du vêtement qu'elle avait pris dans ses mains. À ce moment, Myriam, sans prêter attention aux chicanes entre les frères et sœurs, revint de la cuisine. Elle portait avec précautions l'énorme plat que tous lorgnaient avec convoitise.

— Encore un chef-d'œuvre culinaire comme toi seule sait les mitonner! s'écria Laurence. Quand tu travailles pas m'man, c'est *cool*, on sait d'avance qu'on va se régaler!

— Et puis, au moins, on peut s'amuser et t'avoir avec nous, renchérit Lydia.

Ce refrain revenait souvent: «Quand tu travailles pas maman, c'est *cool*!» Il aurait été impensable d'abandonner ce qui était la moitié de son existence pour satisfaire aux revendications de la jeune génération. Au cours des dix dernières années, Myriam avait accumulé les responsabilités et relevé, dans sa carrière d'avocate, plusieurs défis de taille qui grignotaient son temps, de sorte que, petit à petit, les heures consacrées aux loisirs avec ses enfants avaient raccourci. Ceux-ci ne manquaient pas une occasion de le lui faire remarquer avec une pointe de cynisme. Les paroles de Pierrette lui revinrent en mémoire. Elle les chérissait, mais il était loin le temps où il suffisait de les faire sauter sur ses genoux pour les amuser. Dans ce temps-là, on appelait familièrement les deux filles Lili et Lolo, et Guillaume se réjouissait quand on lui donnait des diminutifs variés... Depuis que les jumelles se considéraient comme des demoiselles, les surnoms affectueux les piquaient au vif. Bien sûr, Laurence ressemblait physiquement à sa jumelle Lydia. Pourtant, si l'on prêtait la moindre attention à son visage mince et à ses gestes énergiques, on découvrait rapidement les contrastes qui dénotaient un tempérament très différent de celui de sa sœur. Dans son regard intense passaient des nuages imprévisibles qu'on ne voyait pas chez Lydia, aussi surnommée «l'éternellement douce». Laurence possédait une volonté farouche, une détermination inébranlable, en plus d'aimer jouer un rôle de leader, ce qui était à l'opposé de la tendre Lydia. Douée d'une intelligence au-dessus de la moyenne, vive et impétueuse, peu féminine mais féministe avant son heure, elle n'était pas d'un caractère accommodant. Excessive, aimant diriger et donner des ordres et des conseils à tout un chacun, elle craignait constamment de perdre son ascendant sur sa trop débonnaire jumelle qui la suivait comme son ombre. Se targuant d'être un garçon manqué, Laurence prenait fréquemment des initiatives farfelues qu'elle menait tambour battant et entraînait ses amis dans des aventures qui pouvaient s'avérer déplaisantes tant elle était impulsive. Avec elle, il fallait s'attendre à tout ou presque… Hormis son indiscipline notoire qui lassait ses professeurs et ses amis, ses résultats scolaires étaient excellents. En outre, à l'opposé de Lydia, elle était sportive, aimait monter à cheval, jouer au tennis et s'exerçait même au soccer avec Guillaume et Dany. Lydia, par contraste paisible et délicate, n'aimait pas faire de bruit, passait des heures à rêver, possédait un charme féminin emprunté à sa mère et se passionnait pour le dessin, l'art et la décoration, détestant tout exercice qui bousculerait son rythme tranquille. Pendant des années, Myriam s'était posé la question : « Comment les deux fillettes, qui avaient cohabité pendant neuf mois dans l'utérus maternel, même si elles n'étaient pas issues du même ovule, pouvaient-elles être si différentes de caractère et si opposées dans leurs attitudes les plus intimes ? » Jamais elle n'avait obtenu de réponse satisfaisante à cette question qui restait pour elle une énigme.

Myriam jeta un coup d'œil ravi devant les résultats de ses préparatifs. Tout était fin prêt. La table était des plus accueillantes et l'heure avançait.

— J'ai faim, faim, faim! cria Guillaume qui, impatient, grattait sa guitare pour mieux se faire entendre.

— On a faim! lâcha Dany, solidaire.

Le fait était coutumier, Guillaume ne pouvait se retenir de manger à toute heure et Dany, avec qui il s'entendait à merveille, le suivait dans ses débordements. Depuis quelques mois, à eux deux, ils engloutissaient tout ce qu'ils trouvaient dans le réfrigérateur, dans les armoires de cuisine et dans la dépense et cela ne leur suffisait jamais. Myriam vit que, déjà, ils avaient mangé la moitié du pain tranché : il fallait passer aux choses consistantes sans attendre… En pleine croissance, Guillaume dépassait sa mère d'une bonne tête. Dany, quant à lui, avait un corps puissant et musclé. Il ressemblait à Mike et, comme lui, restait plus discret que son compère. On aurait juré que ces deux-là n'en finiraient jamais de grandir. Guillaume avait les cheveux longs qui retombaient sur ses épaules et de grandes mèches brunes barraient son front. Il aurait bientôt dix-sept ans révolus et affichait la désinvolture qui caractérise son âge. Myriam le revit, pendant un bref moment, attentionné et minutieux comme il l'était lorsqu'il avait dix ans. L'application qu'il mettait à changer son image et son caractère la prenait au dépourvu, surtout depuis qu'il était réfractaire aux conseils de Mike. Par quel moyen calmer sa rébellion devenue quasi constante ? Quant à Mike, il admirait Myriam autant derrière ses fourneaux que dans son rôle d'avocate. Il connaissait si bien ses réactions qu'il pouvait deviner ce qui la préoccupait au moindre tressaillement parcourant son visage. En la voyant songeuse devant les facéties de son fils, il capta sa pensée. Voulant souligner le caractère joyeux de la soirée, il se leva de table et alla chercher une bouteille de vin. Le bruit sec du bouchon fit sursauter Lydia qui, réjouie, y alla de son commentaire :

— Oh, maman, le régal total !

— Ouais, l'ordinaire devient extraordinaire avec la touche maternelle et, en plus, la bouteille ! fit Guillaume jouant au philosophe.

En disant cela, il se frottait la panse et plissait les yeux de façon si comique qu'il y eut un éclat de rire général. Il adorait faire le pitre, ce qu'il réussissait fort bien, et Mike, qui avait rempli les verres, lui adressa un signe de tête en cognant sur la table avec le manche de son couteau :

— Rien de plus vrai, Myriam, tu nous gâtes ! Un toast pour maman…, lança-t-il à la ronde.

Et il leva son verre au festin et à la cuisinière. Les jeunes l'imitèrent, le visage tout illuminé.

— Yé ! firent-ils en chœur.

Myriam répondit à l'enthousiasme général et trinqua. Ses enfants la regardaient fièrement, tous l'adoraient. Pourtant, dans le milieu juridique, les choses n'étaient pas acquises : de plus en plus souvent, on critiquait ses succès et elle faisait des jalouses parmi celles – devenues plus nombreuses – qui exerçaient la profession d'avocate. Elle aurait voulu faire assouplir certaines procédures, rendre les interrogatoires plus humains, ne maintenir les procès, au fond, que dans les cas précis relevant du Code criminel et disait bien haut sa façon de penser. Ses vues choquaient la magistrature. De ce fait, elle n'avait que peu de relations sociales, se tenant à l'écart des cercles mondains. Au bureau, Laurent, le père de ses enfants, son associé, avec qui elle travaillait toujours, se butait encore devant ses attitudes avant-gardistes qu'il qualifiait de marginales. Peu lui importait. Myriam ne lui cédait sur aucun point et lui tenait tête quant à l'éducation de leurs enfants, tout comme elle l'avait fait naguère pour soutenir sa propre cause. Il s'agissait le plus souvent des écarts de Guillaume, qui refusait le conformisme et obtenait de mauvais résultats scolaires. Aussi, les rapports des anciens époux étaient-ils aigres-doux. Laurent, même s'il s'était remarié récemment avec «une jeunesse», n'avait jamais digéré les circonstances de leur séparation. Bien qu'il ne l'avouât pas, la détermination inébranlable de Myriam, ses convictions et sa façon de vivre hors des sentiers battus restaient, année après année, ce qu'il considérait comme ses pires défaites. Il savait inutile de penser à la faire changer de cap malgré l'énergie qu'il y mettait encore. Dans la plupart des cas, lorsqu'une discussion devenait ardue, elle adoptait volontiers les solutions proposées par Mike dont les sages conseils, proches de ses opinions, lui redonnaient confiance.

Pendant environ trois ans, au moment du divorce, Myriam et Mike s'étaient perdus de vue, mais depuis cet épisode ancien, ils avaient rattrapé le temps perdu. Inséparables, ils avaient jeté leur dévolu sur une maison pourvue de cinq chambres, entourée d'un îlot de verdure, confortablement aménagée pour les loger tous. Bien située, elle faisait face à un des parcs qui jalonnent Outremont, à la fois proche du centre-ville et à l'écart de la circulation et du bruit. Ils ne s'étaient pas remariés et vivaient ensemble sans égard aux usages, ne cachant pas leur détermination de rester unis par leur seule volonté de l'être. Dans les familles voisines et parmi les

amis, on disait qu'ils menaient, à l'écart de la bonne société, une vie de bohème et qu'ils étaient réfractaires aux
conventions. Myriam n'avait cure de ces commentaires.
D'un commun accord, elle et Mike considéraient que
leur amour était une valeur sûre, bien plus solide qu'un
contrat social de précaution qu'ils n'envisageaient pas, le
trouvant encombrant et inutile. Amoureux, l'un et l'autre poursuivaient des objectifs semblables, en particulier
celui de faire de leur vie un vaste chantier de découvertes, un terrain d'expériences enrichissantes pour l'esprit.
À l'aise financièrement, ils avaient entraîné les enfants
dans un quotidien plein d'imprévus où l'harmonie familiale semblait établie. Pourtant, ces derniers temps, les
rapports entre frère et sœurs étaient parfois houleux.
Dans ces moments-là, Mike savait d'instinct apaiser les
esprits et soutenir Myriam dans son rôle de mère ou
d'avocate et tous l'aimaient, bien que Guillaume s'op-
posât fréquemment à ses idées lorsqu'il intervenait dans
les discussions. Quelquefois, Mike s'absentait pendant
deux ou trois semaines pour visiter les communautés du
Nord ou pour accompagner une équipe d'anthropologues et, lorsqu'elle le pouvait, mais c'était plutôt rare,
Myriam se joignait à lui, heureuse de partager ses connaissances. Alors, on confiait à Laurent et à sa nouvelle
épouse le soin de veiller au quotidien sur la jeune génération et Dany, s'il ne pouvait séjourner chez Gaby, à
Kanesataké, prenait pension chez une de ses tantes du
côté de Longueuil.

Depuis quelques minutes, les éclats de voix des frères et sœurs se croisaient. Autour de la table, ils avaient
peine à attendre le signal de la maîtresse de maison pour
contenter leur appétit... Lydia, voyant la mimique de

64

sa mère, fit un signe à son frère pour qu'il cesse de s'agiter.

— Je coupe les parts et vous vous servez, précisa Myriam en découpant la lasagne.

Six morceaux fumants s'épanchèrent dans les assiettes.

— Mmm, s'exclama Guillaume, le regard plein de convoitise, voilà le meilleur!

En faisant quelques contorsions avec sa fourchette, il s'empara d'un tortillon de fromage rôti encore agrippé, tout chaud, sur le coin du plat et l'exhiba au nez de ses sœurs avant de l'avaler. Puis, sans la moindre gêne, il s'octroya la portion la plus imposante.

— Toujours aussi boulimique, fit observer sa mère.

— Ouais, en quel honneur faut que tu te serves le premier? hurla Laurence, frustrée.

— Droit d'aînesse, rétorqua Guillaume en la narguant.

Il lui fit un pied de nez.

— Ah, ça alors, tu es…

Les mots lui restèrent pris dans la gorge: Laurence avait en horreur de s'en laisser imposer par son frère. Elle prit la mouche:

— Imbécile, t'es toujours aussi plate, ronchonna-t-elle. C'est tout de même pas ma faute si je suis plus jeune que toi, ce qui ne m'empêche pas d'être plus brillante, d'ailleurs…, lui cria-t-elle sous le nez.

— T'es pas brillante, t'es niaiseuse…

Elle bondit, prête à attaquer:

— Et toi, t'es abruti, hein, dis-le ce qui t'abrutit, dis-le!

Laurence comptait sur ses doigts pour faire la liste des excès de son frère.

— Il y a la musique, il y a le…

Elle s'arrêta brusquement comme s'il y avait dans les propos une limite à ne pas franchir. Myriam ne put retenir un soupir d'agacement devant ces querelles sans fondement et se leva, choquée. Le vacarme et les hostilités étant déclenchés, Guillaume ricana en haussant les épaules :

— Non, mais, écoutez la folle !

Myriam et Mike se regardèrent, ennuyés de devoir assister à cette chicane inattendue. Le frère et la sœur se regardaient en chiens de faïence et se mesuraient dans un duel sans compassion.

— Toujours aussi aimable, la petite, hein, tu sors tes griffes ! Miaou…, se moqua Guillaume en poussant des cris de chat pour envenimer les choses.

— Allons, allons…, intervint Myriam, contrariée.

Il était loin le temps où Guillaume, sérieux et réfléchi, prenait soin de ses deux sœurs avec patience. On aurait dit que les bouleversements de l'adolescence l'empêchaient de se contrôler et qu'il faisait tout pour provoquer une querelle en règle.

— Allons, tout le monde aura sa pitance, fit Mike pour apaiser les esprits. Je gage que vous ne serez pas capables de finir le plat !

— On le sait, ajouta Laurence, butée, mais c'est une question de principe ! Pourquoi faudrait-il que Guillaume ait des privilèges et se comporte comme un roi ? Monsieur le roi qui a tous les droits !

Et elle croisa les bras en tapant du pied sur le plancher pour manifester son opposition. La scène était caricaturale.

— Laurence, tu exagères un peu, laissa tomber Myriam.

— Il est abruti…

— Maman, c'est délicieux, ta lasagne…, hasarda Lydia au milieu du bruit pour faire diversion.

Lydia tentait toujours d'arrondir les angles. Était-ce par réaction au tempérament querelleur de sa trop bouillonnante jumelle ?

— Quel régal ! ajouta Dany, cherchant lui aussi à distraire l'attention des foules.

— Mademoiselle est forte sur les principes, poursuivait Guillaume à l'intention de Laurence, mais regarde-toi, douce femelle ! Moi, je représente le sexe fort !

Et il se rengorgea, frappant sa poitrine avec conviction pour l'irriter plus encore. Il savait qu'il touchait juste, mais c'était imprudent de sa part. La réaction fut instantanée. Laurence lança sa serviette sur la tête de Guillaume, qui leva le bras pour lui donner une gifle.

— Tiens pour tes principes ! cria-t-il.

— Heureusement que j'ai des principes, espèce de sauvage ! rétorqua Laurence, tu ne peux pas en dire autant !

On ne s'entendait plus.

— Oh, ça va mal, se lamenta Lydia en mettant la main sur sa bouche. Je savais qu'ils se chicaneraient encore, ces deux-là !

— Guillaume, tu sais que je n'admets pas ce genre d'argument vis-à-vis de tes sœurs… Le terme de femelle est une insulte, trancha Myriam.

Plus les semaines passaient et plus le langage des jeunes devenait intolérable. Elle détestait ce rôle d'arbitre qu'il lui fallait endosser depuis peu dans l'intimité. Arriver à maintenir la discipline dans des situations aussi stupides était plus compliqué que de plaider un procès… Pourtant, Myriam se souvenait de son caractère à elle, susceptible et soupe au lait, lorsqu'elle était haute comme trois pommes. Alors, il lui arrivait de taper du pied par terre pour signifier sa volonté, de la même façon que le faisait aujourd'hui Laurence. Dans ces moments-là, la brave Pierrette, qui, déjà, jouait le rôle de gardienne, riait de la voir si têtue et lui faisait des remontrances… Comment en vouloir à Laurence si elle était faite du même bois ? Et puis, Guillaume dépassait les bornes. Myriam prit un air outré.

— Voyons m'man, on plaisante, dit-il pour s'excuser.

— Les plaisanteries ont une limite, vous êtes priés d'user de courtoisie les uns envers les autres et encore plus les garçons envers les filles…

— Et toc ! fit Laurence en arborant un sourire victorieux.

— Pourquoi plus les garçons envers les filles ? persifla Guillaume. Les féministes ne revendiquent-elles pas l'égalité en tout ? Égalité… Égalité… Égalité !

Il se leva et fit une révérence pour se moquer.

— Égalité ne signifie jamais manque de respect…, fit remarquer Myriam, qui ne plaisantait pas.

Le ton de sa voix était sans appel. Guillaume piqua du nez pour ne pas aggraver son cas, se rassit et avala goulûment sa part, tandis que Laurence, tout en ruminant de sombres pensées, examinait le fond de son assiette pour se donner une contenance. Devait-elle vendre la mèche et dire que son frère fumait de la marijuana, qu'il séchait ses cours ? Non, elle avait trop de fierté… Un silence lourd envahit la pièce. Tous se concentraient sur la nourriture. Dany, assis à côté de Lydia, qui, jusque-là, s'était bien gardé de mettre son grain de sel dans le conflit, rapprocha sa chaise et frotta discrètement sa jambe sur celle de la fillette :

— Tiens, Lili, passe-moi du pain et aussi le beurre, murmura-t-il en se penchant vers elle.

Lydia opina de la tête en satisfaisant à sa demande et lui lança un clin d'œil qui en disait long. Mike surprit leur mimique et chercha les yeux de Myriam. Depuis quelque temps, Dany et Lydia ne se quittaient plus. Laurence, délaissée, était jalouse et Guillaume, qui perdait lui aussi son acolyte, trouvait là une bonne raison de se lancer dans ses veillées musicales interminables. Les conversations s'étaient taries et Laurence fixait Dany d'un air réprobateur. Le jeune homme, bon prince, habitué à ses sautes d'humeur, fit mine de se protéger le visage avec la main, ce qui eut pour effet d'exacerber le courroux de la demoiselle. Se mesurer aux garçons à la première occasion était devenu une manie. Laurence, qui détestait sa condition de femme, rejetait Guillaume, Dany et tous ceux du sexe opposé qui se plaçaient sur son chemin, prête à leur lancer des flèches. Dany, qui avait hérité de la sagesse paternelle, le savait et s'en amusait, s'efforçant d'être diplomate pour ne pas s'attirer ses foudres. Il prit un air benêt.

— Qu'est-ce que tu as, toi, à me regarder comme ça avec ton air de ne pas y toucher ? rugit Laurence.

— Voyons, Laurence…, fit Myriam, que tant de mauvaise humeur lassait.

Dans la tête de Laurence, de plus en plus renfrognée, se livrait une douloureuse bataille. Guillaume lui empoisonnait l'existence et échappait à sa fureur par toutes sortes de subterfuges qui la rendaient amère. Elle en voulait à ses parents qui, ne cherchant qu'à tempérer les ardeurs, ne comprenaient rien à sa torture. Quant à Dany, elle le trouvait trop doux et tentait de le provoquer par un jeu dangereux afin de voir jusqu'où pouvait aller sa patience. Le pauvre Dany, qui ne voulait pas envenimer les choses, ne répondit pas à sa sœur, qui en fut plus contrariée encore. Ses yeux lancèrent des éclairs destinés à tous ceux qui se trouvaient autour de la table. Elle ruminait sa colère disproportionnée. Vider l'abcès, l'insulter, le faire rentrer sous terre, le voir se traîner à ses pieds… Dany n'était pas le genre qui la faisait rêver. Pourtant beau garçon, sportif de surcroît et brillant dans ses études, il représentait l'idéal de bien des filles qui suivaient de près les matchs de football de son club où il était devenu la vedette. Mais il en fallait plus pour impressionner Laurence. D'ailleurs, les garçons ne la faisaient pas rêver… Une vraie querelle avec n'importe lequel d'entre eux lui ferait du bien, laverait ce qu'elle avait accumulé comme brimades au cours des trois dernières années, depuis, en fait, qu'elle avait eu ses premières règles. La puberté, étape déterminante de sa condition de «femelle», la prédestinait, lui avaient laissé entendre son père et sa grand-mère Dagenais, à un rôle subalterne… Seule Myriam la soutenait contre tous dans sa revendication, mais, même là, appartenant à une génération de «vieux», sa mère ne comprenait pas toujours sa vision de ce que devait être désormais une «vraie» fille, une battante… Laurence enrageait. Elle devrait employer toute son énergie à changer les choses, et elle le ferait. Elle jeta un regard vers Lydia qui faisait pitié avec ses yeux pleins d'amour… Être femme, cela voulait-il dire abandonner les places de choix aux hommes? Toutes ces histoires d'amour et d'amourettes, Laurence n'en avait cure. En quoi sa jumelle pouvait-elle trouver du charme à ce timide blanc-bec qui ne savait pas s'affirmer? Guillaume, pendant ce temps, insensible aux débordements de sa sœur, trop content de voir que Dany écopait la tempête, dévorait tout ce qui restait du plat et Lydia, silencieuse, mangeait du bout des lèvres. Mike réfléchissait afin de dédramatiser les choses et de remettre Laurence de bonne humeur sans recevoir ses foudres. Il se tourna vers Myriam comme si rien ne s'était passé. Bavardant de choses et d'autres, ils tentèrent de ranimer la conversation tombée à plat:

— Que faites-vous dimanche, avec votre père?

— Allez-vous faire une promenade à cheval?

Il n'y eut pas de réponse. Finalement, Myriam apporta le dessert. Guillaume se hâta d'avaler sa part de gâteau, puis courut chercher sa guitare et disparut en un éclair. Dany et Lydia se régalèrent avant de se lever.

— Viens-tu faire un tour avec nous, Laurence? proposa Lydia.

Son offre fut mal accueillie.

— Non, mais, je rêve..., marmonna celle-ci.

Laurence monta s'enfermer dans sa chambre en claquant la porte. Myriam et Mike se retrouvèrent seuls devant leur tasse de café au milieu du salon, heureux, tout compte fait, de ce tête-à-tête.

— De moins en moins facile de maintenir l'entente et la bonne humeur, se désola Myriam.

— Ouf, nous avons échappé à la tornade!... fit Mike en la prenant par la taille.

— Guillaume et Laurence se laissent emporter, j'en perds mes moyens... Cela me contrarie! Laurence devient impossible et Guillaume n'est pas mieux...

— Je sais, mais ne dramatisons pas, ils n'en sont pas à avoir des comportements extrêmes comme certains jeunes, dit Mike.

— Que veux-tu dire ?

— Ces jours derniers, répondit-il, j'ai rencontré une de mes anciennes élèves, qui se prostitue au coin de Saint-Denis et Sainte-Catherine…

— Quelle horreur ! s'écria Myriam.

— Je crains que les horreurs soient plus fréquentes que tu ne le penses…

— Pourquoi dis-tu cela ?

— Parce que nous négligeons le besoin d'amour de nos enfants pour nous consacrer au dieu «argent», et parce que cela nous coûtera de plus en plus cher…

Il ajouta en hochant la tête :

— Nous faisons semblant de ne pas nous apercevoir que l'amour est la base de la vie sur cette terre…

Myriam soupira :

— Soyons vigilants, c'est aussi ce que m'a dit Pierrette…

— Toujours aussi peu chaleureux, les rapports de Guillaume avec son père ?

— Évidemment ! Laurent ne fait rien pour arranger les choses, j'ai beau lui répéter que son fils a besoin d'approbation et d'encouragement, il reste sur ses positions et veut en faire un avocat sans écouter son point de vue… Et plus ça va, plus ses résultats au collège sont en chute libre…

— Laurent aura du fil à retordre s'il refuse le dialogue avec son fils !

— Rien à faire, tu connais Laurent… Son honneur est en jeu chaque fois qu'on ne se plie pas à ses façons de voir… Je revois mon grand-père dans certains de ses comportements. Oh, là là, pas question, avec Albert Pellerin, de se rebeller ! Il avait l'art et la manière d'acheter son monde. On se faisait mener par le bout du nez en douceur, dans de la soie... Mais avec Laurent, c'est une autre affaire. Il abuse de son autorité et refuse d'y mettre les formes. Avec lui, on doit filer doux, un point c'est tout... Il n'y a pas trente-six solutions, il n'y a que la sienne, et il est cassant. Ce qui me tracasse, c'est que Guillaume n'identifie pas ce qu'il désire et il ne répond pas aux exigences de son père...

— C'est normal, laisse-lui le temps...

Myriam avala son café en faisant la grimace, puis poursuivit.

— Ça fait plus d'un an qu'il galère en classe et s'étourdit avec la musique... Ses résultats scolaires sont médiocres, mais comme musicien, je dois lui reconnaître un certain talent en plus de la persévérance qui lui manque ailleurs. Il joue depuis peu avec des professionnels !

Mike, qui n'était pas encore au courant des dernières marottes de Guillaume, écarquilla les yeux.

— C'est nouveau ?

— Tout récent... Parfois, je me demande si son père n'a pas raison de tant insister sur la discipline et sur les choses sérieuses auxquelles nous n'avons pas donné la priorité...

Mike se pencha vers elle :

— N'avais-tu pas d'hésitations, toi, à son âge ? Nous vois-tu imposer les devoirs religieux et la soumission sans broncher, comme c'était la mode avec tes grands-parents ?

Myriam retrouva le sourire :

— Non, c'est vrai... Les devoirs religieux, c'est loin pour eux ! On ne leur enseigne même plus la catéchèse au primaire et le cours de morale est de moins en moins adapté à la réalité urbaine moderne… Dans mon temps, je suivais les cours, je ne me posais pas de questions, je me sentais soutenue et, quand j'ai rencontré Laurent, on s'est mariés dans les mois qui ont suivi… Ça allait de soi!

Mike l'enlaça tendrement. Il n'aimait pas l'entendre évoquer ses anciens bonheurs, et elle, qui le savait, rit de le voir faire. Elle posa la tête sur son épaule:

— Les temps changent, tout bouge trop vite! Nos enfants pris dans un tourbillon ne connaîtront jamais la quiétude de nos vingt ans, et nous ne comprendrons peut-être jamais les fondements de leurs craintes et de leurs errances…

— On les comprend, crois-moi, car ils proviennent tous de la même source! Quand on a dix-sept ans, on ne sait pas ce qui nous anime, on met les choses à la mauvaise place! On tente de se situer par rapport à ce qu'on ne perçoit même pas et qu'on ne nous enseigne jamais… Pas évident, l'école de la vie… Il n'y a plus aucun modèle autour de nous…

— Il faudrait redonner ces modèles à nos jeunes…

— C'est évident, mais qui va faire ça?

— Nous, on voyait les choses avec un certain optimisme, il y avait moins de tempêtes sous nos crânes…

— Exact… On n'avait pas le sentiment de devoir être extraordinaire pour avoir le droit d'exister…

— Sans doute… On avait la certitude que tout était facile, que la société nous offrirait un avenir plein d'allégresse, on ne doutait pas des valeurs qu'on nous inculquait.

Myriam se resservit une tasse de café.

— Hier, j'ai rencontré ses professeurs. Le directeur est catégorique: Guillaume sera renvoyé si ses résultats ne s'améliorent pas. Je dois user de diplomatie pour qu'il bénéficie d'une nouvelle chance à la rentrée... Je n'ai pas encore abordé le sujet avec Laurent : tu imagines sa réaction...

Mike hocha la tête :

— Laurent n'acceptera certainement pas d'avoir un fils à la traîne...

La sonnerie du téléphone retentit. Myriam se leva pour répondre et mit la main sur le récepteur pour dire à Mike :

— C'est justement Laurent...

— Oui... oui... Non... Ils sont sortis...

Elle hocha la tête à plusieurs reprises, essayant de réprimer son agacement. Mike en déduisit que les propos de Laurent la froissaient, comme c'était souvent le cas.

— Ton fils dit qu'il veut être musicien parce qu'il déteste l'option que tu veux lui imposer..., argumenta-t-elle.

On entendait au travers du récepteur la voix de Laurent, nerveuse. Finalement, Myriam perdit patience :

— Bon, écoute, jeudi soir, on discutera du problème... D'accord, on prendra le temps !

Quand elle eut raccroché, Mike voulut la rassurer.

— Ne t'en fais pas trop, chérie, je crois que Guillaume est capable de tenir tête à son père... Et puis, toi et moi, on va le suivre de plus près...

— Hum ! De près... Je n'ai pas beaucoup de temps et même si j'en avais, à son âge, on est influencé par les copains... Guillaume est fragile... Et puis, la musique pour mener à quoi ? Si on le heurte, il va décrocher et c'est ce que je veux éviter...

— Ça m'étonnerait que son père lui conseille de se consacrer à son groupe de rock...

Myriam, songeuse, pensait que Guillaume, toujours en butte aux railleries et aux critiques de son père, luttait à contre-courant avec les forces désorganisées de son âge. Mal dans sa peau, il adoptait une attitude rebelle et affichait un esprit révolutionnaire qui irritait Laurent. Incapable de s'ouvrir aux errances de la jeune génération, de plus en plus amer, celui qu'on reconnaissait comme « l'Infatigable », irréductible, rendait le problème encore plus lourd et Guillaume ne pensait qu'à s'étourdir de musique avec ses copains. La communication était devenue impraticable.

Ce soir-là, bien qu'elle fût épuisée, Myriam eut du mal à s'endormir : les mises en garde de Pierrette et de Mike la tracassaient plus que de raison. Devait-elle redoubler de sévérité ou au contraire prendre le parti de tout comprendre, accepter les frasques de son fils selon la nouvelle tendance ?

CHAPITRE III

Montréal, le 7 mai 1984.

Les deux premières heures de l'après-midi avaient été pénibles. Au collège Jean-de-Brébeuf, malgré le soleil printanier qui jouait sur la pelouse et invitait à la nonchalance, Guillaume était d'une humeur massacrante. Les élèves sortaient de classe et se dispersaient, discutant des réponses aux problèmes de géométrie et d'algèbre ; lui, il avait manqué la quasi-totalité de son examen et Dany était absent, disputant un match de football à Philadelphie ce jour-là. Personne qui puisse l'écouter et le comprendre. Un de ses camarades, un gros garçon à la figure débonnaire, fit un signe dans sa direction :

— Hé, viens-tu, *Daj*?

Guillaume hocha la tête : il ne le suivrait pas. L'autre insista :

— *Come on, man!* On fume un joint avant l'histoire...

Et il sortit de sa poche un mouchoir qui contenait quelques brins d'herbe.

— C'est du fameux !

Deux ou trois jeunes, témoins de la scène, sifflèrent avec admiration.

— On te suit, François...

Guillaume s'éloigna en haussant les épaules: qu'ils aillent tous au diable! Il ne voulait que s'isoler et jouer de la batterie à n'en plus finir. Que diraient son père et sa mère devant ses piètres résultats? Depuis le début de la session, il avait obtenu des notes catastrophiques dans presque toutes les matières et il tremblait de dévoiler les annotations et les commentaires consignés sur son carnet... En parler avec sa mère, passe encore. Myriam ne perdrait pas son temps à lui rabâcher une leçon de morale, comme son père. Elle ne le féliciterait pas non plus, mais au moins, elle lui donnerait une chance de se racheter. Il suffisait qu'il emploie la belle manière pour la rassurer, pour qu'elle lui fasse confiance et pour qu'elle le regarde tendrement... Il adorait les yeux de sa mère et cette façon qu'elle avait de lui dire: «Plus que n'importe lequel de tes camarades, Guillaume, tu es capable de réussir sans te disperser comme tu le fais!...» Elle savait lui parler de manière à lui réchauffer le cœur... Et de fait, elle avait raison puisque, les années précédentes, Guillaume avait les meilleures notes de sa classe. Et puis, il était très fier d'avoir la plus jeune et la plus fringante des mères de tout le collège. Mais en quelques mois de conflit avec son père, en plus d'une déception amoureuse, tout avait changé. Finis les succès! Laurent Dagenais, *maître* Dagenais, comme l'appelaient tous ceux qui s'aplatissaient devant lui au bureau, à la maison, au collège, même..., maître Dagenais, son père, immanquablement, le perturbait, l'obligeait à se remettre en question, lui donnait des sueurs froides et le faisait trébucher même quand il devenait sûr de lui! Leurs rapports étaient une source de contrariétés, de malentendus et une suite de prises de position de plus en plus dures qui les éloignaient l'un de l'autre. Le jeune homme ne se souvenait pas d'avoir reçu son approbation, encore moins sa bénédiction... Et pourtant, parlons-en de la bénédiction paternelle! Laurent Dagenais, qui l'avait lui-même reçue de son père, comme le voulait la tradition ancestrale, la refusait à Guillaume rien que pour le punir, sous prétexte que celui-ci ne se conduisait pas selon les règles. Ridicule! Un principe d'un autre âge, issu d'un monde étouffé par la superstition religieuse... Il en avait la nausée. Il s'en passerait donc. Mais le jeune homme aurait tant aimé voir un éclair d'intérêt dans les yeux de son père, sentir de l'écoute aussi... Cela n'arriverait jamais, évidemment! C'était comme s'il n'existait plus à ses yeux depuis qu'il défaiait les règles que Laurent voulait lui imposer. La discipline, la religion, l'honneur et la loyauté envers un système pourri, quoi! Au bout du compte, il ne recevait que des reproches et des humiliations...

Laurent Dagenais était supposé lui servir de modèle! Eh bien, étant donné que Me Dagenais refusait sa confiance à son fils, étant donné que les efforts de Guillaume n'étaient jamais accueillis par un compliment, mais par une critique, eh bien, Guillaume n'en ferait qu'à sa tête et démontrerait à ce père aussi froid qu'un glaçon qu'il n'avait pas besoin de ses beaux discours: il s'en passerait de son approbation et mènerait sa vie à sa guise! Devenir musicien était son but, qu'on se le dise. Faire de la musique à s'étourdir. Oublier Sylvie, une copine de Laurence, qu'il avait cru conquérir et qui lui avait fermé son cœur après des mois d'espoir pour partir avec Renaud, un des bien nantis qui possédait une voiture! «Les filles sont toutes pareilles, se disait Guillaume, faciles quand on peut les acheter, inabordables quand on n'a que de l'amour à leur donner… » La déception était restée plantée dans ses seize ans comme une épine douloureuse. La musique, rien que la musique… Les groupes rock et pop, le reggae et autres nouveautés qu'il écoutait à longueur de jour l'empêcheraient de sentir ses déroutes amoureuses et d'entendre encore une fois ces discours de vieux qui n'avaient plus leur place. Les diatribes de Laurent lui revenaient et dansaient de façon endiablée au milieu de ses pensées, l'empêchant de se concentrer. La foi, l'honneur, la vérité, avec un grand V, etc., autant de sujets quétaines dont la génération de Guillaume se fichait éperdument… Il fallait rejeter tout en bloc et changer les règles. Le jeune homme avançait comme un automate sur le campus du collège, la tête en feu. Trop de révolte bouillonnait sous son crâne. Pourtant, on aurait pu lui faire remarquer très justement qu'il ne manquait de rien, qu'il était choyé par la vie, que ses parents lui donnaient ce dont il avait besoin sans se faire prier alors que tant d'autres adolescents, dans certains quartiers de Montréal, vivaient sous le seuil de la pauvreté… Parlons-en, de la pauvreté! Jamais il n'avait réussi à se faire octroyer, comme la plupart de ses camarades, l'usage d'une voiture. Par conséquent, il était prisonnier de la ville et, quand lui prenait l'envie d'aller rendre visite à l'oncle Gaby, avec qui il avait depuis longtemps de belles conversations, la distance l'en empêchait, Kanesataké étant trop loin pour qu'il y aille à bicyclette. Il devait attendre, tout comme Dany, d'avoir quelqu'un pour le conduire. Humiliant… Plusieurs de ses congénères empruntaient le véhicule de leur mère ou même conduisaient leur propre «char», reçu en cadeau pour un anniversaire ou pour leur réussite aux examens… Lui, Guillaume, était obligé de se déplacer à bicyclette et, depuis quelques jours, il allait à pied, car sans le sou pour acheter du matériel, il l'avait troquée… Mais attention, contre du matériel professionnel, pas n'importe quelle bébelle! Et malgré ça, personne qui le soutienne… Il ne voyait pas de changement possible à l'horizon étant donné que ses notes freinaient les élans de générosité dont Laurent Dagenais aurait fait preuve en d'autres circonstances. Voilà environ deux semaines, au cours d'une violente altercation, il lui avait rétorqué:

– Jamais je ne serai avocat, m'entends-tu, papa? Jamais. Vous, les honorables, vous êtes juste bons à faire des beaux discours pour sauver vos clients d'un châtiment équitable! En fin de compte, par vos façons de trafiquer les textes, vous faites gagner plus d'argent à ceux qui en ont déjà trop! Passe encore pour ma mère, elle au moins ne défend que des démunis et ne cherche pas à manigancer…

Pour la première fois, Guillaume avait exprimé le fond de sa pensée. Son père en avait eu le souffle coupé. Il l'avait écouté comme s'il parlait une langue étrangère et ne s'en était pas remis, le menaçant de ne plus le considérer comme son fils. Guillaume remonta le long du parc qui entourait le bâtiment central et, tournant le dos à la côte Sainte-Catherine, fit une halte à côté d'un bosquet. Plongé dans ses réflexions, meurtri, barricadé en lui-même, il ne voulait voir personne.

Que prétendait la génération de Guillaume au seuil de l'âge adulte? La plupart des jeunes auraient été en peine de s'exprimer clairement sur leurs objectifs. Ils refusaient le conformisme et les modèles stéréotypés transmis par leurs parents. La grande majorité prétendait fuir une réalité devenue trop compliquée, s'amuser et échapper à la dure discipline qui avait stigmatisé les idéaux des générations précédentes. Il fallait être solide ou, au contraire, soumis pour résister aux vents nouveaux. Quelques-uns se livraient à des expériences psychédéliques grâce aux drogues qui circulaient un peu partout, trouvant là une échappatoire à leur sentiment d'impuissance, à leur refus d'une réalité devenue insupportable. Les adolescents, en majorité, voulaient briser le moule du conformisme. D'autres, au contraire, véhiculaient les sempiternels schémas que Guillaume ne voulait plus rencontrer sur sa route.

Défiant l'image de son père qui fumait trop, aveugle aux va-et-vient et aux silhouettes qui déambulaient de part et d'autre, Guillaume alluma une cigarette. Laurent lui enjoignait de ne pas le faire... Instantanément, il vit le visage de Laurent durci par ses exigences et il imagina pendant quelques instants les qualificatifs dont il l'abreuverait quand il découvrirait ses piètres notes aux examens. «Lamentable, indigne...» Une bouffée d'agressivité monta en lui. Jamais son père ne l'aimerait. Jamais il ne recevrait de lui tendresse et compréhension. Laurent n'aimait pas la jeunesse. En passant devant un vieil érable qui bordait l'allée, sans réfléchir, comme pour se défouler, il se mit à frapper le tronc de l'arbre... Quelques garçons et filles le regardèrent de loin, sans réagir, d'autres, amusés, l'interpellèrent:

– *Daj*, ça va pas, non!

Il n'entendait rien, ne voyait personne. Sourd et aveugle, Guillaume frappait sans s'arrêter et se mesurait à son père en un combat en règle. Les interdits et les leçons de morale, voilà ce qu'il en faisait. Il cognait pour les détruire, il se battait contre... Et le mépris qu'il recevait en guise d'amour paternel, crac! Il l'écrasait en un corps à corps sauvage avec l'arbre. D'homme à homme. Seul au monde avec son combat, emporté par une violence qui montait de ses entrailles et l'aveuglait, il frappait. Même les jésuites qui enseignaient au collège étaient moins rétrogrades que son propre père. Certes, ils étaient fatigants avec leurs histoires de catéchèse qui n'en finissaient plus et qui vous doraient les sentiments du cœur humain, sans aucun rapport avec la réalité de la société. Ils prêchaient tous sous couvert d'un Dieu à la bonté mystérieuse, qui se cachait partout et ne se dévoilait jamais. Mais, au moins, ils acceptaient quelques remarques pour aller plus loin dans les discussions et ne mettaient pas Guillaume en quarantaine parce qu'il s'adonnait à la musique. Au contraire! Mais s'ils réprouvaient les rythmes nouveaux, les frères toléraient que, de temps en temps, on fasse un *jam* entre deux cours, introduisant par là même l'histoire des grands virtuoses et du classicisme et rendant passionnantes ces réunions impromptues...

Un attroupement s'était formé autour de Guillaume. Plusieurs ricanaient, des jeunes filles se cachaient le visage et se retournaient. Quelques-uns partirent chercher de l'aide et lui, pris dans ses fantasmes, ne s'entendait pas pousser des cris. Il frappait. Il donna encore quelques coups de pied. Désespérément. Perdant les frontières de sa conscience, ayant laissé glisser sa raison, il était persuadé d'être face à son père; il assena quelques derniers coups de poing sur le tronc de l'arbre qui ne bronchait pas, puis s'aperçut soudain qu'il avait la main droite en sang. Une vive douleur le ramena à son corps. C'était comme si, à l'intérieur de lui, tout s'était déchiré. Alors les événements s'enchaînèrent, échappant à son contrôle. Il se laissa tomber sur l'herbe et se mit à sangloter, aveugle à ses camarades attroupés.

— Allez chercher l'infirmière, dit à deux jeunes un professeur accouru à grandes enjambées.

La respiration de Guillaume était saccadée, anarchique. Sa poitrine se soulevait et ses mains se recroquevillaient malgré lui. Suffoquant, il n'arrivait plus à prononcer une seule parole : sa bouche raidie refusait de lui obéir. Sous l'effet d'une grave hyperventilation, il paniquait. Son corps se tétanisait de plus en plus. Le professeur, affolé, desserra sa ceinture et maintint sa tête. Ensuite, l'infirmière lui fit avaler un calmant et tenta d'imprimer un rythme plus lent à son souffle. Blanc comme un linge, Guillaume se tortillait, en proie à une sorte de convulsion plus impressionnante que dangereuse. Au bout de quelques minutes, le calmant faisant son effet, il sombra dans un trou noir.

Quand il ouvrit les yeux, il avait la bouche amère et la sensation de peser trois tonnes et d'être enfermé dans une chape de béton… Il vit qu'il était allongé sur un lit à l'infirmerie, entouré par des murs blancs et froids. Il poussa une sorte de grognement, mi-gémissement, mi-rugissement, et tourna la tête. La garde-malade feuilletait une revue en le surveillant du coin de l'œil. Tranquille. Elle se leva et lui prit le poignet pour évaluer son pouls.

— Comment te sens-tu ?

Encore hébété, il ne sut que marmonner :

— Qu'est-ce qui arrive ?

La garde-malade souleva doucement sa main enrobée d'un bandage.

– Tu en voulais à plus fort que toi…

Elle avait le teint pâle et un sourire qui rayonnait de douceur. Il la trouva jolie. Quand elle planta ses yeux clairs dans les siens, d'un seul coup, tout lui revint. Faisant fi de son orgueil de mâle, il se mit à pleurer.

– Pourquoi pleures-tu? demanda-t-elle.

Incapable de définir ses émotions et encore moins de les verbaliser, Guillaume se sentait si dépourvu que ses pleurs redoublaient, et, en même temps, la honte l'envahissait. À ce moment, un frère jésuite fit son apparition et se planta devant lui, l'air perplexe.

– Tout est rentré dans l'ordre, annonça l'infirmière.

Le religieux se pencha vers Guillaume:

– J'ai fait appeler ton père pour qu'il vienne te chercher…

Ce fut plus fort que lui.

– Non! cria le jeune homme. C'est ma mère que je veux!

Le religieux le regarda d'un air sévère sans tenir compte de sa requête.

– Ton indiscipline te joue des tours, Guillaume… Tes notes sont en chute libre et tu ne remets plus tes devoirs. Il est urgent que tu te reprennes en main si tu ne veux pas être renvoyé du collège…

Décidément, tous lui servaient le même discours. Il n'échapperait pas à la vindicte paternelle. Il haussa les épaules, quitte à passer pour insolent, et, en effet, le jésuite nota sa réaction sur un carnet pour souligner son inconduite auprès des professeurs. Lorsque Laurent Dagenais arriva, déjà stressé avant d'avoir vu Guillaume, il apostropha durement son fils, persuadé que celui-ci avait planifié une mise en scène à son avantage:

– On m'a rassuré sur ton état de santé. Cela ne te servira à rien de jouer cette comédie… Prends tes affaires et suis-moi, nous nous expliquerons à la maison…

En disant cela, Laurent avait les mâchoires si tendues que ses joues se creusaient, imprimant sur sa physionomie le masque de fer qu'il montrait à son entourage dans les mauvais jours. Il ne pensait pas un seul instant que la sensibilité de son fils fût à l'origine de ses malaises. Pour lui, la simulation de Guillaume était la vérité.

– Quelle comédie? ronchonna Guillaume.

Dès cet instant, le jeune homme sut que la soirée se solderait par une nouvelle déclaration de guerre entre lui et son père. Impossible de s'attendre à autre chose. D'ailleurs, comment faire pour obtenir une trêve? Encore confus, il ramassa son sac de classe, resserra sa ceinture tant bien que mal et suivit Laurent, traînant le pas le long des couloirs sans fin, jusqu'à la sortie principale.

– Préviens ta mère que je t'emmène, dit Laurent sur un ton qui n'admettait pas de réplique.

Guillaume trouva une cabine téléphonique et joignit Myriam, se gardant toutefois de lui conter les détails:

– J'suis avec p'pa…

– Ah, bon, fit Myriam. C'est bien de m'avertir…

Elle allait raccrocher, mais elle se ravisa:

– Tout va bien?

Guillaume tenta de la rassurer de façon laconique.

– Ouais… ouais…

Myriam se doutait bien qu'il s'était passé quelque chose, car ce n'était pas dans les habitudes de Laurent d'aller chercher son fils à la sortie des cours, mais, sachant qu'une pile de dossiers l'attendaient encore, elle se remit à l'ouvrage sans poser plus de questions.

*

Chez Laurent, sa nouvelle femme, Cécile, qui était de quinze ans plus jeune que lui, les accueillit. Guillaume, avec l'intransigeance de son âge, la qualifiait d'insignifiante malgré la bonne volonté que celle-ci mettait à se montrer gracieuse. Elle leur servit un repas de légumes trop cuits et de viandes trop crues, ce qui donna encore à Guillaume l'occasion de la détester sans retenue. Il s'était assez facilement adapté à la présence de Mike auprès de sa mère, mais, étant donné ce conflit permanent avec Laurent qui le déstabilisait, il pensait, hors de toute logique, que jamais Myriam n'aurait osé mettre sur sa table ce que Cécile, «cette pimbêche» se disait-il encore, plein de rancœur, tentait de lui faire avaler. La pauvre Cécile, dépassée par les événements, ne savait comment aborder son beau-fils et se désolait de le voir jeûner à sa table, en culpabilisant à cause de son peu d'habileté culinaire… En conséquence, le repas fut morne. Seul Laurent demandait de temps en temps du pain ou quelque assaisonnement à Cécile, qui s'empressait de le satisfaire en silence. Guillaume resta sur sa faim, malgré les encouragements de sa belle-mère à se resservir. Après avoir soupé trop chichement, le père et le fils passèrent dans le bureau et Cécile monta dans la chambre chercher le bébé qui pleurait.

Laurent étala rageusement sur les genoux de son fils son dernier bulletin:

– Pas glorieux! Qu'as-tu à dire pour ta défense?

Les choses commençaient, hélas! de la façon qu'il avait imaginée. Laurent était assis sur le coin de son bureau et dominait Guillaume, calé face à son père au fond du fauteuil de cuir. Que répondre ? Il n'y avait rien de plus à démontrer : les notes étaient suffisamment éloquentes. Un violent mal de tête l'incommodait depuis son réveil à l'infirmerie. Laurent, sans lui accorder aucune circonstance atténuante, le pressa :

— Alors, j'attends ton plaidoyer… Tes notes sont minables en maths, en français, et tu trouves le moyen d'être nul même en histoire et géographie ! As-tu décidé de me déshonorer ?

Guillaume hocha la tête, sans argument, pris entre la peur de répliquer et l'envie de fuir.

— Je te préviens que mon intention est de te mettre au pensionnat au plus vite. Tu seras obligé de réussir ton entrée à la faculté de droit par n'importe quel moyen et tu n'auras pas d'autre choix que d'abandonner tes comportements lamentables !

Tout à coup, Guillaume trouva l'énergie pour s'opposer à son père :

— Je t'ai déjà dit que jamais je ne deviendrai avocat… Oublie ça !

— On verra qui est le plus fort…

Laurent avait des tremblements dans la voix.

— Ce n'est pas une question de force, papa, je ne suis pas fait pour ça…

— Pas fait pour ça ? Balivernes… Comment le sais-tu, forte tête ? Hein, monsieur joue le révolutionnaire ? À ton âge, on ne sait rien. On devient ce que les aînés attendent de nous !

Laurent se fâchait. C'était comme si rien d'autre au monde ne pouvait satisfaire son honneur que de voir son fils devenir l'image de lui-même, sa réplique parfaite. Guillaume ne se démonta pas :

— Je veux devenir musicien…

Laurent éclata d'un rire sarcastique:

— Nous voilà bien avancés!

Il se laissa tomber dans son fauteuil. Guillaume soutint le regard paternel. Par défi. Les deux hommes se mesurèrent ainsi pendant un long moment, la colère faisant son chemin dans la poitrine de chacun. Tout à coup, Laurent se leva et se mit à arpenter la pièce en baissant la tête. À sa femme qui jouait dans le salon avec leur fils nouveau-né, il cria:

— Entends-tu, Cécile? Guillaume veut devenir musicien! Quel bel avenir il a devant lui, n'est-ce pas?

Cécile, debout devant la télévision, le regarda d'un air hébété en continuant de caresser les joues de son bébé. Elle ne sut que répondre. Guillaume rougit en entendant les sarcasmes de son père. L'humiliation et le mépris s'y mélangeaient pour constituer un poison redoutable. Insulté. Venant du salon, la voix de l'animateur de Radio-Canada se faisait entendre comme un ronronnement. Il ne pouvait fixer son attention sur quoi que ce soit et, sachant que le débat qui l'opposait à Laurent allait s'envenimer, il tentait de se préparer au choc de l'affrontement. Guillaume, comme un guerrier qui participe à un tournoi, avait conscience de risquer une partie de sa vie, peut-être même toute sa vie… Il connaissait la ligne de pensée de Laurent et se résignait à une nouvelle défaite. L'adversaire avait trop de pouvoir. Laurent l'aimait sans nuances et trouvait normal de conduire son destin, condamnant ses choix et barricadant ses espoirs derrière sa toute-puissante autorité paternelle. Laurent aimait Guillaume d'un amour dangereux et destructeur et, instinctivement, Guillaume tentait de se protéger.

La soirée fut d'une tristesse absolue. Guillaume, sans argument valable, fut obligé de dévoiler devant son père ses cahiers et ses notes et d'écouter ses longues tirades remplies de mots plus blessants les uns que les autres. Il en avait la nausée. Pour finir, Laurent décréta :

— Monte te coucher, je t'accompagnerai à ton cours demain matin...

Même s'il n'avait aucune envie de rester là, Guillaume comprit qu'il valait mieux ne pas insister pour retourner le soir même à Outremont. Il obéit sans faire de commentaire et se contenta d'appeler à la maison pour prévenir Myriam. La succession des évènements de la journée l'avait épuisé. Il avait encore la main endolorie et le cœur en miettes. Dépité, il s'endormit très tard, envahi par la douloureuse certitude d'être seul au monde. Le sentiment d'être incompris assombrissait chacune de ses pensées.

Toute la nuit, il fut assailli par des rêves mouvementés. Impuissant, Guillaume voyait ses compositions musicales préférées, celles auxquelles il travaillait avec ses amis, se détacher de lui et lui échapper, poussées par un vent impitoyable. Des partitions prenaient la fuite aussitôt écrites. Les feuilles de papier et les notes de musique s'envolaient hors de son univers, cet univers devenu hostile à ses désirs. Lorsqu'il se réveilla en entendant les pleurs du bébé, il avait la tête lourde. Dans la cuisine, son père écoutait les nouvelles, attablé devant un bol de café et Cécile faisait griller des rôties. Il devait être un peu plus de neuf heures.

— Bonjour...

— Bonjour...

Laurent hocha la tête en regardant sa montre.

– Au moins, tu as dormi!

C'est à ce moment qu'il se passa quelque chose. À la radio, le son monta comme par magie et les commentaires du journaliste prirent un ton dramatique. Laurent se leva d'un bond. «Nous sommes en direct de Québec où un évènement malheureux vient de se produire à l'Assemblée nationale. Un forcené s'est introduit dans l'édifice et a réussi malgré la surveillance à pénétrer avec une arme... Mesdames et messieurs, on me dit qu'il a tiré et atteint trois personnes au moment où je vous parle... C'est la panique et la consternation...»

Il y eut un silence de plomb. Laurent, suivi de Cécile, se précipita dans le salon pour allumer le téléviseur. Les émissions de Radio-Canada et des autres chaînes furent interrompues pour laisser place à l'actualité. L'évènement fut alors retransmis en direct depuis la façade du Parlement. Les journalistes, abasourdis par la violence du crime qu'ils avaient à décrire, tentaient de retrouver un peu de sang-froid pour livrer leurs commentaires. On finit par annoncer que l'individu avait été maîtrisé et que les secours opéraient au plus vite pour transporter les blessés à l'hôpital.

Cécile, blanche comme un linge, se dressa en serrant son petit sur sa poitrine et, incapable de refouler ses émotions, se mit à pleurer en poussant un hurlement:

– Papa!

Laurent s'approcha d'elle et la prit dans ses bras. Son père, élu trois mois auparavant, était député à l'Assemblée. Les yeux rivés à l'écran, on espérait voir sa silhouette ou celle de personnes connues. En vain. Déjà, les secours arrivaient et la police encerclait l'édifice.

Laurent prit la télécommande et chercha d'autres chaînes. La même information, les mêmes images se répétaient. Horribles. Des blessés... On en dénombrait déjà six ou sept. Il fallait attendre. Au bout de quelques minutes, reprenant un peu ses sens, Cécile, au bord de la crise de nerfs, mit le bébé dans les bras de Laurent et s'empara du téléphone pour joindre sa mère, qui n'avait pas plus de détails et qui, sous le coup de l'émotion, risquait une crise cardiaque. Toute la famille, atterrée, tentait de se joindre... Alors, ce fut au tour du bébé de s'époumoner avec une intensité qu'on n'aurait jamais imaginée chez un nourrisson... Ressentant la panique autour de lui, il hurlait. Devant l'ampleur de la catastrophe, et partageant l'inquiétude de sa femme, Laurent oublia un peu les désagréments qu'il venait de vivre avec Guillaume. Il reprit son rôle de maître des événements :

— Je vais conduire Cécile à Laval, chez sa mère. Toi, file à tes cours... Tu ne perds rien pour attendre...

Guillaume ne se fit pas prier.

Le soir, lorsqu'il arriva chez lui, comme chez Laurent, c'était la consternation. Personne ne songea à lui faire subir un nouvel interrogatoire. Il s'enferma dans sa chambre, puis, ayant détourné l'attention, il ressortit plus tard avec ses instruments favoris afin de rejoindre son groupe dans le fameux garage où ils se retrouvaient chaque jour. Leurs réunions musicales y faisaient tant de vacarme que plusieurs familles s'étaient plaintes. Les joyeux compères avaient accroché de vieux tapis le long des murs et recouvert l'intérieur des portes avec des boîtes à œufs, afin de réduire le bruit. À quelques reprises, la police, qui les tenait à l'œil, était venue leur demander de baisser le volume...

En revanche, Guillaume devenait un excellent batteur. C'était prodigieux de le voir progresser. Il ne se lassait pas de répéter, de travailler sa dextérité, sa maîtrise et la souplesse de son poignet gauche qui, parfois, lui donnait du fil à retordre. Habile, il enchaînait les rythmes les plus divers, s'amusait à compliquer les reprises et s'y donnait tant qu'il perdait la notion du temps et ne voyait plus rien ni personne. Sandro et lui étaient devenus inséparables.

*

Le lendemain, il troqua sans regret la bicyclette reçue en cadeau à son dernier anniversaire contre un ensemble de batterie. Myriam et Mike, le voyant rentrer tard ce soir-là, s'étonnèrent de ne pas voir son inséparable vélo accroché le long de la palissade de la ruelle :

— Tu es revenu à pied ?

Guillaume détourna les yeux, mais eut cependant le courage d'annoncer :

— J'ai vendu ma bicyclette…

— Quoi, tu as vendu ta bicyclette ? s'écria Myriam. Qu'est-ce que ça veut dire ?

— Il ne répondit pas.

La colère maternelle jaillit :

— Je constate que tu préfères continuer à investir tout ton temps dans « ton vacarme » plutôt que de te consacrer, comme tu nous l'avais promis, à tes activités scolaires.

— M'man, j'avais pas le choix ! Toi et p'pa, depuis deux mois, vous avez supprimé mes allocations d'argent de poche…

— Et pour cause !

— Ouais, mais je t'ai expliqué, m'man, il me faut des instruments. Pour devenir batteur, il me faut une batterie, c'est clair, non?

— Pourquoi n'en as-tu jamais parlé?

Guillaume, sans répondre à la question de Myriam, baissa la tête et repartit aussi vite qu'il était venu. Inutile d'affronter sa petite mère. Si elle, elle ne le comprenait pas, il n'avait aucune chance d'être compris parmi les siens... Dehors, il marcha d'un pas rapide, pressé de se réfugier dans son nouvel univers afin de s'étourdir et d'apaiser ses doutes et sa culpabilité dans la musique.

Myriam avait le cœur gros. Son fils lui échappait... De bon garçon qui suivait la voie qu'elle et Mike avaient tracée, il était devenu, sans raison apparente, un quasi-délinquant, il tournait le dos aux études et se désintéressait de tous. Que pouvait-elle faire? Elle ne comprenait plus rien à ses réactions et ne trouvait en elle aucun des arguments qui, jadis, le faisaient revenir à des raisonnements sensés. Et puis, elle était trop fatiguée pour avoir l'énergie de prendre en main la situation. Elle retournait contre elle-même ce qu'elle considérait comme un échec de sa part: l'éducation qu'elle avait cru inculquer à ses enfants, ou du moins à Guillaume. Elle se pencha à la fenêtre. La rue était paisible. Les jumelles, en tenue de jogging, équipées d'un walkman, couraient à la même cadence. Tandis qu'elle songeait à leur complicité rassurante, Lydia ralentit le pas, essoufflée, et Laurence stoppa net, arrachant les écouteurs de ses oreilles. Les deux sœurs étaient visiblement contrariées. Myriam les entendit se quereller et les vit partir chacune de son côté. Elle baissa les bras, désappointée. Même les jumelles se laissaient aller à la discorde!

CHAPITRE IV

Dès les premières lueurs de l'aube, Guillaume s'éveilla comme il l'avait prévu et, avant que la sonnerie retentisse, il pressa le bouton du réveil pour ne pas alarmer la maisonnée. Il se leva d'un bond et ouvrit le rideau de sa fenêtre. Quel spectacle rare pour lui! Le ciel était rose et les rues, désertes. La veille au soir, il s'était promis de ne pas traîner au lit et de profiter des heures où tous seraient encore dans les bras de Morphée pour exécuter ses plans. Satisfait, il se félicita de sa résolution et se répéta que tout se passerait comme il l'avait prévu... Il était fier de sa bravoure. Véritable chevalier des temps modernes, il avait tenu parole et se sentait vaillant comme il ne l'avait jamais été auparavant. Personne ne le comprenait, il s'en était fait une raison, et l'idée avait germé doucement dans sa tête... Partir pour donner un sens à sa vie. Il descendit avec précaution, entra dans la cuisine, où il remplit son sac à dos de plusieurs boîtes de biscuits et prit tout ce qu'il put de friandises diverses. Les deux choses qu'il connaissait le plus intimement étaient: premièrement, la tyrannie de son estomac, qui criait famine à tout moment, et deuxièmement, la musique, les sons et les rythmes qui pouvaient à la rigueur lui faire oublier pendant quelques minutes l'heure du prochain repas… À part cela, la vie autour de lui, le collège et le reste se résumaient à un phénomène flou et rébarbatif, un grand méli-mélo de circonstances bizarres auxquelles soit il ne comprenait rien, comme les adultes, par exemple, soit il n'avait pas accès! Et c'est tout… Même ses deux sœurs Laurence et Lydia et son acolyte Dany ne ressentaient pas le monde à sa façon. Conventionnels, enfin presque, par rapport à lui, ils semblaient bien adaptés à leur condition et lui conseillaient de modérer ce qu'ils appelaient ses excès d'artiste, ses fabulations d'idéaliste.

— Reprends-toi en main, lui disait Dany, tu as tout pour être heureux, si tu ne donnes pas une importance excessive à tes désirs…

Des excès… Quelle idée saugrenue!

— Je ne pourrai jamais m'investir à moitié dans ce que j'entreprends! lui répondait Guillaume.

Et il continuait à penser que, malgré ses déboires, il y avait quelque part sur la planète des «terres promises» et des «eldorados» où un jeune homme comme lui pourrait réussir selon ses choix. Car il le savait et personne ne pourrait le contredire: la musique n'était pas un excès, encore moins une fabulation, c'était la passion de sa vie, la chose pour laquelle il était né! Il voulait y croire… Il deviendrait un grand musicien. Foi de Guillaume! Il braverait les interdits de Laurent Dagenais, les réticences mesurées de sa mère et il atteindrait son but. Sinon? Sinon, la vie ne valait pas la peine. Quand vous avez un père avocat qui veut faire de vous un avocat et, par-dessus le marché, une adorable mère avocate… Où se cache votre destin? Il faut le chercher envers et contre tous et finir par le débusquer derrière un nombre incalculable de pièges. Tout ce que ses parents et ses professeurs faisaient pour l'instant, c'était lui tendre des pièges…

Il chassa les questions oppressantes qui le tenaillaient et croqua d'une seule bouchée une barre de chocolat. Loin d'apaiser sa faim, le sucre réveilla son besoin de manger. Comme son sac était profond, pour le remplir, il dévalisa la dépense. Dans une des pochettes, il logea sa mascotte qui le suivait depuis l'enfance : sa grenouille verte, celle que Myriam lui avait offerte au Mexique, quand il avait à peu près quatre ans… Enfin, il tassa le tout avec des vêtements de coton molletonné, accrocha ses souliers de course sous le rabat, puis il camoufla dans son portefeuille une liasse de billets de banque qu'il avait chapardés à Myriam au cours des dernières semaines. Sa petite mère ne vérifiait jamais combien elle laissait dans sa bourse… Alors… Prévoyant, il s'était constitué au fil des semaines un vrai pécule. Il compta sur ses doigts : trois cent cinquante dollars. Avec ça, il pouvait tenir le coup pendant un certain temps avant de donner des concerts… Cela lui faisait un peu mal au cœur de jouer au mauvais garçon, mais à la guerre comme à la guerre, il fallait qu'il mène son entreprise à bon port… Quand il serait célèbre, il rembourserait. Au centuple même ! Comme un vrai chevalier… Et qui pourrait alors dire qu'il n'avait pas eu raison ? Il donnerait à sa mère de quoi être fière de lui et de ses initiatives, il s'en fit le serment solennel en frappant le comptoir de sa main droite avec la grenouille qu'il avait ressortie de sa cachette pour la circonstance. Quand on veut obtenir un résultat, il faut savoir prendre les grands moyens. Tous les moyens sont bons ! De toute façon, son père et sa mère n'avaient-ils pas bien plus que le nécessaire pour vivre ? Cet emprunt n'était qu'une goutte d'eau dans la mer, après tout… Ce qu'il emportait aujourd'hui ne constituait pour eux qu'une broutille, mais pour lui, c'était ce qui contribuerait à bâtir sa réussite. Et puis, il ne servait à rien d'y penser sans cesse.

Il transporta son sac et le posa près de la porte d'entrée en jetant un œil à la pendule qui marquait cinq heures. Il avait faim. Bien sûr, avant d'entreprendre quelque chose d'aussi important, il était normal de penser à manger… Il fallait se faire des réserves. Le plus possible. Guillaume pressa les mains sur son estomac qui criait déjà. C'était le genre de faim qui ne souffre pas d'attendre et qui vous tord les boyaux deux ou trois fois par jour. Du calme! Il revint dans la cuisine pour se faire cuire trois œufs et même quatre – ce qui serait plus généreux –, accompagnés de bacon et d'une pile de rôties recouvertes de beurre de *peanut* et de cassonade. Il salivait déjà. Mais au moment où il allait casser les œufs dans la poêle, un bruit insolite le prit au dépourvu… Il vit passer l'ombre de Dany qui déambulait à pas de loup dans le corridor. Que faisait-il là à cette heure? C'était incompréhensible, ou plutôt non, pas tout à fait, mais Guillaume n'avait pas le temps de se perdre en suppositions. Et puis, il n'aimait pas se mêler des affaires qui ne le concernaient pas. Pas question de se laisser surprendre lui-même. Même s'il était discret et *cool*, son *chum* Dany aurait bien été capable de lui faire la morale et de le détourner de son but, ou de ne pas tenir sa langue, surtout auprès de son père Mike avec qui il s'entendait si bien, lui. Il valait mieux se faire invisible… Alors Guillaume laissa pêle-mêle les victuailles et se plaqua dans un angle du mur en attendant que plus rien ne bouge. Quand il entendit la porte de la chambre se refermer doucement, il revint jusqu'à son bagage. Soulagé. «Mais pas d'imprudence!» se dit-il. Il ne devait pas s'attarder. Dans la fenêtre, les lueurs du petit jour apparaissaient déjà. Il s'affola. Tant pis pour le régal dont il espérait se rassasier avant de prendre la route! Il ne fallait surtout pas attirer la malchance.

Il hissa ses instruments de musique sur son dos, planta sa bonne vieille casquette au sommet de son crâne, enfouit la grenouille dans sa poche gauche et son walkman dans la droite. Ses souliers à la main, il se glissa silencieusement jusqu'à l'entrée. Chargé comme un mulet, il disparaissait à moitié sous son sac... En passant dans le couloir, son regard s'était arrêté sur le petit portrait de sa mère, celui qu'on lui avait fait encadrer pour la dernière fête des Mères et où elle était si jolie. Il s'arrêta. Vite. Il lui fallait un souvenir fétiche. Il le décrocha, le plaça au milieu de ses chandails, fit glisser lentement la fermeture de son sac à dos, boucla le tout et endossa une nouvelle fois son chargement. Au moins pourrait-il dialoguer avec l'image de sa mère dans ses moments de réflexion... Il était fin prêt. Au beau milieu de la rue, il chaussa ses souliers en faisant mille contorsions pour ne rien laisser échapper. Il ne se retourna pas. Sa vie commençait à cet instant précis...

Une dizaine de minutes plus tard, le cœur léger et la tête pleine de refrains de rock, il arpentait la rue Sherbrooke, guettant l'autobus qui le mènerait au point de rencontre avec son coéquipier Sandro. Il attendit un long moment. Le soleil pointait derrière les corniches dentelées des maisons victoriennes et promettait un ciel d'un bleu éclatant.

Quand l'autobus s'arrêta devant lui en ronflant, Guillaume eut un pincement au milieu de la poitrine et ses jambes flanchèrent l'espace d'une seconde. Il hésita. Ce ne serait pas *cool* de reculer! Le chauffeur, bourru, lui fit signe de mettre son billet dans la boîte. « Le sort en est jeté », pensa Guillaume en tendant la main pour prendre sa correspondance. Au moment où le véhicule s'ébranlait, il se retourna pour admirer de loin le mont Royal qui s'élevait paisiblement au-dessus de la ville endormie. La faim lui tiraillait le ventre… Il était presque seul dans l'autobus. « À nous deux, la musique! » se dit-il. Et il ne douta pas une seconde que tout allait se passer selon ses plans. Perdu dans ses pensées, il songeait que ce matin était l'aube d'un grand jour… Après deux ou trois arrêts, il reconnut, debout devant le terminus, la silhouette de Sandro, tout aussi chargé que lui.

*

Le dimanche matin est un moment délicieux. Myriam se plaisait à rappeler à tous que, même pendant l'hiver, quand les jours sont gris, ou lorsque la pluie tambourine sur le puits de lumière, on savoure chaque seconde. Encore plus au printemps… Après une semaine trépidante, Myriam et Mike attendaient ce jour de repos comme une récompense, et par bonheur, ce matin-là, Montréal semblait enveloppé dans une aura de félicité. Le beau temps était constant depuis plusieurs semaines. C'était tout juste si on avait eu quelques ondées nocturnes. Flâner, traîner en pyjama, lire et se dire que la journée appartenait à sa seule fantaisie lui procuraient un immense plaisir. Finalement, de semaine en semaine,

Myriam et Mike avaient remis leur escapade d'amoureux et espéraient encore s'évader avant le début de l'été. Durant la nuit, elle avait fait un vilain rêve et, à peine éveillée, regardant autour d'elle, Myriam se réjouit de voir la réalité. C'était un matin semblable aux autres. Dans son univers onirique, elle était sur la plage avec les enfants, au bord d'une mer déchaînée, sous un ciel bas. Les vagues risquaient d'emporter Guillaume qui, inconscient, n'écoutait pas ses appels à la prudence et affrontait les rouleaux en riant... Par bonheur, ce n'était qu'un cauchemar. Vite, il fallait chasser son empreinte et, pour commencer la journée en beauté, elle se frotta les yeux, se tourna vers Mike et se blottit contre lui, en pensant aux vacances.

— Les choses que l'on attend ardemment finissent par avoir un goût exquis, justement parce qu'on les attend! lui souffla-t-elle, recroquevillée sous ses couvertures.

— Mais si c'est trop long, on peut changer d'idée! lui dit Mike en lui appliquant un baiser sur le front.

Myriam se redressa d'un bond. Sa repartie la faisait frémir. Elle passa les bras autour de son cou.

— Tu es à bout de patience, n'est-ce pas?

— Je te fais marcher..., dit-il pour la rassurer.

Il ne plaisantait qu'à moitié. La voyant troublée, il lui prit le menton entre ses mains, comme il aimait à le faire, et attendit qu'elle retrouve son sourire.

— Là, je t'aime mieux ainsi...

Il se leva, enfila son pantalon pour descendre à la cuisine. Myriam le regardait se déplacer. Pieds nus, le torse droit, bien découpé, il semblait effleurer le plancher. Ses cheveux abondants et dénoués flottaient au gré de ses gestes en suivant le mouvement de ses épaules. Elle ressentait pour lui une infinie tendresse, il incarnait exactement l'image qu'on se fait d'un Indien dans les belles histoires. L'idée la fit sourire. Certes, leur histoire était une belle histoire. Grâce à Mike, Myriam était sortie du rôle stéréotypé auquel on l'avait prédestinée chez les Pellerin et que Laurent entretenait. Elle avait affronté les chaos et accepté de suivre la voie du cœur parce que Mike incarnait cela avec fierté. L'observer ainsi à la dérobée lui rappelait qu'en ses propres veines coulait le sang des Premières Nations. Elle aimait le propos. Tandis qu'elle y songeait, Mike préparait le café. Elle se mit à lire distraitement *La Presse* en songeant à leurs amours, le dos bien calé sur une pile d'oreillers. L'éclat d'un rayon de soleil interrompit sa lecture et lui fit lever les yeux.

— Pourvu que ça dure, ce temps superbe! cria-t-elle assez fort pour que Mike l'entende.

Il se pencha par-dessus la rampe d'escalier et mit ses mains en cornet :

— Bien sûr, chérie, ça va durer jusqu'à notre semaine d'amoureux!

— Le ciel t'entende! cria-t-elle encore. La semaine prochaine, ça te va?

— Tu plaisantes?

— Pas du tout… C'est inscrit sur mon agenda…

— Enfin!

Myriam se détendit. À partir de cette minute, la décision fut irrévocable, et c'était bien ainsi. N'ayant que trop fait traîner les choses, elle était fière d'avoir arrêté la date de leurs vacances. Elle regardait par la fenêtre entrouverte, se délectait de l'odeur du café qui montait jusqu'à elle et lui chatouillait les narines et se félicitait de ressentir de la paresse, de s'y laisser aller. Sur sa table de chevet, elle vit tout à coup une lettre qu'elle avait oublié d'ouvrir. L'enveloppe était bleue, ornée d'une guirlande de fleurs. Sans aucun doute, c'était une lettre de femme. Myriam la déchira d'un coup sec.

– Ah, des nouvelles de Fleurette!

Elle lut avidement les trois pages manuscrites. Fleurette, l'ancienne assistante de son père, le Dr Philippe Langevin, était disparue de la vie montréalaise depuis plusieurs années. Retirée dans le Bas-du-Fleuve, non loin de Trois-Pistoles, elle tenait une auberge qu'elle gérait avec une amie française fraîchement débarquée. Fleurette ne s'était jamais mariée, mais elle vieillissait sereinement et semblait heureuse loin des tracas urbains en accueillant de nombreux touristes.

«Chère Fleurette, elle avait toujours le cœur sur la main, comme Pierrette… Ce serait bon de la revoir», se dit Myriam.

Elle remit la lettre sur sa table de chevet et reprit le journal, qui était volumineux. Les manchettes de la une soulevèrent son enthousiasme: «Le Canada se distingue en nommant, pour la première fois à Ottawa, une femme, Jeanne Sauvé, comme gouverneur général.» Qu'une journaliste ait été nommée chef de l'État canadien lui redonnait du courage… Les politiciens lâchaient un peu de lest dans leurs prétentions. «Et belle à part ça! se dit-elle en s'étirant d'aise. Bravo, Jeanne! Finalement, ce n'est pas fini, les femmes gagnent du terrain sur les domaines réservés à ces messieurs… »

Elle tourna les pages traitant de la politique fédérale et parcourut rapidement un article qui prévoyait le départ imminent de Pierre Elliott Trudeau. On prédisait le retour des conservateurs à Ottawa et, au Québec, René

Lévesque était confronté à Robert Bourassa. Voulant oublier les tensions du quotidien, Myriam chercha un sujet distrayant et trouva, au bas de la dernière page consacrée aux loisirs, une publicité sympathique: «Transformez-vous, adoptez le yoga de la voie royale, vivez en harmonie avec vous et les autres. »

«Tiens, ça peut être excellent pour la maisonnée… songea-t-elle, le yoga de la voie royale: c'est intrigant! Et moi la première, j'en aurais besoin pour me remettre en forme… »

Elle découpa l'annonce et la posa sur sa table de chevet. À ce moment, Mike entra, porta un plateau garni de viennoiseries toutes chaudes et de deux bols de café fumant.

— Mmm, tu es un amour!

— Quel est notre programme? interrogea Mike.

— Rien de spécial, sinon jaser de tout ce qui nous préoccupe!

— Peut-être une balade à Oka?

— Excellente idée…

Myriam jeta loin d'elle les feuillets de *La Presse*.

— La semaine prochaine, on pourrait aller du côté du Bic et faire un arrêt chez Fleurette! J'aimerais la revoir…

— Excellente idée!… Ça nous changera de nos séjours dans le Nord.

Pour aujourd'hui, elle comptait prendre son temps avec son bien-aimé, lui faire part de ses errances des derniers jours, lui confier ses doutes professionnels, enfin mettre cartes sur table. Tout un défi. Mike, de son côté, qui avait imaginé que les choses se passeraient de cette façon, était ravi. Ils en étaient là quand on entendit un fracas dans l'escalier. Comme une tornade, Laurence et Lydia pénétrèrent dans la chambre :

— M'man, m'man, on a trouvé un cours extra et on s'est inscrites avec des copines. Tu nous conduis ?

— Comment ça, vous conduire ? Allez-y en bus...

— Oh, m'man... Ça prendrait deux heures..., implora Lydia.

— Et puis, comme ça, tu verras où on va, renchérit Laurence, tu nous demandes toujours avec qui on est... qu'est-ce qu'on fait !

C'était exact. Myriam essayait de tenir compte des remarques de Pierrette et leur laissait moins la bride sur le cou.

— Quel tintamarre ! fit-elle en se bouchant les oreilles.

C'était la plupart du temps le même scénario : pas moyen de se détendre sans recevoir une requête en bonne et due forme...

— De notre temps ! lança-t-elle, mi-sérieuse, mi-agacée.

— Mais m'man, on est dans un nouveau temps ! fit Laurence, on vit l'ère nouvelle d'un Nouvel Âge...

— Bon, ça va... Taisez-vous !

Myriam n'avait pas envie de se laisser accaparer et pourtant, elle savait déjà qu'elle serait vaincue par leur insistance. Les rôles s'étaient inversés depuis les années où les parents autoritaires exigeaient de recevoir l'aide de leurs enfants.

— Redites-moi ça calmement : quel genre de cours ?

— Un nouveau genre de yoga...

Myriam leur tendit l'annonce :

— Est-ce que ça ressemble à ça ?

— Oui, oui !

— Alors, tu nous accompagnes? Dis oui, ma petite mère!...

Laurence et Lydia étaient excitées.

— Peut-être, mais pas si vite, calmez-vous! Et les garçons?

Les jumelles pouffèrent:

— Les gars, ça les intéresse pas, le yoga!

— Dany va jouer au football avec sa gang. Son club le lâche plus tellement il est bon...

— Et Guillaume est introuvable.

Myriam fronça les sourcils et interrogea Mike du regard:

— Guillaume introuvable? Est-il sorti tard hier soir?

— Non...

— Un samedi soir, c'est bizarre... Ses amis n'ont pas appelé?

— Non, rien du tout...

Habituellement, le dimanche, Guillaume traînait au lit, après quoi il recevait des téléphones de ses musiciens. Ce matin, un curieux silence régnait. Les jumelles jacassaient à qui mieux mieux:

— Il est pas dans sa chambre!

— Sa guitare a disparu ...

— Du calme, du calme, voyons...

— Étrange, lui qui ne se lève jamais avant le brunch!

— Il n'a même pas mangé ses œufs bacon! Il a tout laissé sur le comptoir...

— Et pourtant, il a sorti la poêle et le beurre!

Mike qui, jusque-là, n'avait rien dit, intervint:

— C'est curieux, mais, bon, il n'y a pas de quoi s'énerver! Il va réapparaître d'ici trois ou quatre minutes, une heure tout au plus : quand il sera mort de faim. Du calme, les fillettes, du calme...

Laurence sursauta :

— Quand est-ce que tu vas arrêter de nous appeler les fillettes, Mike ?

— Excusez, mesdames les princesses.

Mike se mit au garde-à-vous et prit une jumelle sous chaque bras, puis les souleva comme il l'aurait fait avec de vulgaires paquets. C'était le genre de fantaisie à laquelle ils s'adonnaient en guise de jeu quand elles avaient quatre ans. Les deux prisonnières gigotaient et se débattaient. Ce fut un éclat de rire. Attiré par le bruit, Dany vint les rejoindre. Encore endormi, il avait les cheveux en bataille et son pyjama était à l'envers, ce qui lui valut un certain nombre de moqueries. Les croissants disparurent en un tournemain et l'atmosphère étant à la joie, on se mit à chercher Guillaume de la cave au grenier, même dans le jardin, en criant son nom à tue-tête, mais hélas sans résultat. On espérait le voir surgir de minute en minute. Peu à peu, les rires cessèrent et des craintes non formulées firent planer un malaise. Lydia vit la première que sa grenouille fétiche avait disparu. C'était un mauvais présage : sa grenouille restait sur son oreiller nuit et jour, et jamais il ne dormait sans elle. Au fil des heures, la fête se changeait en déroute. Toutes sortes d'appréhensions rôdaient dans les esprits

Vers trois heures de l'après-midi, Myriam fut tout à fait inquiète. Il n'était plus question de débattre ses problèmes existentiels avec Mike, l'absence de Guillaume occupait tout son esprit. Elle n'arrivait pas à croire qu'il ait fait une fugue et ne trouvait aucune raison valable qui eût motivé un tel geste. Son esprit minimisait les révoltes qu'il avait exprimées ces derniers temps et, aveuglée par le tempérament facile qui était le sien durant ses jeunes années, elle l'imaginait au-dessus de ses affaires et pensait que, s'il avait projeté une fugue, elle s'en serait rendu compte. Guillaume l'aimait et elle le lui rendait bien. Une vague angoisse prit place en elle qu'elle tenta de dissimuler, redoutant en premier lieu un accident. Mike, qui n'était pas dupe de son calme, fit preuve d'une grande patience et prit la direction des opérations. Il téléphona dans tous les hôpitaux : personne, parmi les blessés des vingt-quatre dernières heures, ne répondait au signalement du jeune homme. Les heures s'écoulaient. Rien de nouveau ne venait détendre l'atmosphère. Laurence, Lydia et Dany, qui avaient abandonné leurs projets de sortie, s'étaient réfugiés devant la télévision et faisaient mine d'être absorbés dans un film sans intérêt. Myriam essayait de paraître naturelle, s'interrogeant en vain sur ce qui avait bien pu se passer dans la tête de son fils. « Serait-ce une histoire d'amour, se demandait-elle, qui l'aurait perturbé à ce point ? Cela, au moins, me rassurerait. » Elle posait mille questions à Mike, qui la serrait dans ses bras et formulait toujours la même réponse :

— Je crois à un retard... Il veut sans doute nous mettre dans l'embarras, et tout cela va se terminer très vite ! Guillaume, même s'il a caressé des idées de fuite, va revenir, repentant et conscient de son erreur... Ne te rends pas malade, ma chérie...

Cherchant partout, à l'affût d'un second indice, Myriam finit par remarquer l'absence d'une photographie accrochée dans le couloir près de l'entrée depuis quelques mois. C'était une photo d'elle encore jeune fille, que les enfants avaient fait encadrer. Que comprendre? Il avait sans doute cassé le cadre et, piteux, l'avait mis aux ordures sans rien dire. Cela aurait pu lui ressembler…

Mike remarqua alors que la dépense était vide. Finalement, gagnés par l'inquiétude, les jumelles et Dany décidèrent d'aller faire le tour des endroits que Guillaume avait l'habitude de fréquenter. Ils se rendirent au garage à musique: tout y était silencieux. Les voisins avaient réussi à faire expulser les joyeux troubadours quelques jours plus tôt. L'inquiétude grandit. Puis, voulant explorer toutes les pistes, Myriam et les jumelles allèrent frapper à la porte des parents de Sandro le guitariste pendant que Mike et Dany cherchaient du côté des bars. Le père de Sandro, qui travaillait à Montréal, vivait seul dans un minuscule studio et envoyait sa paye d'ouvrier à sa famille lointaine. De type sud-américain, l'air bonasse, il parlait avec un très fort accent espagnol:

– *Z*'aimerais bien vous aider, madame… Mon fils parti lui aussi… *Yo* l'ai pas vu puis *plousse* que deux semaines… Sa *música*! Ah, là là… Sandro *solo piensa en la música*… Et *yo* dis: vis ta vie, mon garçon, *tou* es grand maintenant… Pourquoi *tou* es inquiète, *señora*? Quand il sera à *Méjico*, il donnera des nouvelles!

Myriam crut avoir mal compris:
– Au Mexique?
– *Si, si*…

Le père de Sandro vit les faces ravagées des trois femmes et leurs yeux larmoyants, et ce fut comme s'il comprenait tout à coup quel était leur degré d'anxiété:
– *No te preocupas, señora*, si ton fils parti avec Sandro, c'est bon… Sandro, débrouillard! C'est pour travailler

dans les hôtels *de turistas*… La *música*, ça paye dans *nuestro país*…

Myriam sentit ses jambes trembler. «Mon Dieu, faites que cet homme se trompe et que Guillaume ne soit pas parti avec Sandro», se dit-elle, ne pouvant envisager de voir son fils devenir un de ces baladins nomades qui hantent les milieux louches des tropiques. Elle questionna d'une voix qu'elle voulait ferme :

— Savez-vous si votre fils est parti seul ?

— *Yo* ne sais pas, ma *sssère* madame, *yo* travaille *toda la noche*…

Le sang de Myriam ne fit qu'un tour. Elle comprit qu'elle n'obtiendrait aucun renseignement ici. Guillaume n'était nulle part et le bonhomme ne trouvait rien d'alarmant au départ de son rejeton, qui le soulageait dans son quotidien de misère. Elle fit un signe aux filles et, ensemble, elles déguerpirent et rentrèrent à la maison. On avait largement passé l'heure du souper. Mike et Dany, qui ne rapportaient pas plus d'informations, essayaient tant bien que mal de rassurer Myriam.

— Visiblement, le père de Sandro ne sait pas grand-chose…

— Et s'il avait raison ? Te rends-tu compte, Mike, au Mexique ?

Mike fronça les sourcils.

— J'espère que non… Se rendre sain et sauf dans ce pays est un exploit presque impossible à réussir pour deux jeunes sans le sou…

— Le père de Sandro dit que son fils est débrouillard…

Laurence et Lydia se tenaient dans la cuisine avec Dany, n'osant pas intervenir pour consoler Myriam.

— Sandro est mexicain, ce qui est bien différent!

Myriam était au désespoir. Elle voyait les complications se multiplier pour embrouiller les pistes:

— Si Guillaume et lui sont arrivés au Mexique, rien ne me ramènera mon fils... Les autorités mexicaines ne bougent pas pour ce genre d'enquête...

Elle se laissa tomber sur une chaise et mit les mains autour de son visage. Mike l'entoura de son bras:

— Ils ne peuvent être déjà si loin!

— Si je m'en remets à Laurent pour faire rechercher Guillaume, il va prendre les grands moyens!

— Grands moyens ou pas, les Mexicains ne s'embarrassent guère des influences canadiennes pour régler leurs problèmes de frontière... Deux jeunes égarés représentent une goutte d'eau dans la mer.

— On risque de faire plus de tort que de bien en allant trop loin...

Myriam, songeuse, appela encore deux camarades du collège, qui ne l'avaient pas vu. En fin de compte elle se résigna à téléphoner à Laurent, ce qu'elle regretta aussitôt. Guillaume s'était fait oublier depuis le jour de l'altercation avec son père. Redoutant que celui-ci ne le convoque, il ne le rappelait pas et faisait faire ses messages par Lydia. Laurent, par la force des choses, avait un peu mis de côté l'inéluctable discipline... Tout était sens dessus dessous. À la suite de la fusillade, le député de la famille, le père de Cécile, avait été malade. L'inquiétude régnait et, par contrecoup, la mère de celle-ci avait eu deux crises cardiaques. Le châtiment du jeune homme ruminé par Laurent avait été remis à plus tard. Cependant, quand il apprit la nouvelle de la bouche de Myriam, Laurent faillit faire un drame:

— Tu dois enregistrer une déclaration de disparition à la police… entends-tu, Myriam ?

Comme si elle ne le savait pas ! À l'entendre ainsi nerveux et survolté, au moment où elle aurait eu besoin de paroles réconfortantes, Myriam, épuisée, décida de ne rien dire des renseignements qu'elle avait glanés chez le père de Sandro.

— Écoute, Laurent, j'irai demain faire une déclaration…

— Je viendrai avec toi…

— D'ici là, il ne faut pas se laisser aller à envisager le pire. Il va sans doute revenir, ne serait-ce que pour se mettre à table, ce soir…

Elle essayait de croire à ses propres paroles. Alors, selon son habitude, Laurent se montra furieux, préférant laisser éclater sa colère plutôt que d'exprimer de l'inquiétude. Il criait à l'autre bout du fil :

— Ce gamin est complètement malade, et dire que c'est mon fils ! Mon fils… J'appelle tout de suite un pensionnat. Le plus sévère, le plus strict… Discipline de fer ! On verra qui aura le dernier mot… Je vais…

— Oh, Laurent !

Myriam l'arrêta. Au fur et à mesure que les heures passaient, elle ressentait une telle impuissance que la peur lui coupait les jambes. Les discours de Laurent n'étaient pas faits pour arranger les choses. Quand elle raccrocha, elle qui n'était pas bigote se surprit à prier. Mike l'observa, pour la première fois sans qu'elle s'en rendît compte, les yeux fermés et les mains jointes.

*

Finalement, ils se rendirent chez Pierrette, qui venait de planter des vivaces au fond de son carré de terre et admirait son ouvrage. Les tomates portaient déjà des fruits verts en abondance et les haricots grimpaient sur le grillage, retombant en bouquets gracieux. Une de ses petites-filles, qui était venue l'aider, battit des mains en voyant qu'elles avaient de la visite.

— Grand-m'man, regarde, Myriam et Mike!

— Vous, un dimanche soir, s'écria Pierrette, que se passe-t-il?

Myriam, pâle comme un linge, avança vers elle en baissant la tête et elle sut que quelque chose de grave était arrivé.

— Pierrette, n'aurais-tu pas vu Guillaume?

Pierrette eut un coup au cœur.

— Non… Depuis sa dernière visite, il a eu trop peur de se faire chicaner, je ne l'ai pas revu!

— Il est disparu…, fit Mike.

Dès cet instant, Pierrette se sentit coupable. Elle n'avait pas su lui faire entendre raison quelques semaines plus tôt.

*

Les jumelles et Dany se persuadèrent qu'il s'agissait d'une nouvelle frasque de leur frère, bien que Lydia ne crût pas à un incident arrivé par hasard. Laurent prenait des nouvelles plusieurs fois par jour au téléphone et questionnait, faisait la morale, retournait le couteau dans la plaie. Lydia pleurait, Laurence se fâchait, Myriam évitait de lui répondre. Pourtant, il commençait à adoucir son discours à l'endroit de Guillaume, mais, incapable de vivre autrement que stressé, il devenait plus colérique qu'à l'ordinaire. Pris dans un cercle vicieux, Laurent s'épuisait, maigrissait et reprenait le visage torturé qu'on lui avait connu lorsque Myriam et lui avaient divorcé. Déconcertées, les jumelles se mirent à avoir peur de décrocher le téléphone. Les trois jeunes, trop touchés pour en parler ouvertement dans les milieux scolaires, gardaient le silence sur les événements qui perturbaient leur famille. Connaissant la rébellion qui couvait sous le crâne de Guillaume et les déboires qu'il subissait à l'école, ils cherchaient des raisons de se rassurer en se répétant qu'il reviendrait aussitôt qu'il manquerait de cran et de provisions... Mais peu à peu, gagnés par l'angoisse, ressentant un vide immense, voulant réagir à leur façon et faire quelque chose de plus que ce que leurs parents avaient entrepris, les trois se réunirent pour tenir entre eux une sorte de conseil.

— Moi, dit Lydia avec des larmes plein les yeux, je propose qu'on envoie un communiqué dans les journaux... Il faut que Guillaume sache qu'on l'aime et qu'on l'attend !

— Mais maman a déjà fait cela, c'est inutile ! décréta Laurence.

— Pas si inutile que ça, argumenta Lydia.

— Bonne idée, dit Dany, je vais faire publier un article dans les bulletins étudiants de tous les collèges et de toutes les écoles françaises du Canada...

— Je sais ! Il faut faire prévenir les musiciens... Tous les musiciens du Québec..., ajouta Lydia.

— Ça, c'est bon ! fit Dany, il faudrait retrouver les autres musiciens du *band*... Les autres gars doivent savoir des choses...

Pour la centième fois, ils cherchèrent dans sa chambre, fouillèrent tous les tiroirs du bureau. Mais aucun de ses amis musiciens n'était répertorié, pas plus que ses camarades de classe. Guillaume n'avait pas d'ordre, ni dans sa chambre ni dans sa tête.

— Moi, dit Laurence qui revendiquait une idée originale, je vais aller prier et faire prier tous mes amis pour qu'il soit protégé où qu'il soit et pour qu'il nous revienne vite... On va organiser une veillée et chanter des mantras pendant toute une nuit!

— Où vas-tu faire ça? demanda Myriam.

— Au centre de yoga! Maintenant, on commence tout de suite, venez avec moi...

Myriam eut du mal à la convaincre qu'il valait mieux attendre encore un peu. Laurence, les yeux brillants, s'emportait, insistant pour entraîner la famille au complet dans ce qu'elle considérait comme une garantie de réussite.

— Je suis sûre qu'on va réussir! Mais il faut tous nous y mettre, répéta-t-elle. La pensée est la seule force capable de changer le cours de nos vies... Avec la canalisation de nos pensées, on peut changer le monde... C'est sûr, c'est sûr... On peut faire revenir Guillaume...

Et, intarissable, elle se mit à discourir pour convaincre sa sœur et Dany. Myriam, qui, chaque fois qu'on proposait quelque action, sentait renaître l'espoir, avait eu un mouvement de surprise en entendant Laurence exprimer ses idées inattendues. Sa fille rebelle se tournait vers la prière et explorait les champs inconnus de la conscience. Elle brandit des manuels et des livres, des énoncés des nouvelles doctrines, des témoignages divers qui prouvaient le bien-fondé de ses attentes et elle les somma tous de lire ces recettes infaillibles, d'y croire.

— Plus vous y croirez et plus vous réussirez..., prophétisa-t-elle.

Dany se montrait sceptique et Lydia, réservée. Chacun était partagé quant aux certitudes du résultat, mais, pour une fois, il n'était plus question de chicanes ni de critiques. Tous, même s'ils trouvaient l'initiative de Laurence farfelue, se rangèrent derrière elle. «Peut-être, après tout, qu'il y a dans cette philosophie du yoga des éléments propres à nous redonner du courage...», se consola Myriam en pensant à la publicité qu'elle avait découpée le matin même. Elle observa Laurence, lui reconnaissant soudain un charisme peu ordinaire.

*

Les quelques jours de vacances que Myriam et Mike avaient tant attendus étaient tombés à l'eau. Tout cela arrivait au moment même où Myriam se sentait prête à remettre en question son choix de carrière... La disparition de Guillaume créait un tel vide que les pires suppositions étaient envisageables. Myriam n'osait pas nommer les choses. Étant donné que rien ne venait étayer ses hypothèses, celles-ci prenaient les directions les plus folles. Guillaume n'avait-il pas été enlevé, blessé, assassiné même ? Aussitôt qu'elle énonça cette hypothèse, Mike la ramena à la réalité :

— Chérie, ne te laisse pas aller à la dérive... Les faits sont malheureusement plus simples que tu ne crois. Ce qui est tragique, c'est que nous n'avons rien vu venir...

Myriam se mordait les doigts et se reprochait amèrement de ne pas avoir senti la détresse de son fils au point de tomber des nues quelques jours plus tôt. Prostrée dans sa chambre, incapable de partir pour le bureau à son heure habituelle, elle songeait à ses enfants. Son esprit charriait les images de toutes ces années où ils avaient grandi, changé, sans qu'elle pût arrêter le temps, encore moins retourner en arrière. Mise au pied du mur, elle éprouvait l'impuissance propre à chaque être humain, celle qu'on refuse de sentir et qu'on refoule derrière nos occupations exigeantes, pour performer. Une question lui revenait comme un leitmotiv : ces derniers temps, les jeunes avaient-ils tant souffert de ses absences ? Lydia était timide en public et n'osait jamais prendre la parole, Laurence, pour sa part, ne manquait pas une occasion de se comporter de façon autoritaire et martyrisait sa jumelle à cœur de jour. Quant à Guillaume, ce triste épisode se terminerait-il par une belle conclusion ? Était-ce un simple coup de tête ou quelque chose de plus grave, comme une dépression ? On entendait parler d'un phénomène qui s'accentuait depuis peu : les jeunes en proie au désespoir mettaient fin à leurs jours. Où aller chercher l'information pertinente sur toutes ces choses qui restaient secrètes ? Les parents ayant subi ce genre d'événements n'avaient guère de recours. Personne n'osait avouer : « Mon enfant a mis fin à ses jours ou bien, il a tenté de le faire… » On pleurait en silence.

Myriam était à la torture. Aucun de ses enfants n'avait eu de souffrance physique, jamais on ne les avait privés de rien, ils étaient en excellente santé et Dany, sensiblement du même âge que Guillaume, bien que, lui aussi, abattu par l'événement, rayonnait d'une joie sans complications. Et pourtant, les faits étaient là, bien réels ! On n'avait toujours aucune nouvelle… Myriam, le cœur gros, se dit qu'elle n'avait peut-être pas joué de la bonne façon son rôle de mère…

*

Ce matin-là, au bureau, Laurent était d'une humeur massacrante. Il ne pouvait justifier son attitude que par l'épreuve qu'il endurait. Paula essayait de temporiser mais la pauvre s'était déjà heurtée deux ou trois fois à des exigences invraisemblables et Myriam entendait Laurent tempêter :

— Comment se fait-il que dans certains dossiers je ne trouve pas les subpœnas ? Y a-t-il de l'ordre dans ce bureau ?

Il agitait furieusement les chemises qu'il avait dans les mains et grillait cigarette sur cigarette. Sa peau était jaune, ses yeux, exorbités. L'infatigable était à bout de nerfs. Myriam soupira. Paula, sans rien dire, tendit au maître les documents qu'il avait lui-même posés sur un guéridon, mais ce qui aurait dû éteindre sa colère ne fit qu'empirer les choses. Il trouvait encore et encore à redire en déversant sur la pauvre secrétaire des salves de mots tous plus désagréables les uns que les autres.

— Vraiment, il exagère, marmonna Myriam à l'endroit de Paula qui filait tête baissée dans le couloir.

Résolument, elle pénétra dans le bureau de Laurent et l'apostropha :

— Tu ne trouves pas que tu y vas fort ? Paula n'est pour rien…

— Oui, je sais, elle n'y est pour rien si notre fils…

À son tour, Myriam lui coupa la parole. Elle ne voulait pas entendre ses stupidités :

— Je t'en prie, essaie de te calmer et écoute-moi...

Laurent se rassit derrière ses requêtes et écrasa son mégot.

— Peut-être devrions-nous aller voir un psy?

— Es-tu folle?

Sa réaction ne s'était pas fait attendre.

— Je ne crois pas..., dit-elle sans hausser le ton.

— Qu'est-ce que cette idée à la gomme? Qui t'a mis cela dans la tête?

— Écoute Laurent, ni toi ni moi n'avons compris comment les choses en sont arrivées là et...

— Et un psy ne le fera pas revenir, non?

— Peut-être nous donnera-t-il des indices?

— Une carte routière de son itinéraire, pendant que tu y es!

Il ne pouvait s'empêcher d'être cynique.

— Évidemment non, mais...

— Mais... jamais de la vie! cria-t-il. Je n'irai pas parler de mes démêlés avec mon fils à un pur étranger qui va nous ruiner tout d'abord, et qui ensuite nous assommera avec de belles théories en nous confessant... Autant aller voir le curé de la paroisse...

Devant son entêtement, Myriam n'insista pas: elle n'avait plus la force. Mais elle se promit d'en parler à Mike et aux jumelles le soir même. À Outremont, tous seraient sensibles à ce genre de concertation avec un professionnel, elle en était sûre. Laurent, voyant qu'elle ne changerait pas d'idée, la dévisageait comme à son habitude avec mépris et elle pensait amèrement que certains hommes comme lui n'arriveraient jamais à ouvrir leur esprit aux tendances nouvelles...

Au cours des jours qui suivirent, elle resta silencieuse, se rendant au bureau comme un automate, incapable de se concentrer sur ses dossiers et Laurent, bien qu'il eût l'air au-dessus de ses affaires, n'en menait pas large lui non plus. Elle aurait aimé parler avec Laurent, aller au fond des choses comme elle le faisait avec Mike. Mais Laurent restait prisonnier de ce qu'on ne pouvait dire sous peine de violer les convenances. N'ayant pas appris à se laisser guider par la simplicité, il refusait de dialoguer avec Myriam ou avec les jumelles et était sans doute plus malheureux que jamais.

CHAPITRE V

Il était environ quatre heures de l'après-midi. L'autobus, bondé de vacanciers, arrivait au poste-frontière de Lacolle. Guillaume et Sandro, assis côte à côte dans le fond du véhicule, la moitié de leurs bagages entassés entre les jambes et un café à la main, dévoraient des barres de chocolat en regardant la route défiler. Les deux jeunes étaient silencieux. Sandro imaginait retrouver le coin de pays qui l'avait vu naître et Guillaume, un peu étourdi par la perspective du voyage, réalisait que sa mère et ses sœurs ne feraient plus désormais partie de son quotidien. Il ressentait un malaise indéfinissable et, l'air perplexe, surveillait sa guitare comme s'il s'agissait d'une jeune fille dont il aurait été amoureux, tout en sirotant le café qu'il avait trop sucré. Bien qu'il soit affamé, il avait un poids au milieu de la poitrine et s'en voulait de ne pas être relax, mais s'efforçait de dissimuler son trouble... Il n'aurait pas aimé que Sandro s'aperçoive de ses hésitations. L'un et l'autre avaient, comme tous les passagers, rempli leur fiche de déclaration pour entrer aux États-Unis et, bien qu'il n'y eût apparemment rien qui puisse poser problème, sauf leur âge – car tous les deux étaient encore mineurs –, il demeurait inquiet. Sandro avait une belle assurance et son teint mat lui donnait l'aspect d'un homme dans la vingtaine, alors que lui, Guillaume, pour sa part ne pouvait cacher ses façons d'enfant attardé ni son regard candide d'adolescent sans expérience. À cause de son physique long et maigre, on avait, dès le premier regard, la certitude qu'il avait grandi trop vite.

Leur plan était d'aller jusqu'à New York et, de là, changer de direction en prenant plusieurs autobus qui les conduiraient jusqu'à San Antonio, aux portes du Mexique. Le Mexique, la musique, les boîtes de nuit et les hôtels où les touristes affluaient pour danser! Toutes ces perspectives se croisaient dans la tête de Guillaume qui se remémorait les vacances familiales dans le Sud avec Laurent et Myriam. Quelle atmosphère enivrante, joyeuse et sans souci, songeait-il pour se rassurer. Le périple entrepris était long, mais, au bout, il y avait une grande récompense… Encore plus grande que ce que son imagination lui laissait entrevoir. Avant de s'embarquer, faisant et refaisant les comptes, ils avaient tout mis en commun et calculé au sou près ce qu'ils possédaient, décrétant que la somme suffirait pour aller au bout du voyage. Par conséquent, les deux compères avaient décidé d'utiliser en premier lieu les réserves de provisions. Une fois la frontière du Mexique passée, tout serait facile. Sandro affirmait qu'il leur serait aisé de gagner quelques sous ici et là afin d'assurer leur subsistance en complétant le trajet jusqu'à Puerto Vallarta, rendez-vous des riches vacanciers américains. Du moins, c'était ce qu'ils s'étaient répété à maintes reprises… Guillaume le croyait, mais parfois un doute s'immisçait dans son esprit et alors la peur surgissait et s'installait dans son ventre. Depuis le petit matin, il souffrait de boulimie. Étant donné qu'il avait dû s'enfuir sans rien manger, son estomac le malmenait et réclamait de quoi être comblé, comme si la chose s'avérait impossible. Guillaume engloutissait tout ce qu'il avait entassé dans la poche latérale de son sac, et plus il mangeait, plus il éprouvait le besoin de manger, espérant ne plus sentir ce trou béant au milieu de son corps. Il avait ingurgité les trois quarts de la dernière tablette de chocolat, qui devait être la dixième, et depuis, le vide se transformait en une espèce de lourdeur désagréable. Son esprit était à Outremont. Là-bas, à la maison, les filles étaient assises à leur banc d'école et, au bureau, Myriam était concentrée dans ses affaires de justice... Mais non, il se souvint tout à coup que tout cela était faux puisqu'on était dimanche! Aïe, les croissants et puis le bol de café au lait. La lasagne et les rôtis de sa petite mère... À partir d'aujourd'hui, il manquerait les régals en famille sans se plaindre. C'était son choix... Même les randonnées à cheval quand il faisait beau le dimanche, ou les escapades à Kanesataké... Au moins n'aurait-il plus les sermons et les punitions de son père à endurer.

Devant eux, deux passagères dans la soixantaine, élégantes et discrètes, bavardaient comme de vieilles amies et se retournaient de temps à autre en leur adressant un sourire. Guillaume répondait par un signe de tête poli, honteux de s'adonner publiquement à la gourmandise. Soudain écœuré, il jeta par la fenêtre le reste de sa friandise. Pouah! Pris de nausée, il retint un hoquet en faisant une grimace. Sandro, voyant son teint changer de couleur, s'inquiéta :

— Es-tu malade, mon *chum*?

— J'crois bien..., fit Guillaume avec un haut-le-cœur.

L'autobus s'était arrêté devant la guérite de la douane. Deux douaniers américains, l'air hautain, montèrent à bord et toisèrent les voyageurs :

— Avez-vous quelque chose à déclarer ? demandèrent-ils à la ronde.

Quelques passagers hochèrent la tête de droite à gauche. D'autres, qui lisaient leur journal, ne levèrent même pas les yeux. Sandro, qui feignait d'être sûr de lui, évitait de croiser le regard des autorités douanières. Il aurait été désastreux de subir un interrogatoire. Il valait mieux se faire discret. Ne recevant aucune réponse, les deux hommes ressortirent comme ils étaient entrés pour aller examiner la soute à bagages, escortés du chauffeur. Guillaume, qui serrait les mâchoires en se tenant l'estomac, devint blanc et laissa échapper un rot. Les deux passagères voisines, alertées, se retournèrent. Sandro eut tout juste le temps de présenter un sac de papier à Guillaume, qui ne pouvait plus rien retenir et qui vomit en hoquetant, passant du blanc au rouge en l'espace de quelques secondes. Les deux dames, qui l'observaient avec compassion répandre ses boyaux, descendirent en hâte prévenir le chauffeur.

— Le jeune homme est malade !

Enfin, un incident qui mettait du piquant dans un trajet sans histoire… Le chauffeur ne demanda pas plus d'explications et revint en courant jusqu'au fond du véhicule, contrarié à l'idée du nettoyage qui résulterait de l'incident. Les deux femmes se campèrent près de Guillaume, qui, de plus en plus pâle, commençait à tourner de l'œil, et prirent la situation en main au moment où les douaniers, décidés à faire leur devoir, posaient aux jeunes gens des questions précises, pour savoir ce qu'il en était.

– Quelle est votre destination ? fit l'un en pointant Sandro.

– Montrez vos papiers, ordonna l'autre à Guillaume. Malade, vous ne passerez pas aux États-Unis, jeune homme !

À ce moment, il fut clair que les deux garçons n'avaient pas atteint l'âge magique de dix-huit ans. Sandro comprit qu'ils étaient perdus et promena autour de lui un regard désespéré, convaincu que rien ne viendrait les sauver.

– Heu…, fit-il, embarrassé.

– Ces jeunes sont de notre famille et nous accompagnent à New York. Nous en sommes responsables…, intervint prestement l'une des dames avant que Sandro réagisse.

Son sourire était convaincant.

– Oui, fit la seconde en désignant Guillaume, celui-là est un de mes neveux, et l'autre, son ami, il nous accompagne aussi…

– Ils voyagent avec nous ! insista la première, voyez, nous les emmenons visiter New York pour la première fois…

Que répliquer ? Les douaniers hochèrent la tête. Impossible de contredire ces deux femmes respectables. C'était tout ce dont ils avaient besoin pour faire leur rapport. Le chauffeur avait déjà mis le moteur en marche et l'autobus tremblotait patiemment à l'idée de reprendre sa vitesse normale… Sandro lançait des regards ébahis, qui allaient de son *chum* aux deux vieilles, et se gardait de commenter le revirement de situation. Guillaume, quant à lui, à moitié inconscient, ne cherchait pas à connaître les détails. Occupé à retenir son estomac, ne sachant pas trop ce qui se passait autour de lui, il ne réagit pas. Pour quelle raison ces deux inconnues les avaient-elles tirés de ce mauvais pas? Mystère... Quels motifs animaient leurs nouvelles alliées à l'air à la fois innocent et charmeur, tout cela lui semblait flou et inespéré. Après tout, qu'importait! Tout ce qu'il savait, c'est que leur intervention était inattendue. Lui qui était fautif et avait attiré l'attention de tous tentait de ne plus se faire remarquer. Les deux passagères, ravies de l'épisode, riaient de voir leurs protégés incrédules. Il était clair qu'elles auraient pu être leurs grands-mères et venaient de les tirer d'affaire... Les douaniers quittèrent l'autobus en bougonnant et l'on reprit la route, mais Guillaume, toujours mal en point, tremblait de fièvre.

— Tenez, buvez cela, mon petit, entendit-il comme dans un rêve.

Il souleva les paupières et releva la tête. L'une d'elles, qui avait sorti de son sac une bouteille isolante, lui fit avaler une tisane brûlante de sa confection, tandis que l'autre, lui tâtant le pouls d'un air entendu, décréta :

— On va te mettre à la diète, Guillaume.

Il tressaillit en entendant son nom. Les deux amies, perspicaces, savaient déjà à qui elles s'adressaient... En d'autres temps, il aurait répliqué, il aurait laissé éclater sa colère et se serait comporté en rebelle : « De quoi vous mêlez-vous ? Vous n'avez pas à me traiter en bébé... »

Seule sa mère avait le pouvoir de lui imposer des directives semblables! Mais ses forces le lâchaient et son esprit en déroute ne reconnaissait plus aucun de ses repères. Il ne réagit pas. Ces deux femmes-là avaient un air si charmant avec leurs cheveux argentés et leurs yeux bleu porcelaine qu'il se laissa prodiguer des soins bienvenus.

Abandonnant sa pudeur naturelle, il extirpa de son bagage sa grenouille fétiche et, sans vergogne, se recroquevilla sur son siège. Une des dames mit un coussin sous sa nuque, l'autre le recouvrit de son châle et il s'endormit.

*

Il se réveilla au terminus, en plein cœur de New York. Au moment de descendre de l'autobus, il eut un mouvement de recul. La circulation et le bruit lui donnaient le tournis. Sandro, le voyant encore mal en point, hissa un sac sur son dos et, chargé comme un mulet, traîna les bagages restants jusqu'au débarcadère. Dans Manhattan, le va-et-vient de la foule était intense. Tout autour de lui, les édifices se dressaient à perte de vue, tous plus hauts les uns que les autres, dominés par l'Empire State Building. Les gratte-ciel se succédaient pour dessiner les formes futuristes de la ville. Guillaume restait ébahi, immobile, perdu dans ses rêveries devant un monde constellé d'affiches lumineuses, de signaux hors de proportion dont la structure noyait toute dimension humaine. Sur les trottoirs, les passants couraient en tous sens, pressés de rejoindre qui son travail, qui ses amis, courant après le temps, implacable observateur immobile. Rares étaient ceux qui s'attardaient devant les vitrines. Les avenues semblaient se perdre au-delà de l'horizon et les rangées de voitures disciplinées s'échappaient de loin en loin pour emprunter les autoroutes périphériques. Ici et là, les taxis jaunes perçaient la monotonie du trafic et s'arrêtaient pour prendre des passagers. La vie se déroulait rapidement et fuyait toute forme de laisser-aller. Contrastant avec la course sans fin des New-Yorkais, des kiosques, parsemés sur les trottoirs, offraient à tous ces gens affairés du *fast-food* à croquer debout sur place… C'était donc cela, la ville qui incarnait le monde moderne… Sandro donna un coup de coude à son acolyte :

— Tu viens ?

Guillaume sursauta. Même malade, il était fier d'être ici. Les deux dames inconnues leur avaient emboîté le pas et, attentives, ne les lâchaient pas d'une semelle, comme s'ils avaient réellement fait partie de leur famille. Sandro, qui avait une faim criante, repéra l'enseigne d'une pizzeria voisine. Il sortit quelques billets de sa poche en les comptant, pour être sûr qu'ils avaient assez d'argent. Il fallait manger avant la fin de la soirée…

— On vous emmène avec nous !

Sandro et Guillaume se retournèrent. Les deux sexagénaires de l'autobus étaient là, derrière eux, qui avaient observé leur manège et qui riaient encore :

— On a réservé deux chambres dans un charmant B & B ! dit la première.

— On vous kidnappe… Vous méritez une soirée et une nuit tranquilles…, insista la deuxième.

— Vous occuperez l'une des chambres et nous dormirons dans la seconde…

— Mais, madame…, voulut protester Guillaume.

— Je suis Émilienne, l'interrompit l'une.

— Moi c'est Julienne, dit l'autre. Nous sommes sœurs jumelles…

Guillaume tressaillit et son visage s'éclaira.

— Mes sœurs aussi sont jumelles, dit-il, comme si cela pouvait avoir quelque incidence sur leur parcours.

— Vous voyez, nous allons bien nous entendre ! s'exclamèrent les deux femmes.

La réserve de Guillaume était déjà vaincue par quelque phénomène incompréhensible qui prenait le visage espiègle de deux vieilles dames et qui, plutôt que de les menacer comme ils auraient pu s'y attendre, les retenait dans un confort de bon ton, celui-là même dont ils voulaient se libérer à tout prix. Visiblement, Sandro refusait de partager la complicité des trois autres. Il gardait les mâchoires serrées. À leur âge, on ne voyageait pas «cosy». C'était indécent... Et ces deux douairières avaient l'air de ne douter de rien ! Il trancha énergiquement :

— Mesdames, nous n'avons pas les moyens...

— Qu'à cela ne tienne, dit Émilienne en riant.

— Vous nous paierez en jouant de la musique pour nous..., ajouta Julienne, insistante. Vous êtes nos invités pour souper...

Le ton était ferme et sans équivoque : inutile de répliquer. Guillaume, stupéfait, se pinça pour être sûr qu'il ne rêvait pas. Deux grands-mères jumelles qui jouaient un rôle d'ange gardien. Cela n'était pas courant ! Sandro, qui ne trouvait toujours pas l'invitation de son goût, retint ses commentaires, mais il commençait à trépigner d'impatience.

— Il n'en est pas question grommela-t-il dans l'oreille de son coéquipier. Moi, je pars...

Guillaume ne savait plus où il en était. D'une part, il n'avait pas fait tout cela pour laisser tomber Sandro avant même de réaliser leurs projets, mais d'autre part, la peur viscérale continuait à le rendre malade, le submergeait et le réduisait à l'état de rien du tout. Dans son for intérieur, Guillaume remerciait leurs bienfaitrices qui, avec générosité, lui permettaient d'apaiser ses angoisses, au moins pour quelques heures. Et puis, elles étaient comiques avec leurs chapeaux de paille et leurs petits souliers, et la situation, carrément drôle, réjouissait Guillaume, lui redonnait le goût de se lancer dans l'aventure. Émilienne, sans perdre une minute, avait déjà hélé un taxi. Trop tard pour reculer.

— Viens donc, pour ce soir…, fit-il à Sandro.

— Jamais de la vie, on va se faire pogner dans un piège!

— Tu parles d'un piège… Elles sont pas dangereuses! insista Guillaume à mi-voix. J'ai tellement envie de dormir dans un bon lit.

— T'es bien bourgeois, toi qui les critiques…

— Pas tant que ça, fit Guillaume, à bout d'argument.

— Bon d'accord, juste pour ce soir… Mais tu fais attention à ce que tu manges…

— Tu parles comme ma mère, toi aussi!

— Va donc, innocent!

Sandro ne put cacher sa contrariété. Ce n'était pas de gaieté de cœur qu'il capitulait. Il ne desserra pas les mâchoires de la soirée et prit place sur le sofa pour dormir, abandonnant le lit confortable aux rêves de son acolyte. Le lendemain matin, il était tard quand Guillaume, enfin reposé, se leva. Sandro avait disparu. Ayant peine à le croire, il fouilla partout dans la chambre: son portefeuille, ses papiers et les économies qu'il avait apportées s'étaient envolés avec son compère… Il était dans de beaux draps…

CHAPITRE VI

Il était presque cinq heures. Penchée sur le comptoir, Pierrette roulait la pâte pour mettre au four une série de tourtières. La chaleur qui s'était abattue sur la ville faisait perler quelques gouttelettes sur son front. Elle déposa son rouleau et sortit les moules. Tout en faisant son ouvrage, elle pensait à Guillaume qui aimait en dévorer une à lui seul et qui ne goûterait pas à sa dernière fournée... Elle n'arrivait pas à y croire! Elle essuya une larme qui menaçait de tomber sur le rouleau à pâtisserie. Depuis bientôt deux semaines, la famille était désorganisée et elle, sans rien dire, continuait à se sentir coupable. Chacun essayait de donner le change et de faire croire que la vie continuait comme elle aurait dû être. Mais le cœur n'était nulle part dans la maison d'Outremont. On n'y entendait plus ces bruyantes conversations qui entraînaient frères et sœurs de chicanes en réconciliations sans fin... Contre toute attente, Guillaume n'était pas revenu. Les jours s'égrenaient et les bruits de la maison n'étaient plus les mêmes. Les jumelles marchaient à petits pas, Dany grimpait l'escalier en silence. Quant à Myriam et Mike, de gros cernes soulignaient leurs yeux. Dans l'ensemble, on évitait d'aborder le sujet: il n'y avait rien de joyeux à partager. Pierrette jeta une pincée de farine sur sa planche avant d'abaisser la boule restante et tendit le bras pour tourner le bouton de la radio. Écouter de la musique. Rien que pour entendre des sons et des voix humaines et se changer les idées. Il ne fallait pas se laisser aller. Guillaume aimait tant la musique… Bien sûr, il n'écoutait pas son genre de musique à elle, mais il ne perdait pas une occasion de gratter sa guitare ou de mettre un disque et de leur casser les oreilles en montant le volume de la chaîne stéréo. Elle laissa tomber une larme… Aujourd'hui, elle aurait tant aimé avoir à lui faire quelques reproches bien sentis! Elle essayait de toutes ses forces de se convaincre que tout était pour le mieux, en vain. Sans s'en rendre compte, mue par sa foi qui ne s'était pas atténuée même si elle ne fréquentait plus l'église, elle se mit à prier. Convaincue que les paroles si souvent répétées avaient le pouvoir de ramener l'ordre brisé et, donc, de faire revenir Guillaume, elle récitait le chapelet. Justement, la radio diffusait de vieux succès d'Elvis Presley, ceux qu'il adorait. Elle refoula un sanglot, étendit sa pâte dans le fond du dernier moule, repoussa les bords avec ses doigts pour faire une guirlande tout autour, puis coupa l'excédent. Elle avait beau chasser les idées tristes, celles-ci lui revenaient en rangées bien serrées, comme des mercenaires qui prennent d'assaut une place forte. Elle remplit de viande ses quatre moules. Ainsi, ils auraient au moins deux repas tout prêts pour le milieu de la semaine et Myriam ne se casserait pas la tête pour nourrir son monde. Les événements la malmenaient déjà bien assez… Chère Myriam, elle avait perdu son sourire depuis ce malheureux dimanche… Même sa coquetterie naturelle semblait envolée. Elle ne cherchait plus à assortir avec soin les accessoires de sa toilette. Pierrette hocha la tête et balaya de la main ce qui menaçait de la faire sombrer une fois de plus dans des pleurs inutiles, au moment où Laurence apparut.

— Ah, tu tombes bien ma grande, j'ai de l'ouvrage, mais je m'ennuyais toute seule dans la maison…, lança-t-elle d'une voix qu'elle voulait enjouée.

— À qui le dis-tu, grand-m'man… Je m'ennuie de mon frère!

Et Laurence, la fière, l'irréductible, fondit en larmes en se jetant dans les bras de Pierrette qui n'en menait pas large.

— Lili n'est pas avec toi?

— Lydia, elle est toujours accrochée à Dany! Dany par ci, Dany par là, je vais avec Dany! Avant, Dany et Guillaume étaient inséparables. Maintenant…

Et malgré la colère qui la secouait, elle se remit à pleurer.

— Mais tu sais bien que Lili t'aime, même si elle te délaisse un peu! Ça va lui passer, de sortir avec les garçons…

Laurence ne trouva rien à répondre et fit la moue.

— Tiens, assieds-toi, ma fille… J'ai fini d'apprêter mes tourtières, on a le temps de jaser…

Pierrette attendit que Laurence soit calmée.

— Aurais-tu une idée de ce qui a pu passer par la tête de Guillaume?

Elle haussa les épaules:

— Guillaume veut être musicien, et personne ne le prend au sérieux…

— Mais ma fille, son projet n'est peut-être pas raisonnable aux yeux de vos parents! Il doit penser à son avenir et ce n'est pas une petite affaire, pour un garçon…

La jeune fille se dressa d'un coup et, hors d'elle, se mit à crier :

— Mais qu'est-ce qui est raisonnable, grand-m'man ? Vous, les grandes personnes, vous ne savez que nous répéter ça... soyez raisonnable...

Laurence sortit un verre et le cogna maladroitement sur la table. Le verre se brisa. Pierrette se précipita pour ramasser les morceaux.

— Et puis, garçon ou fille, ça ne change absolument rien... Rien du tout, comprends-tu, grand-m'man ?

Laurence était de plus en plus nerveuse et Pierrette, prise au dépourvu.

— C'est vrai, mais vous n'êtes plus des tout-petits !

— Justement, c'est dur de laisser derrière nous l'enfance pour devenir adulte ! Est-ce qu'on doit abandonner nos rêves parce qu'on grandit ? Est-ce que vivre veut dire effacer nos rêves, hein ?

Pierrette était de plus en plus embarrassée :

— Non... Il faut garder ses rêves, toujours. Toi, ma grande, quels sont tes rêves ?

— Moi, je veux devenir prêtre !

Pierrette faillit s'étouffer. Elle ajusta ses lunettes :

— Répète-moi ça, Laurence ?

— Je veux devenir prêtre, c'est clair !

— Tu sais que c'est impossible !

Pierrette, bouche bée, tentait de trouver un argument :

— D'ailleurs..., ce n'est certainement pas une vocation qui a de l'avenir !

Laurence raisonnait comme si son propos était logique :

— Pourquoi dis-tu cela ? Tout peut changer. Le monde moderne change et les choses doivent changer...

Intriguée, Pierrette se rapprocha de Laurence, qui continuait, entre deux coulées de larmes :

— Si nos parents nous avaient transmis les devoirs religieux et nous avaient appris à prier et à aller à la messe, on n'en serait pas là !

— Qu'est-ce que tu me chantes là ?

Le sujet était brûlant.

— Je dis que m'man ne va jamais à la messe, alors nous encore moins…

— Ça, par exemple, veux-tu dire que tu tiens ta mère pour responsable ?

— Ma mère, mon père et Mike… Tous des gens qui vivent sans Dieu et qui croient être à l'abri de sa colère. Même toi, grand-m'man, tu as cessé tes dévotions, n'est-ce pas ?

— C'est mon affaire… Et puis, comment peux-tu juger à ton âge ?

Pierrette se mordit les lèvres. Il s'agissait de ne pas envenimer la situation et de tourner l'affaire à la plaisanterie :

— Ce n'est pas parce qu'on fréquente les curés qu'on est un saint…

Butée, Laurence suivait son idée :

— Dieu ne doit pas être satisfait de nous, c'est certain. Il va nous punir…

Pierrette tressaillit.

— Ne crois-tu pas que les humains sont assez fous pour créer eux-mêmes leur malheur et se punir par leur sottise ?

— Le malheur est le résultat de nos mauvaises pensées envers Dieu…

— Qui t'a appris ce genre de sornettes ?

Pierrette ôta son tablier pour se donner une contenance. À ce stade, le discours de Laurence n'avait aucun bon sens, mais elle voulait l'entendre jusqu'au bout. La jeune fille hésita avant d'ajouter :

– On est devenus des mécréants, les prêtres et les religieuses disparaissent, les églises sont désertes... Personne n'écoute sa vocation...

– Hé, mais dis-moi, c'est une vraie révolte que tu es en train de nous préparer ! Où as-tu pris ces idées ?

– Là où je vais maintenant, les gens prient, les gens vivent leur foi ! On est dirigés par des guides éclairés...

– Ah oui ?

Que lui rétorquer ? Pierrette marchait sur des œufs.

– Ils nous voient comme nous sommes et savent ce qui est bon pour nous !

– Eh bien, tu penses que tes parents ne vous voient pas tels que vous êtes, avec vos qualités et vos faiblesses ?

– Il ne s'agit pas de cela, grand-m'man...

– Est-ce que tu n'exagères pas un peu ?

– Maintenant que Lili me lâche comme si je n'étais plus sa sœur...

Laurence dit cela fermement, sans hésiter, avec une intonation farouche dans la voix.

– Je veux me consacrer à ma vocation ! insista-t-elle. Comprends-tu ?

Pierrette eut un mouvement de recul :

– Mais tes études ?

– Je vais préparer un doctorat en théologie...

– En théologie ?

Laurence hocha vigoureusement la tête :

– Oui.

– D'où te vient cette idée ?

— Les femmes sont mises à l'écart des religions. Toutes les religions du monde nous humilient, nous, les femmes, et nous traitent en esclaves. Il faut que ça change !

Pierrette enfourna ses tourtières et s'assit face à Laurence. Le discours de cette enfant n'était pas banal. Impossible de comprendre la fougue religieuse qui l'habitait, sans compter que la théologie, quelle folie, rien de plus abstrait que cette invention savante là !

— Tu veux changer la religion ?

Laurence était rouge et ses yeux qui lançaient des éclairs avaient un éclat presque inquiétant. Pierrette lui fit remarquer :

— Nous avons abandonné l'esclavage qui nous était imposé par la religion catholique, nous avons regagné le terrain pas à pas et toi, tu me dis que tu fais marche arrière ?

— Je dis que si les femmes sont encore écartées de la religion, je consacrerai ma vie à les réhabiliter, à les réintégrer et à leur faire jouer un rôle significatif… Un grand rôle !

Pierrette était consternée par ce qu'elle venait d'entendre. Laurence, bien que calmée, l'inquiétait. Appuyée à la fenêtre, elle pleurait doucement, comme prise par une sorte d'extase mystique. Pierrette s'approcha :

— As-tu parlé de tes projets à ta mère ?

— Non, pas encore… Mais à mon père et à mes grands-parents, oui !

— Que disent-ils ?

— Ils m'encouragent à étudier la théologie…

Elle se tourna vers Pierrette, prit ses mains dans les siennes et lui commanda :

— Tiens, prions pour Guillaume… Il doit revenir, il faut qu'il revienne, je le veux et je le demande à Dieu…

Pierrette, mal à l'aise comme si elle se trouvait prise pour jouer dans une comédie burlesque, ne trouva rien à dire. Elles avaient à peine fini de réciter deux ou trois *Notre Père* que Lydia surgit, Dany sur ses talons. Laurence, insultée de les voir proches l'un de l'autre, sortit en claquant la porte derrière elle.

— Lolo est de mauvaise humeur? demanda Lydia.

Pierrette prit une grande respiration et haussa les épaules :

— Je crois que oui et j'imagine que ça va durer un certain temps!

— Pourquoi faut-il que Lolo nous serve des leçons de morale à toutes les sauces? regretta Lydia.

— Elle s'est mis dans la tête de devenir une sainte…, plaisanta Dany.

— Tu as visé juste, mon gars… Mais après quoi elle court, elle seule le sait…, dit Pierrette malgré elle.

— Rien de nouveau? ne put s'empêcher de lancer Lydia.

— Hélas, ma fille.

La cuisine était tout embaumée par l'odeur des tourtières qui commençaient à dorer.

— As-tu besoin d'aide, grand-m'man? demanda Lydia.

— Pantoute, ma fille, quand ta mère va arriver, le souper va être prêt dans le temps de le dire…

Lydia disposa les assiettes sur la table et Dany apporta les verres et les serviettes.

— Tu soupes avec nous, grand-m'man?

— Oui, mais, regarde, tu en as mis une de trop!

Lydia recompta et conclut :

— C'est pour Guillaume…

— C'est bien de faire comme ça, dit Pierrette, laisse-la sur la table. Quand j'étais jeune, on réservait toujours une place au cas où un quêteux s'amènerait au milieu du repas… Question d'hospitalité et de partage!

— C'était une belle coutume…, commenta Lydia, une petite larme au coin de l'œil.

Quand Myriam et Mike furent de retour, on prit place pour le repas. Laurence était redescendue de sa chambre. Les assiettes une fois remplies, elle fit un grand signe de croix et entama à haute voix un bénédicité. L'initiative était inattendue. Myriam et Pierrette se regardèrent, surprises, tandis que Mike et Dany posaient une main sur leur poitrine. Personne n'eut d'objection à participer à la prière et à écouter Laurence formuler son souhait:

— Seigneur, tous ici réunis pour ce repas, nous désirons de tout notre cœur le retour de Guillaume. Bénissez-nous…

Il y eut un long moment de recueillement. Les gorges serrées par l'émotion. Pierrette et Myriam se signèrent, comme dans l'ancien temps, quand on revenait de la messe dominicale. Même si les tourtières de Pierrette étaient plus succulentes que jamais, on avait le palais un peu moins gourmand ce soir, et les conversations étaient moins animées qu'à l'ordinaire. La place de Guillaume, désespérément vide, attirait les regards et les pensées de chacun.

CHAPITRE VII

Gaby revenait d'un séjour à Mistassini. Durant ces dernières années, là-haut, rien n'avait été résolu. Les Cris avaient été contraints d'abandonner une grande partie de leurs territoires. Le Nord se modernisait. De nouveaux barrages étaient en chantier sur les plus grandes rivières. Des villes avaient poussé comme des champignons et d'autres, qui n'étaient que les anciens postes de traite, étaient devenues des cités modernes faites de bâtiments qu'on montait sur place comme de simples jeux de construction. Les populations, sédentarisées, désorientées par les changements drastiques qu'on leur imposait, entraient dans le monde du prêt-à-manger, du prêt-à-porter et du préfabriqué. Cris et Innus abandonnaient leur mode de vie ancestral et adoptaient tant bien que mal la façon de faire occidentale. Mais à quel prix! On tentait d'instruire les jeunes, mais il y avait tant à faire… Quelques leaders réagissaient et utilisaient les journaux anglophones pour influencer l'opinion publique en dénonçant les politiques du gouvernement québécois. Récemment, une page entière avait été publiée dans un quotidien new-yorkais, où l'on critiquait ouvertement les actions du Québec qui avait imposé des amputations à leurs territoires sans qu'il y eût négociations avec les représentants autochtones. Parmi les Indiens, les plus solides, ceux qui avaient préservé l'âme des traditions et qui avaient connu la vie quand elle se déroulait encore dans sa beauté sauvage, gardaient leur équilibre. D'autres, jeunes, perdus et persuadés de n'être que des citoyens sans valeur, noyaient au plus profond de leur inconscient, dans l'alcool ou la drogue, ce qu'ils étaient et ce qu'ils auraient voulu être…

Qui parmi eux aurait pu prévoir cela quelque dix ans plus tôt? Même si Gaby avait vu juste, cela n'aidait pas à résoudre le problème. Plusieurs fois dans l'année, il parcourait les territoires des Cris et, actif, présidait un grand nombre de conseils. Dans certains cas, assisté de Mike, il faisait équipe avec les familles Kitchen, Saganash et St-Onge, et Myriam y avait sa part, conduisant les dossiers qui aboutissaient devant la cour supérieure. Partout, la pensée de Gaby était respectée: il savait faire passer l'information venue du sud dans les villages les plus reculés et donner un point de vue que les Amérindiens ne pouvaient capter sans entendre un éclaireur de sa trempe. Cette fois-ci, Mike ne l'avait pas accompagné et il le regrettait… Il devenait urgent d'attirer l'attention sur le désœuvrement qui sévissait dans les villages isolés des Abénakis, des Attikamèques ou des Hurons, et qui engendrait chez les jeunes des comportements intolérables. Dans ces cas-là, Mike donnait toujours un point de vue objectif: grâce à sa connaissance du milieu, avec son expérience de professeur et son solide esprit de synthèse, il aidait à concevoir des solutions concrètes. N'avait-on pas déjà obtenu, dans le village de Mashteuiatsh, au Lac-Saint-Jean, des aménagements communautaires importants pour créer un musée qui jouxterait l'école. On cherchait partout à structurer des activités pour enrayer l'ennui et le désœuvrement chez les hommes et chez les enfants désormais sans lien avec les modèles de leurs ancêtres. Mais ce qui manquait cruellement dans les territoires, c'étaient des emplois pour tous ces gens.

*

La route était longue et monotone. Après une brève halte à mi-chemin entre Chibougamau et Montréal pour prendre un café au relais de la pourvoirie, Gaby roulait derrière un énorme camion chargé de troncs d'épinette. Impossible de dépasser ce monstre. Il n'avait pas le choix. L'autre ne répondait pas à ses signaux et les kilomètres se succédaient. Impatient, il descendit la vitre de sa portière. L'air frais lui fouetta le visage. La forêt boréale faite de résineux s'étalait à perte de vue, traçant une ligne sombre sur l'horizon. Ici et là, un bouquet d'arbres se dressait au milieu d'une trouée, comme un obélisque minuscule et insolent, c'était une île, sauvée des eaux du lac. Là-bas, une rivière serpentait bien plus loin que la route et, lassée de son parcours tranquille, se jetait avec fureur sur des roches disposées en crête, acérées comme des mâchoires de requin. On entendait le mugissement des eaux qui se déchaînaient aux limites de l'horizon.

Gaby pensait à sa femme, Ida, et à leurs trois jeunes qu'il n'avait pas joints par téléphone. La joie montait en lui à l'idée de les retrouver bientôt. Au milieu des familles éclatées et désunies que l'on rencontrait de tous côtés, la sienne était la chose la plus précieuse qu'il ait réussi à préserver... Il en était fier. Lorsqu'il eut atteint le dernier tronçon d'autoroute en direction de Montréal, il bifurqua vers Oka, se laissant guider sans effort au long des paysages familiers qui annonçaient la réserve. À flanc de colline s'étalaient des pommiers couverts de fleurs. Les Blancs qui cultivaient la terre avaient su faire prospérer la nature, il fallait leur reconnaître cela. Mais par ailleurs, ils avaient déboisé des acres et des acres de forêt en malmenant la Terre pour profiter de ses richesses !

Quelquefois, comme aujourd'hui, Gaby avait le sentiment que la planète allait se fâcher pour toutes ces folies qu'on lui faisait endurer, qu'elle se préparait à réagir et à nettoyer les offenses humaines et les meurtrissures dont on l'avait couverte et nul ne savait quand elle se révolterait ni comment elle s'y prendrait. Sans aucun doute, elle trouverait une façon de rétablir son ordre et de balayer les malfaisantes créatures qui oubliaient de la respecter. Perdu dans ses pensées, il dialoguait avec les paysages qui s'offraient à lui. De chaque côté de la route, quelques marécages étaient recouverts de hauts joncs qui se courbaient sous la brise et, au loin, le lac des Deux Montagnes scintillait à perte de vue, rassurant. Quelle beauté ! Pourquoi persister à dégrader cette nature qui réjouissait l'œil et apaisait l'âme ? C'était là le fondement du malentendu qui opposait les Blancs et les Indiens. Les uns appartenaient à la Terre et les autres croyaient que la Terre leur appartenait...

Il arrivait à l'intersection proche du village. Au bord de la grand-route, presque déserte à cette heure-là, se succédaient les cabanes où l'on pouvait acheter des cigarettes à prix réduit... Ce commerce illicite était florissant. Investi de l'autorité du grand chef, Gaby ne savait comment résoudre ce problème épineux... Ses frères n'avaient-ils pas le droit de gagner leur vie, perdus au milieu des débauches de centres commerciaux qui se multipliaient à la périphérie de Montréal? Dans un Québec prospère et moderne, les Autochtones, écartés des retombées du profit, ne se gênaient pas pour revendiquer leurs droits ancestraux. Fallait-il les blâmer de passer outre aux lois? À ce jour, personne n'avait trouvé de solution qui soit viable pour les deux parties.

Avant de rentrer chez lui et de s'engager dans le rang du Milieu, passant près du conseil de bande, il s'arrêta pour ramasser son courrier et s'informer des dernières nouvelles. Il avait hâte de bouger. Il sauta sur le sol, s'étira en bâillant et ferma en la claquant de toutes ses forces la portière de son véhicule, qui résonna d'un énorme bruit de ferraille. On aurait dit que le camion tout entier allait se démembrer sous la vigueur de son geste... Tous à Kanesataké reconnaissaient sur son passage le ronflement de son moteur, et quand il refermait ainsi les portières, chacun riait du fracas. Marie et Gloria, les secrétaires, se rapprochèrent de la fenêtre:

— Hé, mais on dirait que c'est notre grand chef!

— Le diable est dans la porte de son char!

Poussant des cris de joie, elles ouvrirent le portail à deux battants pour l'accueillir.

— Tu tombes bien, grand chef, on vient de recevoir les plans du nouvel édifice! fit la première d'un air réjoui.

— Et l'annonce d'un bon petit magot du fédéral, ajouta la seconde en agitant ses tresses.

Gaby s'étira une nouvelle fois, enchanté. Rien ne pouvait lui donner plus de satisfaction. Marie sortit un trousseau de clés et, disparaissant à moitié dans un des tiroirs du classeur, en extirpa plusieurs dossiers qu'elle posa sur le bureau.

— Gaby, peux-tu signer quelques lettres avant de t'en retourner?

Il s'exécuta de bonne grâce. Malgré la bonhomie qui semblait régner ici, la vie n'était pas simple à Kanesataké. La moitié de la population se dressait contre les décisions du conseil et les revendications concernant la pinède restaient sans réponse de la part du gouvernement provincial, ce qui entraînait des frictions entre Mohawks et Blancs. Gaby signa les lettres, ouvrit le courrier qui l'attendait et réfléchit quelques minutes. Dans plusieurs réserves éloignées, la violence était un phénomène nouveau et en constante évolution… Il n'avait qu'à songer à ses amis algonquins de la rive nord, à tous ceux qui, encore isolés en bandes familiales, souffraient de pauvreté extrême et de malnutrition, sans électricité, sans ressources… Ceux-là ne bénéficiaient pas des crédits gouvernementaux qui étaient répartis dans les centres urbanisés et plus ou moins bien utilisés par les élus, il fallait l'avouer. Dans les minuscules villages, les jeunes, désœuvrés, endossaient le mal de vivre de leurs parents, et, outre la misère matérielle, mis à l'écart de la modernité, ils se droguaient, buvaient, sniffaient de la colle. Un vrai désastre…

Il déplia une lettre venant des Indiens micmacs de l'est de la province. Ceux-là également réclamaient du soutien et envoyaient des informations locales. On les empêchait de s'adonner à la pêche du saumon et à la coupe du bois sur leurs propres territoires… On les privait de leurs seuls moyens de survivre. Révoltés, ils réclamaient de l'aide, prêts à manifester et à empêcher les

Blancs de pénétrer sur leurs terres par tous les moyens. Les choses risquaient de s'envenimer. Gaby en était là dans ses réflexions quand la porte s'ouvrit. Ida, sa femme, parut, escortée de Myriam et de Mike. Quelque chose clochait, car, d'une part, Ida ne venait jamais ici sans un motif sérieux et, d'autre part, l'un et l'autre avaient les traits creusés par l'inquiétude.

— Salut, mon mari, fit Ida.

En bonne squaw, elle baissait les yeux, gardant une attitude réservée. Gaby lui adressa un large sourire. Derrière eux, les femmes, tout à l'heure si bruyantes, faisaient silence. Myriam n'avait jamais été aussi pâle.

— Bonjour, fit Mike. On peut te parler, Gaby?

Gaby eut l'air surpris. «Depuis quand ces deux-là me demandent-ils la permission de me parler?» Ils firent quelques pas pour se mettre à l'écart.

— Guillaume est disparu, murmura Myriam.

Et elle éclata en sanglots.

— Depuis quand? questionna Gaby en se tournant vers Mike.

— Depuis bientôt deux semaines.

— Que dit la police?

— Je crains que personne ne s'intéresse sérieusement à notre problème! répondit Myriam, qui se mit à trembler.

Gaby les fit asseoir. Myriam laissa Mike faire le récit de la disparition pour la troisième fois. Quand Mike eut déploré le peu d'indices qu'on avait, Gaby n'eut aucune hésitation:

— Il ne s'agit pas de se raconter des histoires.

Il s'approcha de la fenêtre comme pour trouver une inspiration.

— La police ne s'occupe pas activement de ce genre de recherches, ajouta Mike. Il y a de plus en plus de jeunes qui fuguent. La chose n'est pas assez grave pour eux. On ne doit compter que sur nous pour retrouver Guillaume.

— Peut-être que je devrais demander à un détective de faire enquête? hasarda Myriam.

Elle avait l'air vraiment découragée.

— Ça peut donner des débuts de piste. Mais, même sans aide, on va le retrouver, tu peux me croire! déclara Gaby. Quitte à mettre tous les Amérindiens sur sa trace et à couvrir le continent au complet!

Il lança un regard complice à Mike, qui affirma:

— Ce sera plus efficace, c'est certain.

Myriam esquissa un faible sourire au travers de ses pleurs.

— Je me sens bien coupable... Moi, sa mère, je n'avais pas soupçonné ses intentions! J'aurais dû voir venir, comprendre son malaise, n'est-ce pas? fit-elle, essuyant ses larmes avec un mouchoir que lui tendait Mike.

Gaby tira une chaise et s'y assit à califourchon.

— Lorsqu'un grand changement se prépare, que ce soit dans la société, chez une personne ou dans l'environnement, on ne le voit pas... Je dirais même qu'on ne veut surtout pas le voir... La nature humaine est ainsi faite que nous n'écoutons pas les signes, nous refusons de voir ce qui ébranlerait nos pauvres certitudes et nous nous cachons la tête sous la couverture de nos occupations... Et pourtant, il y a toujours des signes avant-coureurs...

— C'était aussi ce que disait Judy la sorcière! s'exclama Myriam avec tristesse.

– Et c'était aussi ce que ma mère Wanda nous avait appris, à Kateri et à moi… Ton fils devient un homme, Myriam! C'est dur pour lui de vivre ce passage sans être accompagné par l'expérience bienveillante d'un adulte…

Mike hocha la tête :

– Rien de plus vrai… Dans l'ancien temps, les jeunes ne vivaient pas ou très peu de crise d'adolescence parce qu'ils étaient aimés et accompagnés. Chez les peuples autochtones, en tout cas, c'est flagrant! Il y avait des rites de passage qui consacraient les jeunes devenus des adultes aux yeux de leur communauté. On les valorisait et ils jouaient un rôle. Chaque étape de la vie était marquée par une cérémonie symbolique à laquelle participait la communauté tout entière. Leur besoin d'appartenance était comblé…

– Guillaume aimait écouter mes paroles, ajouta Gaby. Il se reconnaissait dans les préoccupations des nôtres et était fier d'avoir du sang indien… Il y a en lui assez de bon sens pour qu'il ne s'égare pas jusqu'à perdre sa vie tout entière!

– Puisses-tu dire vrai, mon oncle!

Myriam prit la main de Gaby.

– Auprès de toi, on trouve toujours du réconfort!

Gaby inclina modestement la tête.

– Vois-tu, Myriam, nous sommes à l'aube de plusieurs transformations inévitables qui ne se feront pas sans douleur sur cette planète… Nous résistons aux changements, c'est malheureusement une caractéristique de l'homme! Personne ne veut s'impliquer par des remises en question. Le système profite aux riches qui sont sourds et aveugles et qui se moquent du danger et de la misère, et nous tous, nous faisons souffrir nos enfants dans leur âme, car nous nous sommes coupés de la nature et de ses enseignements… Les jeunes ne sont plus ancrés dans l'essentiel de la vie, ils sont comme des plumes soulevées dans la tourmente…

Myriam se remit à pleurer. Mike, qui jusque-là était resté pensif, conclut :

— C'est nous qui sommes à blâmer si nos enfants se révoltent : nous leur avons rendu la vie insupportable !

— Ceux qui acceptent de voir les signes ont un rôle essentiel à jouer, dit encore Gaby. Ils sont les ferments de la nature humaine… C'est à chacun d'entre nous de participer individuellement à ouvrir les consciences.

Myriam se tourna vers Mike.

— Toi et mon oncle, vous parlez comme des oracles ! fit-elle remarquer.

— Même s'ils ne peuvent l'expliquer, nos jeunes sentent que nous avons dévié, continua Gaby. Nous leur imposons l'insécurité, la détresse et l'angoisse, et leurs comportements reflètent l'état de santé de la société.

— Ce qui est indispensable, c'est de donner forme à nos convictions en faisant des gestes concrets…

Gaby et Mike, dans un ensemble parfait, acquiescèrent et Mike sortit de sa sacoche sa flûte qui ne le quittait jamais. L'essentiel ayant été dit, il se mit à improviser une lente mélodie. Les notes qui s'égrenaient se faisaient tour à tour implorantes et joyeuses : tous savaient que cette musique était dédiée à Guillaume. Un éclair illumina la tête de Myriam. Ses craintes s'évanouirent et les tensions se relâchèrent en quelques secondes. Les paroles de Mike et de Gaby avaient le pouvoir de transmettre l'espoir et la mélopée créait une subtile unité entre eux. On retrouverait Guillaume.

*

À Outremont, l'inquiétude minait les esprits. Fatiguées, les filles s'étaient assoupies, cachées sous leur édredon, tandis que Dany étudiait dans sa chambre et Mike, dans son bureau. Malgré le sentiment de vide qu'elle éprouvait, Myriam se promit de reprendre courage. Elle alla s'asseoir sur le lit de son fils, cherchant à ressentir le désarroi qui l'avait éloigné. Peut-être découvrirait-elle un nouvel indice ? Elle eut l'impression de communiquer avec lui, de le sentir proche. En y songeant bien, elle comprit que son geste était une affirmation saine de la liberté qu'on recherche à tout âge, celle qu'un être humain est en droit de revendiquer. Bien qu'ignorant où il se trouvait, elle poursuivit sans lui un curieux dialogue. Alors, dans la maison silencieuse, il se produisit ce qui ne lui était pas arrivé depuis bien des années : le visage de Kateri lui apparut, immobile et souriant. Myriam alla chercher la photo jaunie qui était au fond de son portefeuille depuis des années et laissa son cœur implorer un miracle auprès de la petite Indienne : « Kateri, veille sur lui, ne le laisse pas s'égarer et, où qu'il soit, aide-le à revenir ! » supplia-t-elle. Un peu plus tard, quand Mike sortit de son bureau, il la trouva plus sereine.

— Viens-tu dormir ?

— Oui, c'est l'heure, n'est-ce pas…

L'horloge marquait minuit. Mike la prit dans ses bras avant de sombrer dans un sommeil lourd. Myriam, elle, n'arrivait pas à dormir. Dans la nuit, une résolution encore imprécise se dessina dans sa tête : le temps était venu d'abandonner sa profession, qui ne lui apportait plus ce qu'elle attendait. Il était temps d'entreprendre quelque chose d'utile pour aider les jeunes. Tous les jeunes! Ils en avaient grand besoin... Depuis plusieurs années, elle était sensible à ce qui se produisait dans les villages du Nord. Maintenant, son fils lui-même se comportait comme tous ces jeunes en perdition. Était-ce pour la pousser à se jeter dans l'action? Elle en eut la certitude... Même si cela paraissait fou, la disparition de Guillaume servait de déclencheur. Il lui faudrait y penser encore longuement, élaborer un plan, demander des subventions, se faire aider. Comprendre ce qui hantait les adolescents, les amener à s'exprimer sans honte, rompre la chaîne de la solitude et du désespoir. Habitée par sa résolution toute neuve, elle s'endormit contre Mike avant même de lui avoir confié ses rêves et ne se réveilla qu'au petit matin, le cœur en paix malgré sa peine...

CHAPITRE VIII

La maison était déserte et la soirée s'annonçait chaude et moite comme l'avait été la journée. Laurence était partie rejoindre son groupe de prières, Myriam et Mike étaient avec l'oncle Gaby, à Kanesataké et Pierrette était rentrée chez elle. Sur un carnet de croquis, Lydia, qui s'exerçait à la technique de l'aquarelle, dessinait ce qui lui passait par la tête en utilisant de nouvelles couleurs. Sa main traçait des lignes sinueuses qui s'entrecroisaient et évoquaient les animaux de la forêt. Lydia adorait les bêtes. Surtout les oiseaux. Elle pouvait passer des heures immobile à les observer et à les dessiner quand, avec Gaby ou Mike, elle allait dans les bois. Et puis, dessiner était un passe-temps qui lui convenait, il lui permettait de donner libre cours à sa créativité, d'être seule face à elle-même et à son univers, et il fallait avouer qu'elle avait du talent. Depuis toujours, les murs de sa chambre étaient tapissés de dessins multicolores qui exprimaient sa vision du monde, celle-ci ayant évolué avec elle. Myriam était fière des œuvres de sa fille et s'enthousiasmait chaque fois que Lydia lui présentait de nouvelles esquisses.

Lydia trempa son pinceau dans un flacon et fit un mélange de plusieurs teintes de bleu et de vert qu'elle appliqua rapidement sur une nouvelle feuille. Elle se recula un peu pour évaluer son œuvre et soupira. Avec cette chaleur, impossible de se concentrer pour obtenir les effets recherchés. Elle remonta ses cheveux et les maintint avec une barrette, histoire de sentir un peu d'air sur sa nuque. En bas, dans le jardin, un pic-bois martelait le tronc d'un érable et les pivoines, assommées par la canicule, baissaient la tête.

Dany, qui revenait de son entraînement, entra dans sa chambre à pas de loup et vint se placer debout derrière elle, admirant ses esquisses. Lydia ne l'avait pas entendu s'approcher. Elle sursauta et lâcha son pinceau quand il la frôla. Alors, il se pencha et lui donna un baiser dans le cou.

— C'est beau ce que tu fais, Lili…

Elle appuya la tête sur sa poitrine.

— Je ne suis pas certaine… J'aimerais trouver des façons de faire originales… Il me manque de la pratique et puis, en ce moment, les idées sont bloquées dans ma tête…

— C'est normal, on est tous perturbés…

Dany l'entoura de ses bras et se mit à la couvrir de petits baisers, en mordillant la pointe de son oreille.

— Aïe, aïe…

— Je te dis que tu es une artiste, Lili, okay?

Il lui passa la main dans les cheveux et caressa ses joues. Elle sentait son souffle s'accélérer. Troublée, craignant de perdre la tête, elle le repoussa un peu.

— Quand on ira se promener, je ramasserai des mousses et des feuilles pour les intégrer à mes tableaux…

Dany, sans l'écouter, prit sa main pour l'entraîner vers sa chambre.

– Viens, j'ai le goût de t'embrasser…

Comme elle roulait des yeux un peu effrayés, il l'enlaça tendrement :

– Dis-moi, en as-tu envie ?

– Oui…, répondit-elle en hésitant, mais je me sens coupable…

– N'y pense plus, ne pense à rien, ma Lili, viens…

Et il se mit à l'embrasser avec frénésie. Lydia perdait pied. Depuis quelques semaines, il y avait un grand changement dans sa relation avec Dany, son « presque » demi-frère. Il ne la regardait plus de la même façon. Tout cela créait de la confusion en elle et la troublait d'autant plus qu'elle avait du chagrin. Comment ne pas avoir des scrupules à se sentir gaie, à éprouver du plaisir, au moment où la famille était dans la peine ?… Qu'aurait pensé Guillaume s'il avait été ici pour observer tous ces changements dans les comportements de sa sœur préférée ?

*

C'était arrivé brusquement voilà environ deux mois, après qu'elle eut fait couper ses cheveux et appris à maquiller ses yeux, à mettre du rouge à lèvres. Sortant de chez le coiffeur ce jour-là, elle avait eu l'impression d'être une nouvelle personne. Une femme… Une jolie femme ! Elle se sentit transformée comme par un coup de baguette magique et une fierté nouvelle fit battre son cœur. Ses cheveux, jusque-là relevés en couettes un peu folles semblables à celles de Laurence, encadraient gracieusement son visage et retombaient sur ses épaules en rouleaux bien lisses. Sa coiffure était dans le vent. Sensation nouvelle…

– Oh, oh, une vraie carte de mode…, dit Guillaume en sifflant d'admiration.

Laurence, qui n'était pas allée chez le coiffeur ce jour-là, réagit comme si elle était un peu jalouse. Autour de la table, on admirait le nouveau style de Lydia. Myriam s'émerveillait devant l'élégance de sa fille. C'est alors que le regard de Dany se posa sur elle, brûlant, inhabituel. Elle rougit. D'un ami toujours prêt à l'aider, d'un frère qu'il était depuis sa tendre enfance, elle comprit à cette seconde que rien ne serait plus jamais pareil. Il avait suffi d'un rien pour bouleverser l'ordre établi. Quelque chose d'incompréhensible, d'inexplicable, d'aussi fulgurant qu'un rayon de soleil suspendu dans les airs s'était posé au-dessus de sa tête, et hop! La couleur du monde avait changé. Les regards que Dany et Lydia échangeaient désormais n'étaient plus ceux de l'innocence… C'étaient des regards lourds et éloquents, emplis de désirs, qui disaient le besoin de se rapprocher et de vivre leur attirance.

Quelques jours plus tard, au cours d'une soirée chez des copains de classe, Dany, profitant de la pénombre, lui donna un baiser, un vrai baiser. Ensuite, il dansa avec elle sans jamais la lâcher, en la serrant comme s'il était son amoureux. Lydia en fut à la fois heureuse et fâchée, mais elle ressentit qu'il l'obligeait par ses avances à lutter contre un sentiment interdit qui prenait possession d'elle, malgré sa volonté… Et puis, Laurence en faisait une tête! Comme si elle la jugeait coupable. Lydia la devinait ulcérée, furieuse. Elle ne savait plus comment l'aborder… En fait, elle était dans un état second, comme si ses jambes ne la portaient plus, comme si elle était suspendue dans les airs par des ailes invisibles et légères, protégée par la tendresse amoureuse de Dany. Béatitude! Guillaume, pour ne pas faire exception, ne leur adressa pas la parole pendant plus de deux heures, faisant mine de ne pas les voir serrés l'un contre l'autre, et se contenta de gratter sa guitare jusqu'au petit matin. Lorsqu'ils revinrent tous les deux à la maison, Dany se glissa dans sa chambre et ils s'étendirent sur le lit. Longtemps. Effrayés de leur passion naissante, ils n'osaient plus bouger.

Lydia savait très bien que si elle suivait son penchant pour Dany, elle devrait aller consulter un médecin pour obtenir la pilule contraceptive... Elle repoussait cette idée qui n'avait rien de plaisant. Après tout, elle allait avoir seize ans et nombreuses étaient ses amies de classe, qui, à cet âge, avaient déjà eu des relations sexuelles... Mais, malgré l'évolution galopante des mœurs, Laurence et Lydia étaient du genre «jeunes filles sages». Trop sages au goût de quelques copines plus dévergondées. Celles-là n'hésitaient pas à se moquer «des pauvres innocentes qui restaient vierges», qualifiant cette situation de démodée et ridicule! Affreux dilemme pour des adolescentes. Il était mal vu de faire bande à part. Alors, quand les conversations revenaient sur le sujet, Lydia et même Laurence affirmaient, pour faire comme les autres, qu'elles avaient connu des garçons, qu'elle étaient expertes... Il valait mieux ne pas décevoir les curieuses. Toutes les deux coupaient court aux questions sur certains détails un peu trop crus, ce qui inclinait leurs camarades à douter de leurs prétendues connaissances pratiques en matière de sexe...

En réalité, Lydia avait peur de se lancer dans une aventure amoureuse au point d'en trembler par avance.

Elle avait gardé une âme d'enfant sensible et rêvait au grand amour, s'isolant dans son imagination et se réfugiant dans ses dessins. Laurence lui disait souvent, pour se moquer d'elle :

— Toi, tu es une romantique comme maman !

Plus les années passaient et plus le romantisme était démodé... Que Dany devienne son amoureux, tout compte fait, cela la rassurait. En plus de le trouver de son goût, car il était beau garçon et bien bâti, il dégageait de la force. Lydia avançait à ses côtés en terrain familier. Serait-il son grand amour, l'homme de sa vie ? Elle le souhaitait ardemment et ne pouvait s'empêcher de le regarder avec des yeux émerveillés, un peu candides... Souvent depuis ce jour, elle avait du mal à s'endormir. Son corps brûlait de connaître l'amour. Il faudrait bien que cela arrive...

Lydia reconnaissait que, contrairement à d'autres mères, Myriam avait été une excellente éducatrice. Aussitôt que les jumelles avaient eu leurs premières règles, elle les avait informées de tous ces phénomènes intimes qui vous arrivent un jour et qu'on n'ose pas décrire en détail. Beaucoup de mères, embourbées dans la tradition puritaine, ne parlaient pas de ces choses à leurs filles et les laissaient se débrouiller : comment se préparer au contact physique, quelles sont les sensations qu'on éprouve, les conséquences qui peuvent en découler, etc. Myriam avait été généreuse et avait devancé leurs questions, ce qui fait qu'en théorie les jumelles connaissaient bien « la chose ». Elle n'avait pas craint d'aborder le sujet des conséquences possibles de l'acte d'amour : une grossesse, une maladie, mais aussi un grand déchirement intérieur, une déception profonde quand, très jeunes, les partenaires se quittent comme ils se sont trouvés : trop vite. Elle leur avait recommandé de ne tenter l'expérience que lorsqu'elles se sentiraient prêtes, lorsqu'elles rencontreraient un garçon qu'elles aimeraient et qui en valait la peine. Myriam leur avait demandé d'agir d'une façon consciente. Lydia était parfaitement d'accord. Elle reconnaissait chez Myriam cette ouverture d'esprit qui n'existait pas chez les Dagenais. Lorsque son père et Cécile, ou sa grand-mère et son grand-père, entendaient parler de flirt, de sexualité, il y avait tout de suite entre eux des silences gênés, des attitudes répressives. On écartait tout débat sur l'évolution des jeunes... Quant à Laurence, depuis qu'elle se piquait de religion et d'éveil spirituel, son caractère était encore plus abrupt. Elle ne manquait jamais une occasion de rabaisser l'amour-propre des garçons de son âge, de les vexer de toutes les manières possibles. Le résultat était qu'il n'y en avait pas un dans les environs qui s'intéressait à elle, et cela l'entraînait dans un cercle vicieux, multipliant ses réactions désagréables... De plus, elle devenait religieuse et s'inventait des pouvoirs, convaincue que la vie n'est rien d'autre qu'un long cheminement vers des étapes supérieures que l'on doit atteindre à force de prières et de sacrifices. Lydia n'approuvait pas sa jumelle...

*

Dans la chambre de Dany, à l'écart de celles des parents et des filles, Lydia était dans un état second. Elle connaissait bien son repaire, mais les objets autour d'elle semblaient baignés dans une lumière douce qu'elle ne leur connaissait pas. Il y avait des photos d'équipes sportives accrochées au mur, et puis des coupes et des trophées posés un peu partout, qui scintillaient. Elle avait le cœur battant et dans ses oreilles jouait une sorte de musique inconnue. Le jeune homme ne la quittait pas des yeux. Les stores étaient tirés, filtrant la lumière crue de cette fin de journée qui auréolait chaque chose, et elle, elle était debout au milieu d'un fouillis de livres de médecine et de documents qui jonchaient le sol, sans les voir. Dany la fit pivoter sur elle-même et l'allongea fermement sur son lit. Prévenant, il lui plaça un oreiller sous la nuque et murmura en soulevant son chandail pour caresser ses seins :

— Je t'aime...

La jeune fille qui, étendue contre lui, gardait les yeux fermés, gémit de plaisir. Il lui donnait de petits baisers dans le cou et s'aventurait jusqu'à ses mamelons dressés. Au moment où la famille était sens dessus dessous, c'était à la fois bon et déroutant... Éternelle dualité de la nature humaine qui nous bouscule! Entendre ces mots magiques, voir avec quelle assurance il la serrait contre sa poitrine lui permettaient de ne plus sentir sa peine et de la reléguer loin, très loin à l'extérieur de son corps, de l'oublier, ne serait-ce que pour quelques instants... Avoir du plaisir, être en état de bonheur! Dany, qui attendait depuis longtemps cette récompense, comme tous les jeunes garçons, ne pensait à rien d'autre qu'à savourer les sensations que lui procurait l'abandon de Lydia. Il l'enveloppait de ses bras et l'embrassait encore, tandis que ses mains glissaient sur sa peau, faisaient frémir son ventre. Lydia ne pouvait contenir ce qui lui semblait être le paradis à l'état pur. Un vrai délice qui entrait en elle par vagues, se répandait comme un feu tout au long de sa colonne vertébrale et inondait le bout de ses seins. D'instinct, Dany trouvait la façon de la faire frissonner, la manière de la faire sienne, totalement. Elle n'avait plus qu'à se laisser conduire, et lui, aimait la sentir ainsi, sans résistance, accomplissait les gestes précis qu'elle attendait…

Pour la première fois, rapidement, ils eurent un orgasme. Quelle découverte extraordinaire! Comment imaginer plus belle symphonie à l'intérieur de nous, pensait Lydia, qui se réjouit de vivre ce que toutes les jeunes femmes attendent sans oser se l'avouer. À cet instant, elle eut la certitude d'aimer, d'être aimée, et surtout de ne pas être anéantie par la peur de l'inconnu, cette peur qui ronge notre potentiel et empêche la vie de rentrer dans les cellules du corps. Pourquoi appréhender les lendemains de cette nouvelle expérience, puisque Dany serait là chaque jour, rassurant, comme ce soir. Contrairement à de nombreux garçons, il était délicat et se souciait de son bien-être. Presque toutes ses copines de classe banalisaient l'amour et mettaient l'acte sexuel dans la catégorie des choses inévitables, de celles qui vous donnent un statut indispensable, sans toutefois qu'on en tire du bien-être; le même qui à l'inverse était péché et tabou pour les générations précédentes. Lydia essayait de mesurer la bêtise de tels comportements futiles et songeait que même si les filles d'aujourd'hui étaient plus délurées que leurs mères, elles n'y entendaient pas grand-chose de mieux, cédant généralement à la mode de l'amour libre par crainte de paraître vieux jeu…

Quant aux parents, à cause de leur permissivité excessive, ils projetaient sur leurs enfants leur propre besoin de se défaire d'un carcan vieux de plusieurs siècles. Le résultat de la libéralisation des mœurs était que de nombreux garçons ne respectaient plus les femmes, ne recherchaient que leur plaisir physique, la facilité, et ne voulaient même pas savoir en quoi ils étaient responsables lorsqu'une jeune fille devenait enceinte... Des drames se tramaient dans les familles dont on n'osait pas parler. Lydia, qui en avait entendu raconter, se sentait privilégiée d'avoir échappé à cette vision appauvrie de l'amour. L'amour qui aurait dû donner du bonheur devenait un problème majeur et engendrait de piètres histoires, de celles qui font pleurer longtemps. La jeune fille y songeait souvent.

La chaleur était intense. Dany s'était apaisé. Il avait joui et Lydia reposait sur son épaule, moite, éblouie. Il lui souffla dans le creux de l'oreille :

— Es-tu bien ?

Comme elle ne répondait pas, il la questionna encore :

— Es-tu heureuse, Lili ?

Elle ne put prononcer un seul mot, des larmes de joie inondaient son visage. Inquiet, ne sachant comment interpréter ses pleurs, il se détacha d'elle, ramassa ses vêtements et se rhabilla. Il était presque dix heures.

— Lili, il vaudrait mieux que tu retournes dans ta chambre, les parents vont sans doute rentrer bientôt...

Les paroles de Dany étaient raisonnables. De ses bras, elle enserra son cou et, en hâte, elle enfila sa jupe et son petit chandail et se rechaussa. Avec ses lèvres, il épongea son visage et lui dit encore :

— Dors bien, mon ange...

Comme c'était bon. Avec ses mains, elle replaça ses mèches, lui envoya un baiser et sortit sans bruit. Flottant sur son nuage, elle ouvrit la porte de sa chambre au moment où Myriam et Mike rentraient à la maison. Elle l'avait échappé belle.

— Qu'as-tu, Lili, tu es bien rouge?

— J'ai chaud…

Avec la soirée torride, la chose était plausible. Malgré les fenêtres ouvertes, il n'y avait pas un souffle d'air.

— Je vais prendre une douche fraîche, dit-elle comme pour détourner les questions de sa mère.

Elle n'osait pas en dire plus. Même si l'attitude de Myriam appelait les confidences, Lydia se sentait plus mal à l'aise que jamais et était incapable d'avouer ce que Dany et elle avaient fait.

— Laurence n'est pas avec toi?

— Non, je ne l'ai pas vue…

«Décidément, les jumelles ne font plus rien selon leurs bonnes habitudes…, se dit Myriam. Elles deviennent un peu trop autonomes. Finie la symbiose des jeunes années…» Aussitôt après leur naissance, Laurence et Lydia ne supportaient pas de se perdre de vue. Les amis et les voisins les confondaient. On riait de leur ressemblance. Myriam avait pris l'habitude de les vêtir de couleurs contrastées pour les distinguer aisément car les fillettes jouaient ensemble, dormaient ensemble et progressaient au même rythme, même si les occupations auxquelles elles s'adonnaient étaient déjà très différentes. Par la suite, lorsqu'elles vécurent leur première année d'école, déjà Laurence aimait diriger Lydia qui ne demandait pas mieux que de la laisser faire. Parfois, les deux se chicanaient à qui mieux mieux, mais leur complicité demeurait bien présente et elles s'amusaient de voir les réactions de leur entourage. Les années passant, chacune de son côté développa les talents qui lui étaient propres et on les y encouragea. Décidément, Lydia avait les yeux brillants:

— Vous êtes-vous chicanées? interrogea Myriam.

— Non…

Myriam remarqua son air bizarre sans s'y arrêter. Elle ouvrit son sac et lui tendit un petit paquet qu'Ida lui avait remis pour les jumelles, deux corbeilles semblables qu'elle avait confectionnées, selon la tradition, dans l'écorce d'un bouleau. Elle y avait gravé les silhouettes des animaux les plus communs de la forêt: un écureuil, un castor et un renard. L'objet était ravissant.

— Comme c'est joli…, fit Lydia, admirative. J'irai la remercier…

— Va chercher ta sœur que je lui remette le sien…, demanda Myriam.

Lydia cogna à la porte de la chambre de Laurence: pas de réponse. Elle n'était ni dans la cuisine ni dans le salon. Alors Myriam se mit à la chercher elle-même pour lui donner son cadeau. Elle finit par monter au grenier et, en ouvrant la porte, s'arrêta bouche bée. Devant ses yeux, Laurence, agenouillée face à une sorte d'autel encadré de plusieurs chandelles allumées, récitait à haute voix des prières en sanscrit tout en se fustigeant au moyen d'un vieux martinet.

— Mais qu'est-ce que tu fabriques, Laurence?

Laurence ne réagit pas. Elle n'avait même pas entendu sa mère.

— Où as-tu trouvé ça?

Myriam comprit qu'elle l'avait trouvé au fond du coffre de Maguy, sa grand-mère défunte. En fait, ce martinet, objet inusité au Québec, était l'héritage de l'arrière-grand-mère, Anne Le Dévédec, l'épouse bretonne d'Albert Pellerin. Celle-ci ne s'en était probablement jamais servie… Les temps n'étaient plus aux châtiments corporels, mais voici que Laurence se croyait obligée de ressusciter les noirceurs passées. Elle se frappait le dos de part et d'autre et recommençait. Myriam restait figée, les bras ballants.

Après quelques secondes, n'obtenant aucune réponse, elle avança vers sa fille, le panier d'écorce de bouleau à la main.

— Qu'est-ce que tu fais là?

Effrontée, sans se troubler, Laurence répondit:

— Je fais pénitence m'man, je demande à Dieu de vous pardonner vos péchés…

— Nos péchés à nous?

— Oui, vos péchés!

— As-tu perdu la tête? J'espère que tu plaisantes…

Laurence n'avait pas l'air de plaisanter:

— Vous tous qui êtes des incroyants, vous subirez la punition divine si vous ne vous repentez pas de vos erreurs…

— Comment ça, des incroyants?

— Personne dans la famille ne va ni à la messe ni à aucun office religieux!

— Tu ne trouves pas que ton sentiment par rapport à la religion devient excessif? Qu'est-ce que cette folie qui te prend depuis quelque temps et où as-tu appris des pratiques aussi excentriques?

Myriam était furieuse. L'envie la prit de frapper sa fille pour la ramener à la raison. Elle leva la main et la gifla.

— Tiens, toi qui aimes à te punir…

— Es-tu malade ? s'écria Laurence en tâtant sa joue. Tu es chanceuse d'être ma mère…

— En effet, je suis très chanceuse de voir ce que je vois ce soir…

Le panier indien avait roulé sur le vieux tapis et gisait sur le sol.

— Ramasse cette corbeille qui est pour toi de la part d'Ida et descends avec moi…

Laurence, impressionnée par la fermeté maternelle, prit le panier sans même y jeter un œil, haussa les épaules, toisa sa mère d'un œil furibond et la suivit à contrecœur jusque dans sa chambre. Lydia en avait profité pour disparaître sans demander son reste. Myriam s'assit sur le lit de sa fille et força Laurence à prendre place à ses côtés.

— Dis-moi, où as-tu pris ces nouvelles mœurs sans queue ni tête ?

— Mais maman…

— Réponds-moi !

— Au centre !

— Quel centre ?

— Le centre de yoga !

— Par exemple ! On vous demande de faire ce genre de niaiserie ?

— Heu… pas vraiment…

— Ce sont des inventions à toi ?

— …

— On vous enseigne quoi au juste ?

Laurence marmonna quelques mots que Myriam, rendue sourde par la colère, n'entendit pas.

— On nous enseigne la force de la pensée, en tout cas, si c'est ce que tu veux savoir…

— Cela devient une obsession et une folie! Eh bien, jusqu'à nouvel ordre, tu vas t'abstenir de fréquenter ces gens et moi, je vais aller trouver le directeur pour éclaircir quelques points avec lui...

Myriam criait si fort que Mike, alerté, vint aux nouvelles sur le pas de la porte.

— C'est complètement inutile d'y aller pour ça! hurla Laurence. Je ferai bien ce que je veux...

— C'est ce qu'on va voir! rétorqua Myriam qui criait toujours.

Lydia était ressortie de sa chambre et même Dany, qui écoutait de la musique, passa la tête dans le couloir. Pour la première fois, l'opposition entre la mère et la fille prenait des proportions démesurées et Myriam n'avait aucune envie de minimiser l'incident.

— Mauvais temps, fit Dany à Mike.

Mike se contenta de hocher la tête. Jamais Myriam ne s'était mise dans un pareil état. Trop de contrariétés s'additionnaient les unes aux autres, elle n'arrivait plus à se maîtriser.

Un peu plus tard, essayant d'y voir clair, elle revint sur le sujet avec Mike:

— Que peut-il se passer dans la tête de ma fille? Je n'y comprends rien..., avoua-t-elle, découragée.

— Veux-tu que je te dise? répondit Mike.

— Certainement!

— As-tu déjà songé qu'elle est la petite-fille du Cardinal et que son penchant n'est peut-être pas étranger à celui de son ascendance?

— C'est bien trop vrai!

De stupeur, Myriam se laissa tomber dans un fauteuil et se prit la tête dans les mains. Depuis tout récemment, les scientifiques admettaient que les gènes des comportements se transmettent d'une génération à l'autre. Myriam, et surtout Mike, en avaient eu connaissance, mais de là à le constater pour l'attribuer aux comportements de Laurence, c'était trop fort.

— Mais Guillaume et Lydia le sont de la même façon, les petits-enfants de…, tenta-t-elle de protester pour minimiser les faits.

Mike entreprit de démontrer ses dires :

— Ce qui nous laisse à penser que l'atavisme est une chose bien réelle que personne ne maîtrise et qui resurgit quand on ne l'attend pas…

Au simple mot d'atavisme, le feu avait pris dans la tête de Myriam. Les vieux souvenirs remontaient à la surface et formaient une tempête qu'elle n'avait pas vue venir. Elle était secouée. «Atavisme, atavisme…», répétait-elle comme une automate, l'air absent. Mike l'observait :

— Chérie, que se passe-t-il ?

— L'atavisme, c'est ce que Laurent appelait mon bagage génétique dans les premières années de notre mariage, et il me picossait souvent avec ça…

— Et alors ?

— Alors, le phénomème n'a pas changé. Je le crois bien réel maintenant. C'est le mot qui n'est plus le même, il a évolué avec la mode ! Et c'est incontestable que ma fille Laurence tient de son grand-père de bien des façons…

— Excellente déduction, madame ! Au nom de tous les scientifiques et anthropologues, permettez-moi de vous féliciter !

Et Mike la prit dans ses bras.

*

Les semaines s'enchaînaient. Myriam marquait les jours sur le calendrier accroché au mur de la cuisine. Le lendemain de l'incident, elle reconduisit Pierrette chez elle après avoir rencontré le directeur du centre que fréquentait Laurence. La chaleur des derniers jours s'était transformée en violents orages. Elles arrivèrent à Rosemont sous une pluie battante. Myriam, qui se demandait si elle n'avait pas rêvé la scène de la veille, eut peine à faire le récit détaillé des dernières fantaisies de sa fille.

— Pierrette, que penses-tu de l'attitude de Laurence?

Celle-ci mit une main sous son menton et réfléchit, mesurant les conséquences des perturbations familiales. Sans aucun doute, l'inquiétude poussait Laurence à agir ainsi et Myriam, les nerfs à fleur de peau, réagissait mal. S'il y avait un déséquilibre dans le comportement de l'adolescente, il convenait d'y voir.

— Je crois que tu as bien fait de mettre des limites à ses ardeurs religieuses et de faire preuve d'autorité…, finit-elle par dire.

— Avoue, Pierrette, que cela n'est pas banal d'interdire la pratique religieuse à ma fille!

Myriam hésitait à aller au bout de ses pensées.

— J'ai peur qu'elle se laisse embarquer dans une secte!

— Qu'est-ce qui te fait penser cela?

— Depuis qu'elle fréquente son centre, elle est subjuguée par son professeur, qu'elle appelle son gourou…

Pierrette semblait de plus en plus perplexe.

— Tu fais bien… C'est le genre d'influence dont on ne s'aperçoit que quand il est trop tard…

— Il y a vingt ans, on l'aurait poussée à entrer au couvent pour soulager sa piété dévorante… Maintenant, même moi, sa mère, je n'accepte pas l'idée. Quand j'étais adolescente, la vocation religieuse était admirée, subli-mée...

— Tu veux dire qu'on prédestinait un ou plusieurs enfants dans chaque famille et qu'on les donnait à l'Église! Cela vous rehaussait le statut social, et c'était une façon d'attirer la bienveillance de l'évêque...

Pierrette marqua une pause, puis reprit :

— De nos jours, les couvents sont vides, les jeunes hommes fuient la prêtrise... Il n'y a plus que de vieilles nonnes qui attendent la fin de leur parcours terrestre en s'appuyant sur une canne...

Elle revoyait ce qu'avait été le couvent des sœurs de la Sainte-Famille dans sa jeunesse : une vraie ruche qui bourdonnait d'activités. Les sœurs y étaient dynami-ques et les paroissiens s'y retrouvaient, pleins de projets communs. On bâtissait des crèches, on formait des chorales, on montait des spectacles paroissiaux. Qua-rante ans plus tard, non seulement brandir sa foi comme un fleuron honorable était mal vu, mais on la taisait, on l'étouffait, quitte à assouvir son besoin de croire par les pratiques spirituelles les plus farfelues qui, désormais, fleurissaient à tous les coins de rues... On se lançait dans des soirées ésotériques, on chantait des mantras, on remplaçait les crucifix par des mandalas ou des cris-taux, on n'offrait plus de cierges à la Vierge et aux saints du paradis, on les faisait brûler pour acquérir des dons occultes, pour parler de phénomènes paranormaux. Pier-rette poursuivit sur le sujet des communautés religieu-ses qu'elle avait si bien connues :

— Tout est changé! La dernière fois que j'ai franchi la porte de la maison des sœurs grises, je n'ai rencontré que deux ou trois vieilles, penchées sur leur chapelet, qui avançaient à petits pas dans un espace devenu trop vaste. C'était déprimant!

— Je ne crois pas que ce soit le genre qui attire Laurence, c'est plus complexe que ça…

Pierrette eut l'air embarrassée.

— Laurence m'a confié, il y a quelques jours, ses convictions et ses projets…

Myriam sursauta.

— Lesquels?

— Heu… c'est-à-dire qu'elle s'est fixé un objectif personnel, celui d'intégrer les femmes dans les institutions religieuses… Je l'ai trouvée exaltée, mais je ne voulais pas t'en rajouter…

À son tour, Myriam prit quelques instants de réflexion, puis dit:

— Ça ne m'étonne pas d'elle! Elle n'y va pas par quatre chemins, Laurence. Elle est si excessive…

Myriam regarda Pierrette et ajouta:

— Elle souffre d'être une femme. Te rends-tu compte?

Pierrette ne savait quoi répondre. Il semblait évident que Laurence était mal dans sa peau.

— Au fait, est-ce que tu as rencontré le directeur du centre?

— Oui, il a l'air correct et dit n'imposer aucune pensée religieuse à ses élèves… Pourtant, quelque chose me chicote. Je ne suis pas tranquille et je n'arrive pas à savoir pourquoi!

— Accompagne-la au prochain cours…

Myriam se frappa la tête comme si elle venait d'avoir la réponse à ses questions:

— Ah, j'y suis: là-bas, il y a partout des statuettes du Bouddha et des autels de prière où on brûle des bâtonnets d'encens, les gens sont revêtus de costumes bizarres venus de je ne sais quelle tradition, et de plus ils portent des surnoms invraisemblables... Alors, quand on me dit que ce n'est pas religieux..., ça ne colle pas! Prends les rituels catholiques qu'on a rejetés et mets-les à la place: tout est identique...

Myriam lâcha un soupir. Elle se sentait dépassée et épuisée. Depuis la veille, les recherches entreprises pour retrouver Guillaume étaient reléguées au second plan. Laurence ne choisissait pas un bon moment pour provoquer une crise et monopoliser son énergie...

Pierrette revint sur le sujet de la religion:

— On s'éloigne vite de la réalité avec les convictions spirituelles qui ne sont que des idées impossibles à prouver... Tiens, on commence par nous imposer la virginité de Marie... L'Église en a fait un dogme! Imagine. Des millions de gens sont prêts à affirmer qu'une femme, il y a deux mille ans, a conçu un enfant sans le concours de son mari...

Myriam se mit à rire:

— Comme si quelqu'un pouvait en témoigner!

— Et puis, tant de légendes transformées en croyances... De fil en aiguille, on gobe tout, on ne cherche même plus à comprendre. Il suffit d'adhérer et hop! nous voilà à la merci de ceux qui pensent pour nous... qui nous racontent le monde à leur façon...

— C'est sûr, les religions imposent leur vision mystique et s'approprient les pensées des fidèles en les gérant comme leur bien! Malheur à celui qui ne croit pas à leurs histoires...

— Chacune a sa marque particulière...

Malgré leur différence d'âge, on ne savait dire laquelle des deux amies était la plus choquée.

— Tu peux dire sa marque de commerce !

— Je n'osais pas le dire...

Pierrette se leva, mit de l'eau à bouillir pour préparer du thé et, par réflexe, leva les yeux vers l'empreinte du crucifix, comme si la place était encore marquée d'un pouvoir dont elle n'arrivait pas à se libérer entièrement.

— Si je me réfère à mon expérience catholique, rien n'arrête les institutions religieuses...

— C'est bien pour cette raison que je suis inquiète de Laurence et de ses rituels d'un autre âge... Est-ce une secte qui la subjugue ainsi ? Te rends-tu compte que ma fille se flagelle, ce qui lui a valu de recevoir la première gifle qu'elle ait jamais eue de sa vie !

Le thé était prêt. Pierrette remplit deux tasses.

— Je n'ai jamais fini de te conter mon revirement face à l'Église, n'est-ce pas ?

Myriam était tout ouïe.

— Eh bien, aussitôt après la mort de Gaétan, j'étais si désemparée que je suis devenue dépendante des offices religieux, j'assistais à toutes les messes, persuadée d'y trouver le réconfort dont j'avais besoin. J'aidais à préparer l'autel, je tenais la sacristie et le presbytère. Cela m'allait comme un gant. J'oubliais un peu le vide qui régnait dans ma maison et j'avais l'impression que je me rapprochais de lui en me dévouant pour ma paroisse... Quand le curé avait besoin de moi, il m'appelait et j'accourais, si bien que, petit à petit, j'ai commencé à devenir plus familière, à aborder les sujets d'actualité, à le conseiller sur les décisions concernant les activités... D'un autre côté, comme c'était un homme cultivé, je lui trouvais du charme.

Myriam retenait son souffle.

– De jour en jour, il devenait un ami précieux…

– Tu ne m'avais jamais parlé de cela…

– Sûr, tu étais en amour par-dessus la tête avec Mike…

– Et je le suis toujours!

– En fait, je préférais garder ça pour moi… Je n'en ai même pas parlé à mes enfants.

Une bouffée d'émotions colora les joues de Pierrette.

– Donc, le curé et moi, on avait pris l'habitude de souper ensemble le samedi soir, après la messe. Je préparais le repas… J'aurais dû me tenir sur mes gardes, mais, naïve, je me disais que l'amitié était sincère, que c'était ce qu'il prêchait… Je m'engageais, sans m'en apercevoir, sur un terrain glissant. Oh, les curés ont des discours crémeux, c'est leur gagne-pain! Assez souvent, des paroissiennes appelaient pour se confesser ou pour lui confier leurs secrets de famille, et il était toujours là pour les accueillir, mais remarque bien que c'étaient toujours des femmes…

Myriam ne comprenait que trop où Pierrette voulait en venir.

– Alors, un soir, ça n'a pas manqué… Il m'a fait des avances!

Pierrette ne pouvait masquer l'émotion qui s'emparait d'elle.

– Et moi, pauvre dinde, je n'ai pas eu le courage de le repousser, trop esseulée sans doute, trop blessée par mon veuvage.

Elle s'arrêta un long moment, comme si les mots ne voulaient plus sortir de sa gorge.

— Tombée sous son charme! Quand j'ai réalisé que j'avais perdu la tête, il était trop tard... C'est après que je me suis réveillée...

— Comme toujours...

Les confidences réveillaient le passé. Myriam se revoyait subir les leçons de morale de Pierrette lorsqu'elle avait avoué avoir trompé Laurent dix ans plus tôt. Qui aurait pu imaginer qu'elle-même trébucherait?

— Je n'oublierai jamais le peu de compassion de cet homme quand je me suis sentie mal et que j'ai voulu aborder le sujet avec lui. Il avait un regard dur, fermé à mes regrets, à la fois supérieur et cynique... Et puis, un rictus au coin des lèvres, comme s'il était ravi que je sois tombée dans un piège, comme s'il me tenait en otage! Tu penses, une femme respectable comme moi... Je n'avais plus qu'à me tenir coite... Qui m'aurait crue si j'avais parlé? Je me sentais coupable, ma fille... Tellement coupable...

Pierrette ne pouvait plus contenir le torrent de larmes qui inondait son visage.

— C'était moi la coupable! Lui? Pantoute! Il bénéficiait de son statut et il profitait de moi en me rabaissant et en me faisant comprendre que je n'étais qu'une pauvre pécheresse...

Myriam sentait gronder la colère en elle contre cet inconnu sans scrupule dont le souvenir troublait encore la paix de l'âme de son amie.

— Alors?

— Alors, une fois chez moi, j'ai vite repris mes esprits... Je lui ai écrit une lettre pour lui dire ce que je pensais de son attitude et de son peu de miséricorde et je suis allée au presbytère pour la lui remettre... Or, au moment où j'allais sonner à sa porte, j'ai entendu des voix, comme si quelqu'un chicanait. Je suis entrée, j'avais encore les clés. Ça venait de son bureau. Il y avait une jeune femme, enceinte. Très jeune. Elle se tenait le ventre comme une créature qu'on a torturée. Elle pleurait et criait, elle implorait le curé, qui refusait de l'écouter… J'ai reculé, je me suis faite discrète. J'ai observé par l'ouverture minuscule du volet sur la porte de la sacristie. Je me sentais concernée, alors je n'ai pas hésité à espionner!

— Toi, Pierrette!

— Oui, ma fille… Autant dire que je ne suis pas meilleure qu'une autre, n'est-ce pas? Je n'avais jamais eu pareilles réactions! Avec mon Gaétan, ça ne risquait pas… Tout était clair! Il a fallu que ce soit un prêtre qui m'apprenne le mensonge, la jalousie et la perversion…

— Et la jeune femme?

— Ses paroles étaient on ne peut plus claires: le curé était le père de son enfant! Elle lui criait: «Je vais me faire avorter, comprends-tu?» Il restait de glace. Il n'a jamais eu un mot de repentir, comme si cela ne le concernait pas. «Si vous faites cela, a-t-il fini par dire, vous serez une criminelle!» Mon sang n'a fait qu'un tour… Où était la compassion? Le souvenir de Kateri m'a sauté au visage, elle n'était pas la seule à qui ce genre de mésaventure est arrivé!

Myriam, qui s'était rapprochée de Pierrette, posa la tête sur son épaule. Dehors, l'orage s'était transformé en tempête. Le vent sifflait derrière les vitres et l'on entendait des craquements de toutes parts. Pierrette passa maternellement son bras derrière l'épaule de Myriam.

— Les femmes de prêtres existent bel et bien. Elles sont reléguées dans l'ombre par les autorités et ces femmes vivent la torture. Elles sont abandonnées à leur drame, mises au ban comme des parias... Un peu plus et je me trouvais dans leur rang...

Myriam se mordit les lèvres :

— Et puis... Qu'a-t-il fait ?

— Eh, bien, tu me croiras si tu veux, il n'a même pas daigné se conduire en homme d'honneur, il était blanc de rage et il l'a presque jetée dehors en lui conseillant de ne plus mener une vie de débauche...

Myriam pâlit. Elle lança, sur un ton de révolte :

— Une vie de débauche ! La femme qu'il avait tenue dans ses bras pour lui faire un enfant

— Voilà où on en était... J'étais si bouleversée que je ne m'en suis jamais remise... Ne sois pas étonnée si les églises sont vides...

Des fantômes du passé resurgissaient dans la mémoire des deux femmes.

— Depuis que je fréquentais la paroisse, il y avait une dame distinguée avec deux enfants qui venait le voir. Elle était mère monoparentale, à ce que m'avaient dit quelques mauvaises langues... À chaque visite, la dame repartait avec des yeux tristes. Elle était très discrète. Un jour qu'elle avait le vague à l'âme inscrit sur son beau visage, je l'ai entendue prononcer : « Salaud, espèce de salaud, tu brûleras en enfer ! » Ça m'a d'abord choquée, puis, en y réfléchissant, ses paroles m'ont sonné aux oreilles d'une drôle de façon. Quand je l'ai raccompagnée jusqu'à la porte, elle m'a regardée bizarrement et a dit à voix basse : « Voyez ces beaux ministres de l'Église qui s'arrogent tous les droits et qui n'assument rien de ce que Dieu leur a donné ! » Sur le moment, je n'ai pas compris... C'est plus tard, quand la jeune femme a fait sa crise, que ça m'est revenu... Monsieur le curé n'avait qu'à se servir selon ses besoins et quand il en avait envie...

Myriam était stupéfaite d'entendre le récit de Pierrette. Des sueurs montaient le long de son dos. Ses jambes flanchaient tandis qu'elle s'approchait de la fenêtre. Elle souleva un coin du rideau. La pluie martelait bruyamment les châssis, drue et ruisselante.

— Tu veux dire que ce qui est arrivé à ma mère arrive encore de nos jours, quarante ans plus tard ?

— Quasiment... Tu comprends que je ne pouvais pas trop vanter ma propre sottise en dénonçant les misères des autres... On est encore réduites au silence par la peur du qu'en-dira-t-on.

— En 1984 !

Myriam n'arrivait pas à croire que ce fût possible.

— Je suppose qu'il y en a eu beaucoup d'autres...

Elle avala une gorgée de thé et ne put s'empêcher d'exprimer ce qui la tracassait soudain :

— Pourtant, les prêtres ont fait vœu de chasteté à leur ordination, c'est horrible !...

— Non ma fille, détrompe-toi, les prêtres ont fait vœu de célibat et non de chasteté, c'est pourquoi le problème est si épineux pour les autorités ecclésiastiques... Les bonnes sœurs, elles, ont fait vœu de chasteté, tu penses, à des femmes, on peut imposer le plus drastique !

Pierrette se leva à son tour et fit quelques pas. L'émotion était à son comble. Deux grosses larmes roulaient le long de ses joues et son menton tremblait.

— Avec mes histoires, je te fais oublier l'essentiel : retrouver Guillaume et puis...

— Et puis veiller à la santé «spirituelle» de Laurence pour qu'elle ne tombe pas dans les excès qui la caractérisent!

Myriam revint à Outremont encore abasourdie par les confidences et les propos qu'elle avait échangés avec sa vieille amie. Des femmes comme elle, de la génération des femmes fortes et droites, tombaient dans le piège de la séduction... Le monde changeait-il ou bien, sous des formes différentes, répétait-on les mêmes erreurs de génération en génération? Toutes ces misères faites aux femmes, camouflées, occultées, cachées derrière de beaux discours, étaient autant de plaies qui fragilisaient la société et scindaient le monde en deux parties. Difficile de croire que, malgré les progrès du féminisme, certaines subissaient encore, et dans des circonstances à peu près semblables, les humiliations qu'on avait fait vivre à Kateri en 1946.

*

Sur la route du retour, il pleuvait des cordes. La pluie battante assombrissait le ciel devenu opaque. Un vent tourbillonnant, inquiétant, s'était levé. Le pare-brise ruisselait tandis que les balais s'activaient à chasser l'eau sans y parvenir. C'est à peine si on voyait les maisons de l'autre côté du boulevard et les rares passants, surpris par les éléments déchaînés, désertaient les rues en toute hâte. Myriam ralentit l'allure. Sous un viaduc, deux voitures noyées par la trombe d'eau, abandonnées par leurs conducteurs, dérivaient lentement jusqu'aux parapets. Ici et là, des branches pendaient aux arbres. Plus loin, un vieil érable, que le vent avait déraciné, était couché au milieu du boulevard, formant un tableau apocalyptique. Myriam, tendue, cramponnée à son volant, évita de justesse un panneau publicitaire qui, détaché de son support, s'écrasa avec fracas. Effrayée, elle s'arrêta au bord d'un trottoir et attendit que la tempête soit quelque peu calmée. Le paysage montréalais lui parut, dans la bourrasque, semblable aux derniers événements de sa vie... Fallait-il craindre une colère divine? Elle chassa cette idée saugrenue, presque superstitieuse, en pensant à Laurence... Que se passait-il donc dans la tête de sa fille, quelle déviation la faisait agir avec ce fanatisme contre lequel Mike et elle avaient toujours lutté?

Quand elle rangea sa voiture devant la maison, à Outremont, Mike, prévenant, l'attendait, un parapluie à la main.

— Tu t'en es sortie sans encombre?

Elle hocha la tête et se réfugia contre lui pour monter les marches du perron. Dans la cuisine, l'atmosphère était paisible. Tandis qu'elle racontait ce qu'elle avait vu en chemin, Mike fit jouer une musique douce et les jumelles descendirent de leurs chambres. Dany vint aider à préparer le repas. Ils étaient tous réunis... Myriam ne put se retenir de poser la question qui lui brûlait les lèvres:

— Pas de nouvelles?

— Rien de précis, mais nous avons envoyé des messages à tous les relais autochtones pour signaler sa disparition, déclara Mike.

— Si seulement le ciel pouvait être avec nous!

Laurence dessina un signe de croix devant elle et Lydia serra la main de sa mère. Mike sourit et lança, pour la rassurer:

— Quand le ciel coopère avec les hommes, ça donne généralement de bons résultats...

Le souper fut rapide. Dehors, le vent arrêtait enfin sa course folle. Le silence succéda au vacarme, entre-coupé de quelques sirènes d'ambulance qui sillonnaient la ville. Très vite, les trois jeunes montèrent se coucher.

*

Un peu plus tard, étendus sur leur lit, Myriam et Mike n'arrivaient pas à trouver le sommeil.

— Je crois que je perds pied, avoua Myriam à voix basse.

— Pourquoi dis-tu cela, chérie?

— Trop de choses en même temps, trop d'événements qui remettent en question notre mode de vie, ma façon de voir... Je n'ai pas réussi le plus important...

— Tu veux dire les révoltes de nos adolescents?

— Oui, cela et d'autres choses... Je ne m'y retrouve plus, j'ai perdu le contrôle... Je me sens comme une coquille de noix ballottée dans un courant imprévisible...

Elle posa sa tête sur la poitrine de Mike, qui lui caressa les cheveux sans rien dire. Ils restèrent ainsi un long moment dans la pénombre. À quoi bon faire des discours? Il savait combien elle se sentait fragile et mesurait sa lassitude. Alors, pour ne pas l'effaroucher, il dit tout bas, près de son oreille:

— Tu devrais prendre une longue période de repos... Tu en as besoin...

— Nous en avons besoin, confirma-t-elle.

Elle savait qu'il avait raison. Il n'était plus question de retenir ce qu'elle aurait dû exprimer depuis plusieurs mois :

— Je sais que j'ai trop tardé… Trop affairée ! La performance est devenue une obsession dans notre société… On perd la face si on ralentit et on préfère aller jusqu'au *burn-out* sans écouter les signaux plutôt que de faiblir… Je préservais une image de moi que je voulais brillante… C'est tellement ridicule !

— C'est non seulement ridicule, c'est dangereux…

Elle releva la tête et le regarda dans les yeux :

— L'heure est grave. Tu le sais, toi, n'est-ce pas ?

Il hocha la tête.

— Quoi qu'il arrive à Guillaume, je suis décidée à quitter le bureau… En tant que juriste, je ne suis plus motivée par mon travail…

Il attendait ces paroles depuis longtemps.

— Es-tu sûre ?

— Certaine ! Tout cela a mûri lentement, très lentement.

Il voulait l'entendre confirmer sa décision.

— Depuis ?

— En fait, depuis que nous nous sommes retrouvés, toi et moi, et que nous avons pris la décision de vivre ensemble, un lent travail s'est accompli tout au fond de moi… C'est comme une transformation alchimique, un processus invisible, lent et subtil dont je n'ai pas mesuré les effets pendant les premières années… Trop occupée ! Et tout cela s'est produit en douceur, en douce, même, grâce à mes rencontres avec les peuples autochtones… D'autant plus qu'à tes côtés je n'avais plus besoin de performer : tu m'acceptes telle que je suis sans chercher à m'imposer ton point de vue, comme le faisait Laurent...

Mike sourit. Il ne le savait que trop. Ce que Myriam évoquait aujourd'hui lui était connu, familier. Il avait attendu patiemment l'heure de la prise de conscience. Même s'ils étaient dans le noir, elle vit briller son regard. Il avait la patience et la persévérance des hommes de son peuple et les paroles de sa bien-aimée, qui exprimaient la grandeur de leur amour, le rendaient heureux. Il l'embrassa longuement, avec passion, comme aux premiers jours, et elle lui rendit son baiser.

— Si je n'avais pas eu sous les yeux l'exemple de ces jeunes qui sont malheureux même sous notre toit, je ne verrais pas les choses de la même façon. Mais cela me hante. La vie me pousse à m'ouvrir les yeux...

— Nous n'avons plus le choix, n'est-ce pas?

Elle acquiesça :

— Il y a urgence! La jeunesse est abandonnée au milieu d'une société déshumanisée, obsédée par l'argent...

Était-elle mûre pour passer à l'action? Il lui tendit une perche :

— Qu'allons-nous faire?

— Tenter de les aider, du moins d'en aider quelques-uns... Tu sais, j'ai l'intention de monter un projet, et j'aimerais que tu y participes...

— Quel genre de projet, madame?

— Heu... quelque chose qui concerne les adolescents marginalisés, qui leur redonnerait leur place, leur dignité et de l'espoir dans le monde, quoi! Je sais, je sais, ajouta-t-elle en secouant la tête, ce sera une goutte d'eau dans la mer, mais...

– Mais l'important n'est-ce pas de faire quelque chose qui soit comme le levain de la pâte?

Il se pencha vers elle et lui donna un baiser sur le front. Il rêvait depuis longtemps d'entendre ces paroles. Elle était enfin arrivée au même stade que lui.

– Je suis heureux que tu choisisses cette direction plus humaine, qui correspond mieux à ta personnalité...

– Je crois que, depuis quelques années, je m'étiolais à collaborer avec ces messieurs du barreau! Les beaux discours ne me conviennent plus. On en a trop entendu!

– Je ne te le fais pas dire... Quand commence-t-on à mettre nos idées sur le papier?

– Dès demain...

Elle s'endormit avec le cœur plus léger et son fils lui apparut dans plusieurs rêves, qui jouait de la musique et chantait sur une route de campagne.

CHAPITRE IX

L'auberge était en pleine effervescence. Fleurette se recula d'un pas pour vérifier la disposition des couverts. Tout était prêt. En ce début de saison estivale, les touristes s'annonçaient nombreux et dans cette demeure accueillante, les chambres étaient toutes réservées. Elle avait craint, lorsqu'elle s'était installée ici, de manquer d'occupations, mais, Dieu merci, il y avait trop d'ouvrage. Depuis qu'elle s'était associée avec Chantal, une Française fraîchement immigrée avec sa fille, une belle adolescente de dix-sept ans, elle n'avait qu'à se louer de sa décision. Chantal savait créer des menus succulents et mettre une touche de fantaisie personnelle dans les mets à la carte, en plus d'être un vrai boute-en-train. Le résultat était que toute la région aimait venir déguster les spécialités de La Belle Étoile et que les veillées y étaient animées... Et puis, le décor était féerique. Tout autour de la salle à manger, les baies vitrées découvraient un paysage époustouflant, un vrai régal pour l'œil. Les voyageurs étaient séduits. Il y avait «la mer», cet estuaire majestueux du Saint-Laurent avec ses rivages sablonneux et ses baies rocheuses où rorquals et bélugas s'en donnaient à cœur joie, sans compter les phoques qui montraient leur nez dans les petites criques, pour la joie des enfants, et les oiseaux qui, par milliers, faisaient escale; mouettes et fous de Bassan lançaient leurs cris rauques et planaient au-dessus des pics rocheux. Et puis, le parc, couronné de monts au milieu desquels il faisait bon marcher et flâner pour explorer la nature avec, tout autour, le miroir éblouissant des eaux à l'infini. Chaque année, dès que revenait la saison chaude, les tapis de fleurs sauvages se dépêchaient d'éclore pour border les chemins de leurs franges aux teintes vives. Fleurette se pencha vers la fenêtre. Les salicaires, les viornes et les aubépines, de loin en loin, coloraient de violet, mauve, rose ou blanc le flanc des mamelons. C'était somptueux! Tout cela était baigné par l'air marin qui vous remettait en forme et vous ravigotait l'âme et le corps en un clin d'œil.

Fleurette sourit en pensant à tous ceux qui, comme les fleurs sauvages, s'épanouiraient ici dans quelques jours... On riait beaucoup à La Belle Étoile. Le rire, c'était aussi une spécialité qu'elle cultivait. Le seul élément qui, d'après elle, manquait dans ce paradis, c'était de la musique pour agrémenter les veillées. Il y avait bien un vieil homme, un habile violoneux, qui venait les samedis soir, mais Fleurette rêvait d'entendre dans son salon quelque chose de plus « dans le vent », un genre de musique qui ferait danser les jeunes et qui mettrait tout le monde en joie. Elle sortit de la vieille armoire une pile de serviettes blanches et les disposa en éventail devant les verres à pied. De la cuisine, elle entendait Chantal qui chantonnait en sortant ses chaudrons avant d'accomplir son prochain miracle : une bouillabaisse maison. Làhaut, les deux femmes de ménage armées de l'aspirateur s'assuraient que tout soit impeccable, et dans le jardin,

Chloé, la fille de Chantal, cueillait des marguerites pour décorer les tables… Quelle belle journée en perspective! Rien ne pouvait être plus réjouissant…

La région était de plus en plus courue. Encore ce matin, Fleurette avait reçu plusieurs appels et deux familles qui cherchaient une chambre s'étaient présentées à l'improviste pour retenir la place. Souvent, c'étaient des Français qui voulaient visiter le Québec et renouer avec cette Nouvelle-France perdue de vue depuis longtemps et qui les intriguait. Tous s'extasiaient devant les grands espaces inconnus de l'autre côté de l'océan et puis, les baleines et les bélugas remportaient tous les suffrages… Les baleines! Celles-là avaient un je-ne-sais-quoi de fascinant pour les Européens. Fleurette fit le tour de la salle. Ses tables étaient accueillantes et fraîches, comme elle les aimait. Elle sortit les pichets d'eau et les déposa sur la desserte. Dommage que Myriam, deux semaines plus tôt, ait dû annuler son voyage… Quelle tristesse, ce qui leur arrivait! Son fils disparu… Elle soupira en continuant de mettre en place les salières et les corbeilles à pain. Les jeunes d'aujourd'hui, stressés et angoissés, causaient bien des ennuis à leurs parents… Pas facile. Fleurette revit Myriam dans ses jeunes années, espiègle et têtue. Pourquoi ce malheur s'était-il abattu au moment où elle préparait ses vacances avec Mike à Saint-Fabien? Depuis tant d'années, elle avait hâte de la revoir, de connaître son amoureux, de rire avec elle. Et pour que cela arrive, pour que son fils revienne au bercail et que tout rentre dans l'ordre, pour que tous soient réunis par la vie, Fleurette récita tout bas et à trois reprises une prière, une sorte de formule magique qui lui venait de sa grand-mère qui la tenait elle-même d'une vieille Indienne et qu'elle gardait secrète…

— Bonjour... Comment allez-vous, Fleurette?

La voix ou plutôt les voix la firent sursauter. Elle releva la tête :

— Ah, bonjour mes voisines, vous êtes revenues?

Les deux amies, sur le pas de la porte, passaient leur tête blanche et riaient de la voir surprise.

— Après deux semaines de balade, on s'ennuyait du Bic...

— Surtout avec le beau temps !

— Rien ne vaut notre bord de mer...

Fleurette lâcha ses ustensiles et marcha vers les nouvelles venues.

— Avez-vous fait de belles découvertes?

Les deux femmes se reculèrent d'un pas. Derrière elles parut un jeune garçon, ébouriffé, l'air perdu. La première dit à voix basse :

— Il est notre plus belle découverte...

Fleurette montra son enthousiasme.

— Ah, ah ! Je vois que vous ne perdez jamais votre temps... Entrez !

Le jeune, timidement, baissait la tête, ne désirant de toute évidence pas se joindre à la conversation. Il restait sur le seuil, immobile. Fleurette n'insista pas.

— Il est musicien..., dit Émilienne.

— Et excellent à part de ça, ajouta Julienne.

— Ah, comme c'est intéressant ! s'exclama Fleurette, qui songeait déjà à ses samedis soir.

Comme le jeune garçon avait l'air de plus en plus gêné et restait muet, les deux femmes changèrent de sujet.

— Venez vous asseoir...

— Pas le temps !

— On fera un petit tour demain soir, pour la veillée...

– C'est l'heure d'aller ouvrir la boutique…

Fleurette les salua de la main.

– Alors, à demain…

Elle les regarda sortir, l'air pensive. Depuis que les deux sœurs avaient ouvert une galerie d'antiquités au bout du village, un repaire fabuleux pour tous ceux qui recherchaient des objets insolites, leur réputation grandissait dans la région. Outre leur passion pour le bric-à-brac et les puces, on disait que les sœurs Lespérance avaient un grand cœur. Ce n'était pas la première fois qu'elles donnaient refuge à des gens mal pris, parfois à de pauvres hères qu'elles dépannaient et remettaient sur les rails, pour le plaisir… Comme elles le répétaient souvent, elles faisaient cela pour que la vie soit plus jolie. Fleurette songea que, si chaque individu faisait quelque chose de cette façon, pour que la vie soit plus jolie, il y aurait moins de drames personnels et l'avenir de la planète tout entière serait sans doute plus léger… Question d'éducation ! Elle revit la silhouette du garçon et malgré elle, sans qu'il y ait de lien à faire, l'image du docteur Langevin, pour qui elle avait travaillé pendant si longtemps, lui revint… Il inclinait la tête comme ce jeune homme. Et puis, le regard… Quelque chose dans le regard sombre ou dans la forme du nez ? Étrange. Quel personnage, le père de Myriam ! Tantôt entièrement dévoué à ses patients, tantôt sans cœur, quand il en avait envie. Il exagérait avec Maguy, il n'était pas commode… Mais tout cela était si loin dans le temps et dans l'espace ! Rien à voir avec sa vie présente ni avec les sœurs Lespérance. Pourquoi pensait-elle ainsi tout à coup à la famille Langevin ? Dans ce temps-là, elle était garde-malade. Et elle adorait quand Myriam passait à l'improviste lui dire bonjour… Fleurette répéta sa prière magique pour que tout s'arrange et pour que Myriam, avec sa famille au complet, vienne très bientôt passer de belles vacances. En même temps, elle suivit des yeux, par la fenêtre, les silhouettes des deux sœurs et de leur nouveau protégé qui tournaient la rue derrière l'église. De si bonnes personnes! Tout ce qu'elles entreprenaient correspondait parfaitement à la philosophie de Fleurette, qui leur vouait depuis des années une amitié sans faille.

*

Après l'épisode de l'autobus, Guillaume avait été malade pendant trois jours. La fièvre ne le quittait pas. Avec cette indigestion sévère, son corps refusait d'ingérer quoi que ce soit. Il ne mangeait plus et dormait ou se laissait vivre entre ses deux amies. Et puis, un beau matin, il se sentit mieux et il fit un signe de tête affirmatif quand l'une d'elles, Julienne ou Émilienne, il ne se souvenait plus très bien laquelle, ouvrit la porte de sa chambre et dit, l'air réjoui:

— Tu as bonne mine, ce matin…

Comme deux petites filles, elles rirent et battirent des mains en décrétant:

— Tu reprends du poil de la bête!

— Voilà, mon cher, ce qu'on attend de toi…

— Que tu sois en forme!

Guillaume, dès lors, retrouva son sourire. Bien sûr, elles lui posaient toutes sortes de questions sur son identité et sa famille, mais jusque-là il avait été assez habile pour détourner leurs interrogatoires et prétendre que ses parents avaient perdu la vie dans un accident de voiture…

Il leur raconta que, depuis deux ans, il vivait chez un vieil oncle grincheux au caractère impossible et mauvais... Le croyaient-elles? Pas sûr... Elles faisaient semblant, en tout cas... Peu lui importait, après tout. Aujourd'hui, il pensait à tous ces mensonges qu'il avait inventés pour brouiller les pistes. Il n'était pas trop fier de lui et n'avait qu'une envie: jouer de la musique et prendre la poudre d'escampette! Gratter sa guitare jusqu'à l'épuisement, faire rouler ses baguettes sur une quelconque caisse claire, taper sur des cymbales et se soûler de rythmes... Improviser avec d'autres fous de musique comme lui. Revivre, quoi... Il avait du vague à l'âme.

De nouvelles ballades lui trottaient dans la tête, des mélodies parfois mélancoliques, différentes de celles qu'il aimait jadis quand il menait une vie de fils de bourgeois... Aussitôt qu'il évoquait son passé, la maison d'Outremont s'imposait à lui avec tous ses habitants. Surtout sa petite mère. Il aurait donné n'importe quoi pour l'avoir devant lui, pour l'entendre gentiment chicaner et pour la serrer dans ses bras. Était-elle toujours aussi occupée? Il s'était juré de ne l'appeler qu'une fois bien établi dans le succès et il y tenait mordicus. Parfois, il imaginait qu'elle se faisait du souci, mais il chassait ces sombres pensées. Le résultat serait d'autant plus magnifique. Et puis ses sœurs, que devenaient-elles, ces deux chipies qui se prélassaient pendant que lui en voyait de toutes les couleurs pour devenir un homme? Surtout Laurence-la-tigresse, et aussi Lydia-la-douce qui s'était entichée de Dany. Le chanceux, ce Dany, pas compliqué comme gars. Il réussissait tout ce qu'il entreprenait, voulait être médecin et était assez brillant pour le faire, et puis ses amours avec sa sœur: tout allait comme sur des roulettes... Encore que, par chance, les parents ne savaient rien de ce que lui et Lydia tramaient dans le noir… Sinon, ce ne serait pas beau à voir à la maison! «Si au moins j'avais une blonde», se disait Guillaume, qui croyait que l'amour résoudrait son mal de vivre et le ferait disparaître… Et Mike? Lui qui tentait par tous les moyens de devenir son père, comme si c'était acceptable. Ses mésaventures ne seraient pas arrivées sans les exigences invraisemblables de Laurent. Bref, Guillaume passait le plus clair de son temps à penser à ceux qu'il avait tant voulu quitter et sans cesse il revenait en esprit sur les lieux de son malheur.

*

Depuis deux semaines, il suivait Émilienne et Julienne, quoique à contrecœur, il fallait bien le dire… Mais avait-il le choix? Sandro, incapable de patienter, avait filé en douce et emporté avec lui la sacoche où se trouvaient ses papiers et l'argent. Même l'argent! Triste compère. Quoi faire en terre étrangère sans identité et sans ressources? Guillaume lui en voulait-il? Oui, non, peut-être… L'adolescent, perdu devant l'ampleur de la catastrophe, restait figé. Rien qui ressemblât à ses rêves… Désorienté, il craquait, ne se retrouvait nulle part, et sous son crâne, c'était un fouillis invraisemblable et une déception immense. Était-il lâche? La solitude en pays étranger, sans argent, quelle perspective! Tout compte fait, il ne s'en tirait pas si mal avec les deux nouvelles venues, ces vieilles femmes à première vue un peu folles, mais adorables, qui le traitaient comme un petit roi et qui n'hésitaient pas à rire à propos de tout et de rien comme de vraies gamines… Toutefois, vu les circonstances, il devait abandonner les grands objectifs qui l'avaient motivé.

— Eh bien… C'est que ton destin n'est pas d'aller au Mexique, lui lançait Julienne en hochant la tête quand elle le voyait triste.

— Il ne faut surtout pas regretter, renchérissait Émilienne avec son beau sourire. Penses-y, c'est mieux ainsi…

— Mieux ainsi, mieux ainsi…, bougonnait Guillaume, pas convaincu.

— Quand la vie nous pousse, disait Julienne, il faut lui faire confiance…

— Et accepter, ajoutait Émilienne. Accepter, c'est le secret du bonheur!

— Qu'est-ce que je vais faire sans papiers et sans argent? se désolait Guillaume qui n'entendait rien à leur philosophie.

— Mais oui, souris, la vie est belle…

— On va t'arranger tout ça…

Et les voilà parties pour entreprendre les démarches et déclarer qu'il avait perdu ses papiers. Elles étaient devenues sa planche de salut, ses deux anges gardiens venus recoller les débris de son inconscience. Guillaume avait compris qu'il valait mieux les suivre et continuer l'aventure en terrain connu: au Québec, et non pas dans un quelconque pays exotique au bout du monde… Esseulé, il avait maintenant un gros avantage, celui d'en faire à sa guise et de mener sa barque comme il l'entendait, sans avoir à rendre de comptes à un coéquipier. Plus de tiraillages quand on n'était pas d'accord… Et puis, cet intermède de quelques jours durant lesquels il se faisait gâter, ça le changeait des chicanes avec son père et des semonces de ses professeurs… Émilienne et Julienne le ramèneraient donc avec elles dans la région de Trois-Pistoles. Curieux destin! Il s'était promis qu'une fois parvenu au bord du fleuve et remis de ses émotions, il reprendrait son projet à zéro... Où et comment? Les sœurs jumelles le rassuraient. Avec leur bonne humeur légendaire, elles affirmaient qu'il trouverait du travail dans la région, au moins pour la saison estivale... Il ne demandait qu'à les croire. Et puis, elles ne manquaient pas une occasion de lui répéter ce qu'elles croyaient dur comme fer : «Les pensées qui nous habitent sont des germes et, tout comme les plantes, elles finissent par se développer et par s'épanouir lorsque le temps est venu.» Voilà ce que disaient Émilienne et Julienne. Guillaume n'y comprenait pas grand-chose, sinon que c'était un genre de raisonnement nouveau et amusant, plus excitant que les leçons de morale connues depuis la nuit des temps qu'on lui servait au collège ou en famille et qu'il ne risquait rien à essayer leur truc : planter de bonnes semences dans son cerveau pour récolter la réussite, la joie et tout ce qui est bon...

Depuis deux jours, il coupait du bois, nettoyait les vitres et les planchers, essayait de se rendre utile, autant de choses qu'il n'avait pas l'habitude de faire à Outremont...

*

Dans la grande maison blanche au bout du village, Émilienne et Julienne étaient affairées à disposer des objets bizarres qu'elles avaient chinés dans des petites rues de New York afin de les exposer à la boutique et de les vendre aux nombreux touristes qui sillonnent le

Bas-du-Fleuve au mois d'août. Guillaume les regardait d'un œil désintéressé s'exclamer en déballant leurs trésors. Il était tôt. Il s'esquiva sans bruit. Il entra dans la cuisine, ouvrit le réfrigérateur, se tailla une grosse part de tarte qu'il engloutit en trois bouchées, enfonça dans sa poche un morceau de pain et un bout de fromage et sortit, sa guitare sur le dos, pour flâner le long de la plage encore déserte. En chemin, il remarqua, au fond du jardin de La Belle Étoile, la silhouette d'une jeune fille. Cheveux au vent, elle cueillait des fleurs.

«Oh, elle est bien jolie!» se dit-il.

Et, sans oser s'approcher, il lui fit un signe de la main avant de grimper sur les rochers qui bordent l'Anse-au-Loup. Il s'assit en écoutant le bruit du ressac. De petits rubans d'écume venaient s'échouer à ses pieds en produisant des millions de bulles, et en même temps, le léger clapotis des vaguelettes qui léchaient les pierres se mit à chatouiller ses oreilles. Il ramassa un galet et le lança dans l'eau, comme pour chasser les regrets qu'il avait de ne pas être ici avec sa famille...

«Il ne faut jamais regretter, se rappela-t-il. Mon oncle Gaby me l'a souvent répété.»

Et le caillou disparut au milieu d'un tourbillon vert en faisant un petit bruit sec. La campagne était belle. Les rivages qui bordaient la mer lui donnaient envie de s'embarquer et de partir et, même si la situation devait changer, il se plaisait dans cet environnement. Cela lui rappelait les longues promenades au bord du lac des Deux Montagnes avec Gaby, le seul homme plein de bon sens à qui il aurait permis d'être son père... Mais Gaby était loin, chez les Cris ou les Innus, peut-être. Guillaume ressentit un désir intense de jouer de la musique. Tout, ici, lui inspirait des accords et des chansons nouvelles. Il sortit sa guitare de l'étui où elle était couchée et, face au grand large, se mit à composer. Au bout de quelques minutes, quinze ou vingt peut-être, il tendit l'oreille, surpris. Des sons parvenaient jusqu'à lui... C'était de la flûte. L'écho lui répondait par une sorte de complainte lente et douce. Il enchaîna un refrain. La mélodie revint pour répondre à la sienne. Il tourna la tête de tous les côtés, mais il ne vit rien d'autre que la ligne sombre de l'horizon devant laquelle les vagues clapotaient. Derrière lui, des bouquets d'herbes piqués d'immortelles se balançaient au vent et là-bas, au milieu de la crique, le soleil faisait danser des étincelles.

« J'ai dû rêver, se dit-il. Mais c'est pourtant bien une flûte... »

Et il continua à jouer pour le plaisir. Ses doigts couraient sur les cordes, plus habiles que jamais. Le rythme s'accélérait. La mélodie mystérieuse lui parvenait encore et, jouant de concert avec la sienne, formait une ode à la beauté du moment.

« Rien que du plaisir », songea-t-il en y mettant tout son cœur.

Alors, il ne pensa plus à l'étrangeté des circonstances qui l'avaient conduit jusqu'ici, s'absorbant dans les notes qui se succédaient joliment. Il se retourna et vit une tête se dresser derrière un bouquet d'herbes sauvages. Ce fut bref.

– Hé, toi! cria-t-il.

Mais la tête avait disparu. Puis, il vit un chien blanc qui dévalait du sommet de la dune et l'entendit japper. Il se remit à jouer. Longtemps, très longtemps. Rien ne vint plus chanter à ses côtés. Il était seul devant la mer, face au soleil qui montait dans le ciel.

« Est-ce que j'aurais eu des hallucinations ? se demanda-t-il. Je n'ai pourtant pas fumé d'herbe ! »

Et cela le fit rire, car, même s'il lui arrivait de fumer de temps en temps de la marijuana ou du haschisch, ici, il était bien obligé d'être sobre. Il redescendit vers la maison des sœurs jumelles, poussé par le rappel de son estomac vide. Au dernier détour du sentier surgit un jeune garçon à la peau basanée et aux cheveux fous qui tenait une flûte à la main. « Voici mon mystérieux musicien ! » se dit Guillaume en l'observant. L'adolescent était plutôt petit, portait des vêtements trop larges pour lui et ses yeux en amande étaient noirs comme des pruneaux. À coup sûr, c'était un Indien. Quand le gamin aperçut Guillaume, il s'arrêta net et roula des yeux effrayés en faisant mine de s'enfuir, mais Guillaume le retint par le bord de sa manche.

— Reste, attends !

Il déposa sa guitare pour lui parler. Comme l'autre détournait la tête, Guillaume lui lança :

— De quoi as-tu peur, crois-tu que je te veux du mal ?

Le jeune baissait les yeux.

— Hé, ne te sauve pas… T'es qui, toi ? lui dit encore Guillaume, qui commençait à s'impatienter de son mutisme.

L'Indien restait coi, le regard rivé au sol.

— C'est toi qui jouais de la flûte ?

— …

— C'est beau, ta musique…

Alors le visage du gamin s'éclaira d'un grand sourire. Il releva la tête.

— T'es nouveau icitte ? hasarda-t-il.

— Tu peux dire ça, répondit Guillaume, qui lâcha son bras.

— Où t'habites?

— Chez les sœurs Lespérance.

Ce fut comme un soulagement pour le jeune inconnu, comme si une menace venait de disparaître, libérant son horizon d'enfant solitaire. Il dit:

— Ça, c'est des bonnes personnes…

Et Guillaume comprit que ses nouvelles amies avaient fait pour lui quelque charitable action qui le réconciliait avec la société.

— Et toi, où t'habites?

— Là-bas, dans la cabane du pêcheur…

— Tout seul?

— Non, fit-il. Je suis avec ma famille. On est des Indiens…

Déjà, Guillaume savait cela. Il lui tendit la main pour montrer qu'il n'avait pas de préjugés. Au contraire. Alors, le chien blanc qu'il avait vu plus tôt réapparut en trottant et s'approcha pour le flairer de tous côtés en remuant la queue.

— C'est correct, il t'aime…, dit le garçon. C'est Loup-Blanc…

Guillaume caressait la tête de l'animal.

— Nous, on est au bord de la mer pour la saison chaude, à cause de la pêche, et après, on repart dans les terres pour trapper et chasser…

— Vas-tu à l'école?

L'enfant prit un air penaud:

— Il y a bien longtemps que je n'y vais plus. Nous, on vit avec ce que la nature nous offre. On n'a pas le goût de rester en place dans une maison…

— Aimerais-tu qu'on fasse encore de la musique ensemble?

Le garçon hocha vigoureusement la tête et s'approcha de la guitare, l'œil à la fois curieux et fasciné.

— Je peux la voir?

— Bien sûr… Dis-moi ton nom, au moins…

— Mini-Paul, et toi?

— Moi, c'est Guillaume… Alors d'accord, Mini-Paul, on se retrouve sur la grève, là-bas, et on fait un *jam* tous les deux?

— Okay… C'est d'accord!

Ils se donnèrent la main. Mini-Paul avait sorti la guitare de son étui et la retournait, la caressait avec une telle dévotion que Guillaume en fut bouleversé. Au bout d'un long moment, il plaça les doigts de la main gauche du garçon sur les cordes et les laissa trouver les accords, tandis que sa main droite, comme habitée par l'esprit de la musique, courait et soulignait ce que chantait sa voix, une voix rauque et profonde qui se mêlait aux vagues et qui suivait le vent du large pour chanter la liberté. Loup-Blanc s'était couché devant son maître et sa queue battait la mesure.

*

La soirée s'annonçait chaude. Les tables de la salle à manger et de la terrasse étaient remplies. Fleurette avait fait aménager les lieux de façon qu'on puisse souper et veiller tout à son aise, face au fleuve. Il y avait même un coin qui avait été transformé en piste de danse. Tout ce qu'il y avait de beau monde au village s'était donné rendez-vous pour déguster le homard et les crevettes à la sauce Belle-Étoile que Chantal avait amoureusement mitonnés. En attendant l'heure des réjouissances, Chantal virevoltait au milieu des clients, coiffée d'une toque blanche toute plissée qui bougeait avec elle. Souriante, elle recommandait avec son accent français les spécialités du jour et Chloé, sa fille, prenait les commandes. Assises à la table d'honneur, Émilienne et Julienne, toutes deux vêtues d'une robe fleurie et un verre de porto à la main, bavardaient avec Fleurette.

— Votre protégé ne vous a pas accompagnées ?

— Il se fait tirer l'oreille, il nous délaisse...

— Il nous a promis de venir souper et d'apporter sa guitare...

Fleurette se tourna vers la porte. Le violoneux, un chapeau de feutre de travers sur la tête, entrait en brandissant son violon. Salué par des applaudissements, il sortit son archet et le glissa sur les cordes en s'inclinant devant les clients avec mille grimaces.

— Joseph est parmi nous! Que les amateurs de danse se lèvent..., lança Fleurette à la ronde.

Et aussitôt, deux ou trois couples s'élancèrent sur la piste.

— Quel dommage que Guillaume fasse bande à part! dit Émilienne à sa jumelle.

— Ne t'inquiète pas, la faim va le ramener à la raison, car le frigidaire est vide!

— Alors, il va rappliquer...

Et elles pouffèrent de rire. Au bout de quelques couplets connus entrecoupés de vieilles chansons, la salle surchauffée chantait en levant son verre, quand, sortis de nulle part, surgirent Guillaume et Mini-Paul. Ils étaient tous deux armés de leur instrument et escortés par Loup-Blanc.

— Tu vois ce que je t'avais dit! souffla Julienne. Et avec Mini-Paul!

— Venez vous asseoir! s'exclamèrent les deux sœurs en riant.

L'atmosphère devenait de plus en plus chaleureuse. Guillaume, hypnotisé par la musique du violoneux, oubliait le cri de son ventre et ne perdait pas une seule note de ce que Joseph scandait, trouvant du charme au folklore qu'il aurait jadis, à Montréal, qualifié de dépassé. Tout à coup, ce fut plus fort que lui, il se leva et, sans avoir terminé son rôti, s'élança avec sa guitare aux côtés du vieux violoneux pour pénétrer au cœur des accords. Mini-Paul, qui n'aurait jamais osé se montrer ici sans l'insistance de son nouvel ami, sortit lui aussi sa flûte et alors ils se lancèrent dans une improvisation inoubliable. La musique explosait, enflait et s'envolait. Ils se répondaient l'un et l'autre, dans un va-et-vient qui invitait les clients à taper des mains et à se dandiner. La folie s'emparant de tous, le diable de la danse se mit à régner sans partage. Musiciens, clients et voyageurs chantaient, sautillaient et riaient sous le regard ravi de Fleurette.

— Quel succès! lança-t-elle en passant près de ses amies. Je n'aurais pas pu inventer mieux…

— Libre à vous de renouveler l'expérience, répondirent les deux vieilles en scandant le tempo.

— Et comment donc!

Le brouhaha était tel qu'on perçut à peine la sonnerie du téléphone. Fleurette courut répondre. Elle tendit l'oreille, se tourna vers le mur pour capter le message et cria finalement plus qu'elle ne dit:

— D'accord, je vais essayer de trouver un lit… Mais c'est pour toi que je le fais, car une chambre et de la place, il n'y en a plus ni chez moi ni à l'auberge voisine ! Okay, ne te fais pas de souci… Puissiez-vous venir bien vite en famille, je pense à vous tous…

Elle raccrocha et revint à la table des deux sœurs, troublée :

— Julienne, Émilienne, pourriez-vous me rendre service ? Mon amie de Montréal cherche une chambre pour deux voyageurs. Je n'en ai plus et pourtant, il faut que je l'accommode, je vous expliquerai… Auriez-vous un lit ou deux qui seraient libres chez vous ?

Il en fallait bien plus pour faire perdre leur bonne humeur aux deux demoiselles.

— Mais oui, répondirent l'une et l'autre sans même se consulter, nous allons vous accommoder… Quand arrivent-ils, vos voyageurs ?

— Dans la nuit. Ils font une halte du côté de Québec, chez Max Gros-Louis, au village huron, avant de passer ici pour monter en Gaspésie…

Fleurette se pencha vers Julienne et ajouta :

— Merci à vous deux, je ne pouvais pas lui refuser ça, elle est dans la peine, mon amie…

Les deux sœurs s'amusaient de tous ces imprévus. Guillaume, essoufflé, revint à la table, non sans lorgner du côté de Chloé qui, rougissante, lui rendait ses œillades. Il se laissa choir sur une chaise.

— J'ai soif et j'ai faim, lâcha-t-il, mais quel pied… On a du plaisir, ici…

Souriante, Chloé, qui trouvait que Guillaume avait bien du charme, lui apporta aussitôt un verre d'eau et lui demanda ce qu'il voulait manger.

— Et voilà !

— On te l'avait bien dit !

Julienne et Émilienne lui démontraient une nouvelle fois que le secret du bonheur est de prendre les événements comme ils arrivent et de les tourner en plaisir. Guillaume regarda ses amies, fit un clin d'œil à la serveuse et donna une tape dans le dos de Mini-Paul pour lui manifester son amitié. Il souriait comme il n'avait pas souri depuis bien longtemps. Il ne se rappelait pas avoir éprouvé autant de joie ces dernières années, hormis les premiers temps avec ses copains du *band* qui l'avaient lâchement laissé tomber... Une bouffée d'optimisme monta en lui. C'était donc possible d'être heureux sans restriction, même au milieu des vieux ? Là-bas, Joseph leur envoyait des grands signes, à Mini-Paul et à lui, avec son archet :

— Revenez, criait-il, revenez donc, y a encore du répertoire !

Et jusque tard dans la nuit, ils firent équipe tous les trois pour égayer la salle... Quand Fleurette et Chloé balayèrent la salle, Guillaume rentra pour se coucher. Le jour pointait au-dessus des collines et le vent de la marée montante soufflait sur le rivage.

CHAPITRE X

Guillaume se réveilla en sursaut. Il avait dormi d'un sommeil lourd. Il avait rêvé d'Indiens et de canots qui descendent les rivières, et puis de bateaux, de goélettes et de navires de l'ancien temps... Mais un son familier était parvenu à son oreille, qui l'avait tiré brutalement de ses songes. Étaient-ce des voix connues, était-ce un rêve? Il s'assit d'un bond sur le bord de son lit, attrapa son t-shirt, replaça les mèches de ses cheveux qui pointaient de tous côtés et sortit de la chambre en se frottant les yeux et les oreilles. En bas, dans la cuisine, les demoiselles Lespérance préparaient du café. La bonne odeur vint chatouiller ses narines et réveiller sa faim. Quand, pieds nus, il fut sur la dernière marche de l'escalier, il eut une seconde d'hésitation. Impossible de reculer, il était pris au piège.

— Bien dormi, notre artiste? lancèrent affectueusement les sœurs jumelles.

Guillaume poussa un cri. Deux silhouettes familières, qu'il ne pouvait feindre d'ignorer, lui tournaient le dos. Son oncle Gaby et Jason son fils, assis à la table devant un bol de café fumant, devisaient avec les hôtesses. Guillaume tressaillit et fit volte-face pour se cacher, mais déjà il était découvert.

– Guillaume!

Tout aussi surpris que lui, Gaby s'approcha et le serra dans ses bras. Jason avait l'air stupéfait. Il y eut un moment de trouble. La rencontre étant inattendue, l'émotion était à son comble. Guillaume, pris au dépourvu, pâlit, puis rougit et enfin se mit à claquer des dents comme si, malgré la chaleur, un froid intérieur intense le submergeait.

– Mais pour l'amour, Guillaume, qu'est-ce que tu fais ici?

Gaby ne s'attendait pas à cette surprise. Il était certain qu'il retrouverait le fils de Myriam, mais il n'aurait pu dire quand: le temps qui accomplit les choses sur la terre n'est pas le même que celui qui s'écoule dans la promptitude de l'esprit... Le ciel répondait à sa demande plus vite qu'il n'avait espéré. Gaby fixait Guillaume dans les yeux et celui-ci, penaud, baissait la tête.

– Heu... Tu vois, mon oncle, je...

Impossible d'éviter la confrontation. Il valait mieux se rendre... Assommé par le jeu du hasard, incapable de se dominer, il se mit à pleurer. Bêtement, comme s'il était une fille, et devant Jason et Gaby. Il eut honte. Il s'en voulait. Sous le crâne du jeune homme se déroulait un scénario fait de regrets et de culpabilité. Tout à coup, il comprit avec une acuité nouvelle que tous ces gens qu'il avait quittés sans se soucier de rien, il les aimait. Bien plus qu'il n'aurait cru. Gaby ne disait mot, calme selon sa manière, et captait ce qui transparaissait sur le visage de l'adolescent. Près de lui, Jason, qui s'était levé, avait les bras croisés et le regardait fièrement selon la coutume indienne. Quelles retrouvailles! Fallait-il voir là un coup du destin? Devant eux, les yeux des demoiselles se croisaient et s'interrogeaient. C'était comme si, malgré le tic-tac de la vieille horloge, le cours du temps s'était suspendu, accroché dans les maillons d'une toile d'araignée invisible. Ces trois-là semblaient se connaître de longue date, impossible d'en douter... Julienne se pencha et souffla tout bas dans l'oreille d'Émilienne :

— Il fallait bien que ça arrive un jour ou l'autre... Il nous racontait des histoires, le jeune!

— Je te l'avais bien dit..., fit Émilienne en hochant la tête. On s'en doutait... mais il est si gentil...

— Et puis, il joue si bien de la musique avec Joseph et Mini-Paul...

Émilienne, attendrie, donna un coup de coude à sa sœur et l'entraîna dans le salon.

— Ça ne pouvait pas durer!

Déjà Julienne, qui avait capté le fil de sa pensée, se creusait la tête.

— Il faudrait que ça dure, mais comment?

Après un long silence, les deux eurent un regard complice, comme si la même idée venait de leur traverser la tête. Elles conclurent, d'un air entendu :

— C'est à voir...

Dans la cuisine, Gaby, à la fois heureux du hasard qui les réunissait et déconcerté par la fantaisie avec laquelle la vie déjouait les ruses tricotées par son neveu, dit :

— Viens avec moi, mon gars, il faut qu'on se parle, tous les deux...

Guillaume hocha la tête et l'oncle, sans perdre son sang-froid, entraîna Guillaume dans la chambre que, sans se douter de la coïncidence, Myriam avait fait réserver par Fleurette. Retenant sa joie, Jason attendit patiemment dans le camion rouge : son père et lui devaient reprendre la route pour être à Miguasha à la fin de la journée.

*

Ce matin-là, au bureau, la sonnerie du téléphone retentissait sans arrêt et Paula courait dans tous les sens, transportant des montagnes de chemises multicolores. Myriam, qui avait repoussé pendant trois jours le moment de donner sa démission, était enfermée depuis plus d'une heure avec Laurent dans la salle de conférences. Enfin, c'était chose faite. Elle était soulagée. De toute façon, avec le mois d'août qui approchait, les vacances étaient plus que méritées.

« Au diable le bureau ! » eut-elle envie de dire à Laurent. Ce dernier, plus surmené que jamais, ne posa pas les questions auxquelles elle aurait pu s'attendre.

— Qu'est-ce que ça va te donner, de t'éloigner de ce bureau ? maugréa-t-il. Est-ce que tu comptes trouver dans un centre de jeunes une activité plus lucrative ?

Elle fit signe que non.

— Ah, je devrais dire activité épanouissante, n'est-ce pas ? persifla-t-il. Épanouissante est le terme qu'on entend sur toutes les lèvres !

Il faisait référence aux idées de Myriam et aux nouvelles tocades de Cécile, qui courait depuis peu les cercles du « Nouvel Âge ». Il était désappointé. Dépassé. Les femmes se liguaient contre le gros bon sens. On sentait une grande retenue dans son langage comme dans son attitude. Il pesait ses mots, il se faisait violence et ramenait tout à des questions d'argent, ce qui lui évitait de lui imposer une longue tirade de morale. Il savait qu'elle réagirait mal… Myriam regardait ses mains. Cela lui évitait de lancer à Laurent le fond de sa pensée. Elle voulait taire les mots blessants; ils avaient assez mal tous les deux.

— Tu sais que, depuis longtemps, nos pensées divergent…, finit-elle par dire prudemment.

— Malheureusement! laissa-t-il tomber.

Il était las de tenter de la retenir. Il était fatigué de voir sa précieuse rigueur-en-toute-chose – la seule façon de faire tourner rondement le monde –, être bafouée au nom du laisser-aller le plus désastreux qu'il ait jamais vu et dont il accusait Myriam. Il pensait amèrement que si leur fils Guillaume était disparu, s'il s'était évaporé comme de la fumée, s'il était rayé de la carte du monde, c'était en grande partie Myriam qui en était responsable… La police ne pouvait leur donner aucune information sur son parcours, aucune trace palpable, et le dossier stagnait, relégué derrière des affaires de plus haute importance qui occupaient le quotidien. Et puis, il se sentait vieillir, il faiblissait. Il avait peur. En attendant, tous étaient morts d'inquiétude: ses parents, Myriam, les filles et lui. Même Cécile. Il lança un regard accusateur à Myriam pour lui dire: «Tout ce que "madame" compte faire, ce n'est rien d'autre que de se lancer – avec son conjoint, cet Indien à la tête pensante – dans la création d'un centre pour repêcher les jeunes des milieux défavorisés en difficulté… Eh bien, moi, Laurent Dagenais, je me fous de tous ceux dont les parents ont baissé les bras, je ne plierai jamais! Enfin Myriam, que veux-tu prouver? Pourquoi cherches-tu à sauver ces jeunes qui consomment de la drogue, de l'alcool et autres cochonneries et qui deviennent des délinquants dans les quartiers louches, dans les réserves les plus reculées, jusqu'au pôle, là-haut chez les Inuits! On s'en fout, entends-tu? Quelle maladie te pousse à devenir philanthrope à ce point?» Myriam croyait entendre son discours. Elle n'osait plus le regarder en face et se tortillait les mains pour ne pas avoir à s'expliquer... Laurent, enragé, prenait des airs supérieurs et ressassait intérieurement les griefs qu'il avait accumulés pendant tant d'années... «Ô paix intérieure, paix de ceux qui cultivent la foi, se disait Myriam, aide-moi, fais que je garde mon calme!»

Quand Paula, avec sa délicatesse habituelle, passa la tête par l'entrebâillement de la porte, Laurent sursauta. Elle s'adressa à Myriam :

— Maître Langevin, on vous demande au téléphone...

— Vous savez, Paula, que nous avons demandé, Mᵉ Dagenais et moi, à n'être dérangés sous aucun prétexte..., lui répondit Myriam froidement.

Paula, soupesant ses mots, osa :

— C'est que je ne vous aurais pas prévenue si la communication ne me semblait pas d'une grande importance... Et urgente à part ça!

Myriam se leva, prête à prendre la mouche :

— Qui m'appelle?

— Votre oncle Gaby, dit Paula tout bas, en ramassant un papier qui s'était échappé de la corbeille.

Une bouffée de rougeur envahit les joues de Laurent. Il serra les mâchoires et se retint une nouvelle fois de faire des commentaires disgracieux. «Encore ce sauvage qui a plus d'importance que moi dans la vie de Myriam, songea-t-il, outré. Elle vit avec un sauvage, elle se flatte d'avoir elle-même du sang de sauvage et mon fils, lui aussi, si on finit par le retrouver, va bientôt se ranger du côté des

sauvages, alors continuons ainsi... Quelle calamité!»
Son cynisme était plus dur que jamais. Il appela Paula:

— Paula, apportez-moi mes cigarettes et mon briquet, je vous prie...

Paula, silencieuse, revint avec son paquet de blondes. Il ne pouvait pas s'empêcher de s'empoisonner.

Tandis que Myriam se dirigeait vers le bureau adjacent pour répondre à l'appel, il la suivit des yeux et ne put s'empêcher de la trouver belle. Aussi belle que lorsqu'il l'avait mariée. Elle n'avait pas changé... Mais Dieu qu'elle était têtue et écervelée! Myriam décrocha le combiné, persuadée que Gaby avait rencontré quelque difficulté. «Sans doute à cause du manque de chambres que Fleurette m'a signalé», songea-t-elle. Elle oubliait qu'il en fallait bien plus à son oncle pour être pris au dépourvu. Elle lança sur un ton qu'elle voulait léger:

— Alors, mon oncle, aurais-tu eu des problèmes d'hébergement? Fleurette m'avait pourtant assuré...

— Il ne s'agit pas de cela, Myriam... Guillaume est ici... Et en pleine forme...

Il n'avait pris aucune précaution pour annoncer la chose. Myriam faillit s'étouffer:

— Quoi... où?

— Dans la maison même où je suis descendu avec Jason... à côté de chez Fleurette...

— Mais...

Elle ne savait plus quoi penser, elle avait chaud, elle avait froid, elle voulait crier. Trop d'invraisemblances se dressaient au travers de sa raison, ou plutôt trop de vérités impossibles à croire. Elle articula:

— Passe-le-moi...

Gaby lui passa le jeune homme qui, incapable de dire quoi que ce soit, n'en menait pas large.

— Guillaume, comment vas-tu, où es-tu, Guillaume?

— Ici, m'man…

Il sentait ses jambes se dérober. Myriam avait des papillons dans la tête. Cela se pouvait-il?

— Ah, oui, c'est vrai… C'est bien toi! Tu vas bien?… Quand reviens-tu?

Elle s'affolait. Avec le combiné dans les mains, elle courut vers la porte et cria:

— Laurent, Laurent…

Laurent se leva et fit quelques pas vers elle. Quand il comprit de quoi il s'agissait, il écrasa vivement sa cigarette et des larmes jaillirent sous ses paupières. Il sortit un mouchoir de sa poche et essuya discrètement le trop-plein en marchant de long en large. Enfin, c'était arrivé! Le cauchemar se dissipait d'un seul coup. Et le barrage colmaté depuis si longtemps se rompait.

— Laurent, veux-tu parler à Guillaume?

Elle ne l'avait jamais vu pleurer. Aussitôt qu'elle l'eut formulée, Myriam regretta sa proposition: ce n'était peut-être pas le bon moment. À l'autre bout du fil, Guillaume sanglotait. Laurent, qui avait perdu sa maîtrise de soi, fit signe que non. Il s'enferma dans son bureau pour que personne ne le voie s'écrouler en admettant pour lui seul qu'il aimait son fils…

Myriam discuta avec Gaby et lui laissa le soin de voir aux arrangements. Elle n'en avait pas la force. Puis, après avoir raccroché, comme un automate, elle alla s'asseoir et attendit quelques secondes avant d'appeler Mike.

— Chéri, viens me chercher!

— Que se passe-t-il?

– Gaby a retrouvé Guillaume, chez Fleurette…

Le soleil éclaboussait les angles de la fenêtre. Il faisait si beau.

– Ne bouge pas, j'arrive.

Incroyable! Mike comprenait qu'une mère ne puisse rester de glace dans ces circonstances, il savait que les peines refoulées depuis quelques semaines déferleraient comme une lame de fond pour briser l'affreux silence et qu'une fois libérées par les larmes elles devraient s'effacer pour faire place à la joie. Il s'assit au volant de sa voiture pour aller chercher Myriam.

Enfin, tout rentrait dans l'ordre normal des choses plus vite qu'on ne l'avait espéré et de façon inattendue…

*

Alors s'écoula un mois de vacances inoubliables: en famille. Fleurette avec ses collaboratrices et même les sœurs Lespérance participèrent chaque jour aux réjouissances. On ne voyait pas Guillaume sans Mini-Paul. Jason, le fils de Gaby, se joignit à eux. Avec Loup-Blanc, les garçons couraient sur la grève à longueur de jour, emmenant derrière eux ceux qui voulaient bien les suivre. Le soir, avec le vieux Joseph et son violon, ils animaient les veillées dans toute la région. On ne parlait que de leur musique. C'était un mélange de reels et de gigues à l'ancienne, revus et corrigés par les jeunes qui enchaînaient allègrement les rythmes indiens, le rock et des compositions de leur cru. Un succès étonnant. Un mode d'expression original, tout nouveau… À La Belle Étoile, on n'avait jamais autant dansé et, de mémoire, il n'avait jamais fait aussi bon participer aux veillées chez Fleurette. Dany, privé pour quelques semaines de sa ligue de football, escaladait les rochers avec Lydia. La jeune fille ne le quittait pas et n'hésitait jamais, bien qu'elle fût peu sportive, à grimper derrière lui, quitte à s'écorcher les mains. Elle le suivait partout, ce qui faisait dire à Mike et à Myriam qu'on allait finir par les marier un jour. Laurence, qui se sentait de trop entre eux, rattrapait Jason et Guillaume et menait tambour battant ces joyeux fantaisistes. Chloé, elle aussi, suivait volontiers la « bande des Montréalais », riait avec les jumelles et faisait les yeux doux à Guillaume. Timide, le garçon tournait autour d'elle sans oser l'aborder. Laurence se promenait dans les sentiers sur une vieille bicyclette, tentait de rassembler tout le monde et se réfugiait dans la chapelle voisine quand on faisait mine d'avoir oublié ses directives. Elle rappelait au ciel et à tous les saints que c'était elle la meneuse de jeu, la rassembleuse d'âmes… Elle rêvait de les entraîner jusqu'aux sommets d'un paradis qui, disait-elle, planait au-dessus des têtes et récompenserait les plus pieux… On riait de ses folies, mais sans s'en offusquer : c'étaient les vacances et l'atmosphère était légère. Et puis, on y était déjà, au paradis. Pas besoin de le gagner durement. Les sœurs Lespérance, qui s'étaient liées d'amitié avec Myriam, visitaient chaque jour leurs amis en plaisantant et en riant. Ces deux-là ne savaient pas s'arrêter de rire et disaient :

— Nous voulons mourir de rire, n'est-ce pas Émilienne ?

— Mon doux, oui ! affirmait sa sœur, un grand sourire aux lèvres.

Myriam passait beaucoup de temps à seconder Fleurette et Chantal. Entre deux bains de mer, elle s'occupait de l'intendance de l'auberge. Mike et Gaby, quant à eux, s'étaient liés d'amitié avec la famille de Mini-Paul. Ils allaient à la pêche dans les rivières et rapportaient des truites et des achigans énormes dont on se régalait le soir. Toute la tribu les avait adoptés.

Dans la dernière semaine du séjour, Gaby laissa derrière lui son fils Jason et repartit sillonner les routes de la péninsule pour rassembler ses frères indiens. Myriam, reposée, détendue et heureuse, marchait main dans la main avec Mike ou lisait un livre au bord de la plage. Elle était resplendissante. Tout son monde était de bonne humeur, rien ne pouvait lui faire plus plaisir.

*

Un jour où la pluie avait pris possession des rivages et où les embruns, poussés par le vent, apportaient sur les collines un crachin décourageant pour les promeneurs, Guillaume descendit de sa chambre et rejoignit sa mère dans la verrière qui faisait face au fleuve. L'horizon était réduit à quelques mètres autour de La Belle Étoile. Quelques clients sirotaient un verre et papotaient en attendant que le soleil revienne. Le jeune homme avait mûrement réfléchi et fait le bilan de ses mésaventures. Il prit son courage à deux mains et annonça :

– M'man, je ne veux pas retourner à Montréal avec vous…

Myriam, bien calée dans un fauteuil, feuilletait le journal local, tandis que Mike, découragé par la tempête, lisait une revue de chasse et de pêche. Elle laissa tomber le magazine et se tourna vers Guillaume.

– Est-ce que j'ai bien entendu ?

Guillaume tira une chaise tout près de sa mère, puis il passa la main dans ses cheveux et, rougissant, répondit:

— Tu m'as bien entendu, m'man. Je suis bien ici et ça ne me tente pas de me remettre dans la bataille avec mon père et avec les profs…

Myriam fit un signe à Mike, qui s'esquiva discrètement pour les laisser s'entretenir seuls.

— Rester ici toute l'année, ça n'a pas de bon sens, Guillaume!

Elle réfléchit quelques instants, l'air perplexe. Guillaume, plutôt tendu, guettait ses moindres réactions.

— Tes études, y as-tu songé?

Guillaume, qui avait pris de l'assurance depuis qu'il était chez les demoiselles Lespérance, répliqua:

— C'est que je ne veux pas continuer mes études…

— C'est impossible, je ne te laisserai pas faire ça…

— Je veux faire ce qui me plaît.

Le spectre des difficultés réapparaissait. Myriam n'en voulait plus de toutes ces complications. Son visage devint grave et Guillaume, nerveux.

— M'man, je suis parti parce que j'en pouvais plus… On ne va pas remettre ça…

Elle soupira et inclina la tête pour prendre le temps de trouver une réponse adéquate. Il n'était pas question de provoquer un nouveau drame. Il fallait être à l'écoute de Guillaume et l'aiguiller vers ce qui était sa voie, d'une façon logique et intelligente, comme elle le ferait bientôt avec chacun des jeunes qui serait pris en charge. Tout compte fait, son fils avait de bonnes raisons, il fallait y réfléchir!

— Donnons-nous un jour ou deux pour y réfléchir, Guillaume. Je ne veux pas te voir malheureux, mais il faut penser à ton avenir et, comprends-moi, ce n'est pas une petite affaire… Je conviens qu'il s'agit de ta vie, mais il faut prendre la bonne direction.

Guillaume savait. Il avait eu sa leçon… Le fait d'être écouté et pris en considération lui fit grand bien. La révolte qui l'avait tant perturbé avait fait place à un sentiment raisonnable, presque paisible, mais encore fragile. De jour en jour, il reprenait confiance en lui. Les soirées musicales que tout le monde appréciait étaient une gratification inattendue. Après deux jours de longues discussions entrecoupées de réflexion, Guillaume eut gain de cause. Le plus inattendu arriva quand Laurent, Cécile et leur bébé s'annoncèrent et débarquèrent chez Fleurette. Myriam, en secret, les avait conviés pour qu'ils viennent, eux aussi, célébrer les retrouvailles.

*

En apprenant la nouvelle, Guillaume fut repris par ses anciennes terreurs. Il redoutait la conversation qu'il devrait avoir avec son père. Pourtant, Laurent ne fut pas difficile à convaincre, ce fut même lui qui alla au-devant des désirs de son fils :

— Après tout, dit-il, bon prince, ce ne sera pas une déception fatale pour mon honneur si tu ne revêts pas la toge ! Il y en a déjà trop, des avocats, on en forme un peu partout, à Ottawa, à Sherbrooke… L'horizon est bloqué. La profession n'est plus ce qu'elle était…

Myriam l'écoutait, ébahie. C'était mieux que ce qu'elle avait espéré… Beaucoup mieux. Son ex avait changé, et Guillaume aussi ! Il s'adressa à Myriam :

— Au Barreau, on adopte de nouvelles mesures, on nous pousse à régler à l'amiable, hors cour, c'est nouveau! On institue la médiation comme règle de conduite... Sans procès, ça ne fait pas rentrer l'argent dans nos caisses... Je ne donne pas dix ans pour que la profession perde de son panache et surtout de sa rentabilité...

Il se leva, admira le fleuve et se tourna vers son fils :

— Alors, Guillaume, que veux-tu vraiment faire?

— Je te l'ai dit papa. Je n'ai pas changé...

— Hum... La musique, hein?

Laurent avait baissé la tête. Il fallait lui laisser le temps de digérer tous ces chambardements.

— Alors, fit-il au bout d'un moment, le conservatoire?

Guillaume avait du mal à croire que son père ne plaisantait pas. Son cœur fit des bonds.

— D'accord p'pa... J'suis d'accord...

Il hésitait à démontrer trop d'enthousiasme, au cas où Laurent changerait d'idée! Mais non, son père le regardait d'un air plutôt bonhomme... Devant cette nouvelle attitude de sa part, Guillaume écarquillait les yeux et avait peine à croire qu'il était éveillé. Étaient-ce les vacances, le lieu magique qui les entourait ou le fait que les événements des semaines précédentes l'avaient beaucoup bouleversé? À qui ou à quoi attribuer ce revirement? Guillaume restait sans réaction. Alors, dans un geste amical, Laurent prit son fils par l'épaule et lui donna une bonne tape dans le dos. La guerre était finie. Le monde entier s'était mis de connivence pour que la vie soit belle et pour que le père et le fils soient désormais les meilleurs amis du monde.

Myriam se réjouit de la nouvelle ouverture de Laurent, mais, en même temps, elle perçut chez lui une lassitude anormale. Il avait baissé les bras trop vite. Elle observa ses traits tirés, son teint blafard et sa peau fanée et redouta que son état de santé ne se soit encore détérioré. Il avait vieilli. Et puis, le changement qui s'annonçait dans le système juridique lui imposait de se remettre en question d'une façon drastique. Pas évident pour qui le connaissait bien !

CHAPITRE XI

Dehors, le temps était glacial. Le mois de février s'annonçait cruel. On était dans la deuxième semaine d'une vague de froid redoutable, doublée d'un vent mauvais qui décourageait de sortir. Il faisait bon dans la maison. Mike avait allumé un feu dans l'âtre et, malgré tout, on entendait les sifflements de la bise qui tentait de s'infiltrer dans les angles des châssis. On n'avait pas envie de traîner dans les rues.

Lydia laissait l'eau ruisseler sur sa peau. Chaque gouttelette qui martelait délicatement son épiderme lui donnait une impression de fraîcheur. Depuis une bonne demi-heure, sensuelle, elle savourait la douche et prenait son temps pour promener l'éponge en étalant la mousse du savon parfumé dans les recoins intimes de son corps… Sa peau était devenue très douce depuis que Dany la comblait de caresses. Elle portait l'amour du jeune homme comme un vêtement subtil, une corolle légère qui l'enveloppait et la faisait frémir quand elle pensait à lui. Et elle y pensait souvent. De l'autre côté de la cloison, Laurence, enfermée dans sa chambre, méditait. Lydia entendait sa jumelle pousser des «om» si retentissants qu'ils faisaient trembler les pampilles du lustre de l'entrée. C'était quasiment aussi sonore que les exercices musicaux de Guillaume, en moins frétillant. Malgré les plaisanteries unanimes de la famille auxquelles Laurence s'était exposée à quelques reprises, celle-ci n'avait pas relâché sa ferveur spirituelle. Au contraire. Sa passion mystique ne faisait que croître. Lydia regrettait un peu le temps où, de par leur lien de naissance, elle vivait en symbiose avec sa sœur. Cette symbiose s'était peu à peu rompue étant donné leurs tempéraments différents... Et puis, il y avait eu Dany entre elles, et parfois Lydia se sentait coupable d'avoir abandonné sa sœur. Peut-être était-ce un faux problème, car, des deux, Laurence était assurément la plus forte, la plus combative et la plus déterminée. Quelquefois, Lydia était effrayée de l'énergie farouche qu'elle déployait dans tout ce qu'elle faisait... Lydia savonna une dernière fois son cou et, armée d'une pierre ponce, enleva quelques peaux mortes restées sur ses talons. Tout en faisant cela, ses pensées la ramenaient à Laurence. Elle n'arrivait pas à faire taire une certaine préoccupation à son sujet. Depuis quelques semaines, Laurence se vantait en rappelant à qui voulait l'entendre :

— On a retrouvé Guillaume sain et sauf grâce à Dieu, mais aussi grâce à l'intervention que j'avais consciemment programmée...

Pas plus tard que la veille, pendant le souper, elle avait provoqué la mauvaise humeur de Dany en lui répétant ses histoires à dormir debout. Ils étaient assis autour de la table, face à face.

— Comment ça, c'est grâce à toi si Guillaume est revenu ? Explique-toi..., avait grommelé Dany, sceptique.

Laurence avait pris un air hautain pour décréter :

— Oui, mon cher, grâce à mes pouvoirs !

Elle avait ensuite posé sur lui un regard dédaigneux qui voulait dire : « Pauvre Dany, tu ne comprends rien… » Cela avait été suffisant pour provoquer sa réaction.

— Je voudrais bien voir ce que va dire Guillaume quand il apprendra ta version ! lui avait-il lancé en riant à gorge déployée.

Alors les moqueries avaient fusé, même Mike ne s'était pas gêné. Voyant qu'on tournait ses propos en dérision, Laurence s'était fâchée tout net et Myriam, agacée, y était allée d'une tirade de morale :

— Tes pouvoirs ! Voyons donc, ne sois pas si orgueilleuse, Laurence. Ce que tu affirmes avec tant d'aplomb est contraire à un vrai sentiment religieux…

— Explique-toi ! avait riposté Laurence avec impertinence.

— Je parle de la simplicité et même de l'humilité qui doivent guider les actions des croyants sincères, avait expliqué Myriam.

Laurence avait haussé les épaules en rétorquant :

— Ah, oui, quand tu nous parlais de ton enfance, je ne t'ai jamais entendu dire que Son Éminence était modeste… Et puis, tu ne sais même pas ce que j'ai fait pour retrouver Guillaume !

— Pourquoi as-tu besoin d'en parler ainsi ? avait hasardé Lydia avec sa douceur habituelle.

Laurence avait foudroyé sa jumelle du regard.

— Si nous l'avons retrouvé sain et sauf, passe encore pour une intervention divine, avait dit Myriam, mais je suis convaincue que les demoiselles Lespérance y sont pour beaucoup…

— C'est arrivé parce que j'ai prié à ma façon !

— Tu nous indiqueras le mode d'emploi…, avait encore ironisé Dany en pouffant.

Elle n'en démordait pas et son entêtement désarçonnait Myriam. Depuis le retour de vacances, la mère et la fille s'affrontaient sans relâche et, même si Lydia tentait de les apaiser toutes les deux, il n'y avait rien à faire. Quand on lui posait plus de questions, Laurence décrivait vaguement ses fameux pouvoirs comme des faveurs occultes que ses guides — des anges à ce qu'elle disait — lui accordaient en lui recommandant de se taire. Pourtant, elle fréquentait moins le fameux centre de yoga, mais ce que sa famille ignorait, c'est qu'elle allait glaner ici et là les nouveautés les plus farfelues en matière de spiritualité et d'ésotérisme. Au cours du souper de la veille, Dany, habituellement diplomate, ne l'avait pas lâchée.

— Dis donc, tu as des privilèges dans l'au-delà, est-ce parce que tu as été une bonne élève? avait-il persiflé. Tu es si disciplinée…

— Non… C'est parce que j'ai des dons, pauvre nono…, avait-elle répondu en lui envoyant une grimace.

Mike et Myriam en étaient décontenancés. La province tout entière voguait au gré des idées du Nouvel Âge qui remplaçaient les rituels religieux des générations précédentes. Désormais, on prêchait la pensée magique. Qu'adviendrait-il de cette mode sans fondement sérieux? Le principe du «Ce qui t'arrive, tu l'as voulu, ne t'en prends qu'à toi» rendait responsables de leur malheur les plus démunis et on répandait partout des idées qui relevaient de la simple superstition en attribuant un pouvoir sans limite à des mantras. Les sectes se multipliaient, les adeptes perdaient la tête et les cours qui promettaient divers miracles en récompense faisaient la une des magazines... Une manne pour un grand nombre de charlatans peu scrupuleux. Myriam considérait le phénomène comme un bouillonnement éthéré sans lendemain, une marotte passagère pour s'évader et oublier le quotidien. Mais elle craignait que Laurence ne soit tombée dans ce genre de piège malgré les nombreuses mises en garde, et, lorsqu'elle y pensait, elle tremblait.

Comme on était dans les enfantillages, ce soir-là, on lui avait encore réclamé une description de ses fameux dons. Mais elle avait prétendu être tenue de respecter un fabuleux secret, hermétique qui plus est :

— Cela remonte aux Égyptiens et vous ne méritez pas de le connaître..., avait-elle déclaré.

On n'avait rien su de plus. Heureusement, ni Myriam ni Mike ne la prenaient au sérieux. On avait convenu qu'il valait mieux la laisser faire sans s'offusquer de ses convictions bizarres. « Bah, se disait Myriam, avec les années, elle baissera le ton... »

En songeant à sa jumelle et à ses mystifications, Lydia haussa les épaules en riant. Elle rinça une dernière fois ses cheveux, offrit son visage au jet d'eau, puis, revigorée, se saisit d'une serviette qu'elle enroula autour de sa taille et frictionna rapidement son dos. Laurence avait fini par se taire et, de la porte de la salle de bains entrouverte, lui parvenaient depuis le salon les informations télévisées. Lydia pouvait imaginer sa mère et Mike assis sur le sofa, attentifs aux derniers développements de la politique fédérale. Leur projet s'élaborait, mais lentement. Myriam remuait ciel et terre pour tenter de se faire octroyer des subventions par les deux paliers de gouvernement. Quand tout serait en règle, comme elle l'avait prévu, elle pourrait espérer obtenir une bonne partie de la somme nécessaire. Il suffirait de lancer une dernière campagne de financement. En attendant, elle ne chômait pas. Elle visitait les écoles et les centres qui recevaient des élèves en difficulté, rencontrait les enseignants, s'informait, prenait des notes, étudiait, élaborait les programmes des cours qu'on proposerait dans le futur centre d'accueil et commençait à recruter des éducateurs spécialisés... C'est qu'elle et Mike voulaient offrir un enseignement d'un genre nouveau qui engloberait l'expérience humaine et le savoir traditionnel. Le plus difficile à obtenir était un local qui permette de réaliser des activités collectives et qui compte un nombre suffisant d'espaces privés et de chambres. Bref, Myriam avait quitté le bureau de Laurent, mais ses occupations s'avéraient tout aussi prenantes que par le passé. On la voyait à peine pendant les jours de semaine. Malgré tout, donner naissance à un projet qui nourrissait son enthousiasme lui procurait une grande joie. Mettre sur pied cette aventure humaine, loin des intérêts matérialistes qui occupaient de plus en plus les esprits, était le remède à bien des maux.

Lydia choisit un chandail confortable et enfila un jean ; ainsi équipée, elle remit une pointe de rouge sur ses lèvres, puis fit sécher ses cheveux. Dany n'était pas encore de retour. Elle regarda l'heure et s'approcha du calendrier accroché au-dessus de son bureau. Encore quatre jours avant que Dany revienne. Son club de foot l'avait mobilisé pour disputer les finales d'un tournoi, un des plus importants aux États-Unis. Elle avait hâte de se retrouver dans ses bras. Elle frissonna en regardant la vitre extérieure de sa fenêtre marbrée de ramages de givre.

— Brrr…

Et puis, spontanément, lui vint cette question : «Dany est-il mon amoureux, mon *chum*, ou mon amant?» Comme une petite fille, elle se mit à chanter cette phrase comme une comptine. Que devait-elle se dire quand elle pensait à lui? En fait, elle ne devait rien se dire du tout. Ils étaient trop jeunes tous les deux, bien trop jeunes… Dès le prochain semestre, peut-être même avant, Dany commencerait ses études de médecine. Il ne fallait pas qu'on les soupçonne, pas encore. Elle fut prise de panique et tenta de se rassurer. Étant donné que Guillaume était retourné à Saint-Fabien, il n'y avait que Laurence pour s'apercevoir de leur manège… Mais Laurence était bien trop absorbée dans ses dévotions et autres pratiques. Une fois, pourtant, ils avaient tremblé après coup, Dany et elle : le jeune homme avait failli, dans la pénombre de l'escalier, prendre Laurence pour Lydia. Il était étonnant que la chose ne soit pas arrivée avant et il valait mieux ne pas penser aux conséquences. Si Myriam n'avait appelé Laurence à la seconde même, c'eût été fatal pour les deux! Laurence s'était retournée et Dany, qui avait compris sa méprise, s'était arrêté net…

Tout à coup, Lydia, qui continuait de regarder son calendrier et vérifiait son emploi du temps, poussa un cri. Sur la page du mois, elle avait entouré la date de ses prochaines règles. Avec l'agitation de la nouvelle année et ses choix de cours, elle s'était laissée emporter par les journées trop remplies et n'avait pas remarqué son retard. Encore moins avait-elle pensé à aller consulter.

Plus d'une semaine s'était écoulée... L'irrégularité n'était pas dans ses habitudes. Instinctivement, elle toucha son ventre. Rien de particulier ne se passait dans cette zone-là. Aucun malaise, aucun symptôme semblable à ceux qui, en général, précèdent les jours fatidiques... Ni crampes, ni nervosité, ni migraine. Elle tenta de se rassurer en évoquant quelques bonnes raisons de ne pas s'en faire et se pencha par-dessus la rampe de l'escalier pour entendre les informations que diffusait la télévision.

*

Brian Mulroney, à la tête du Parti conservateur, avait au début de septembre remporté les élections. Les attentes des Québécois étaient grandes... Après l'ère de Pierre Elliott Trudeau, le nouveau premier ministre canadien, optimiste, promettait aux Québécois une reconnaissance pleine et entière au sein du Canada, ce qui semblait réaliste. Mais malgré l'inclination de René Lévesque à prendre ce qu'il appelait « le beau risque », certains se méfiaient. Et même si le pays flottait sur un navire économique en pleine croissance, la grogne commençait à faire des ravages dans les rangs de l'opposition. On attendait de voir ce qui sortirait d'une position qui était loin de faire l'unanimité...

— Viens-tu avec nous, Lili ? cria Myriam en apercevant la tête de sa fille par-dessus la rampe.

Lydia dévala les marches. Myriam et Mike étaient serrés sur le sofa l'un contre l'autre. Le tableau était familier. Lydia prit place dans un fauteuil, de biais avec sa mère. Lorsque celle-ci tourna la tête, elle ne put cacher un certain émoi. Son sourire se figea :

— Voyons, Lili, tu as bien mauvaise mine!

Lydia courut vers le miroir de l'entrée et frotta son visage dans ses mains. Elle n'avait pas remarqué ses traits tirés.

— Bah, c'est parce que je sors de la douche! expliqua-t-elle. Et puis, c'est ma coiffure…

Elle n'osa pas avouer que l'absence de Dany l'avait tenue éveillée pendant de longues heures et que sa constatation de tout à l'heure la bouleversait. Laurence, qui venait aussi de descendre, la regarda à son tour et appuya la remarque de sa mère:

— Mais tu as les yeux cernés, regarde-moi ça!

Lydia, consternée par les marques évidentes d'un problème à venir, donna un coup de coude dans les côtes de sa sœur:

— Je t'en prie, Laurence, n'en rajoute pas!

Puis, elle lança à l'adresse de sa mère:

— J'ai dû attraper le rhume, m'man…

— Alors, prends des vitamines et du sirop, conseilla Myriam, il y en a dans la pharmacie.

— Okay, m'man…

Le téléphone sonna à cet instant. C'était Guillaume, qui s'en donnait à cœur joie en Gaspésie avec Gaby. Il n'avait jamais été aussi heureux. Sans demander son reste, Lydia passa l'appareil à Myriam, ce qui coupa court à toute forme de question embarrassante. Laurence en profita pour pousser sa jumelle vers sa chambre en lui susurrant:

— Tu pourras pas faire tes cachotteries longtemps, Lili…

— Quelles cachotteries? s'exclama candidement Lydia.

— Ben, ça saute aux yeux, vous avez fait des conneries, toi et Dany, hein ?

Lydia se rebiffait.

— Ça te regarde pas, Lolo…

— Arrête de m'appeler comme ça, veux-tu ?

Laurence ferma soigneusement la porte de la chambre.

— Alors, grouille, accouche, t'as cinq minutes avant la fin des nouvelles. Après, m'man va te faire parler… T'es en retard de combien de jours ? Moi, j'ai eu mes règles dimanche de la semaine passée.

Elle compta sur ses doigts :

— Ça te fait dix jours de retard…

— Oh là là…

— Eh oui, ma chouette ! Toujours aussi insouciante, hein ? Confiante dans ton beau niaiseux ! Qu'est-ce qu'il dit de ça, ton beau…

— Arrête de vouloir reporter la faute sur Dany…

— Ah oui ? Qui d'autre alors ?

Lydia se mit à pleurer.

— Lolo, aide-moi au lieu de me martyriser…

— Je te martyrise maintenant, ah, ben, elle est bonne celle-là !

— Alors, qu'est-ce que je vais faire ?

— Laisse-moi réfléchir un peu… Tu le veux ou tu le veux pas, ce bébé ?

— J'sais pas…

Impossible de répondre sur-le-champ à une pareille question.

— D'abord, peut-être que c'est pas ça du tout…

— Y va peut-être falloir être logique et laisser tomber les soirées romantiques, hein ?

Laurence ne pouvait s'empêcher de jouer le rôle de la mère supérieure. Lydia le lui reprochait souvent.

— Fiche-moi la paix!

Elle se cabrait de plus en plus et cherchait en vain un argument capable de détruire les horribles certitudes de sa sœur. Mais tout s'embrouillait dans sa tête. Et impossible de se raccrocher à la présence réconfortante de Dany pour la tirer d'embarras, alors que Laurence, sans hésiter, enfonçait le dard. Elle lorgnait du côté de la chambre de Dany, mais il n'y avait personne qui puisse venir à son secours. Dany, parti disputer trois ou quatre matchs de football à Philadelphie, était loin, et même si elle voulait y trouver refuge, sa chambre restait cruellement vide. Lydia était à la torture et paniquait à l'idée de faire face toute seule à la situation. Perturbée par son implacable sœur qui ne cessait pas de la sermonner, c'était pire. Et Laurence, sans vergogne, allait au bout de son raisonnement, quitte à faire souffrir la trop sensible Lydia. Continuant sur sa lancée, elle énonçait des solutions extrêmes que Lydia redoutait et retournait dans tous les sens. Peut-être que toute cette frousse qui s'emparait d'elle n'était qu'un cauchemar, une ombre au tableau qui allait bientôt s'estomper et qui la ferait rire, après coup... Il suffisait sans doute de patienter encore deux ou trois jours et tout cela ne serait plus qu'un mauvais souvenir. Quand son corps aurait rectifié le rythme de ses fonctions, quand les règles que toutes les jeunes filles trouvent si désagréables en temps ordinaire auraient commencé, envolées les sueurs froides. Ce retard pouvait être une erreur physiologique, une conséquence de ce froid qui n'en finissait plus et qui vous épuisait de l'intérieur...

Les choses allaient bientôt rentrer dans l'ordre, elle en était certaine. Mais Laurence ne voulait pas y croire et lui remettait sous le nez des doutes qui la chambardaient.

Lydia toucha son abdomen, pressa ses doigts au-dessus de son pubis, essayant de sentir dans sa petite culotte quelque humidité annonciatrice du soulagement attendu. Oh, cet horrible sentiment de doute qui venait la torturer et dont elle se passerait volontiers! Vers qui se tourner pour obtenir des renseignements, des apaisements qui ne mettraient pas les parents sur le pied de guerre? Il fallait éviter cela. «Si seulement il pouvait arriver, lui, Dany, pensait Lydia, il me dirait quoi faire dans ce cas, il me déchargerait de ce fardeau que je redoute, il me rassurerait et me prendrait dans ses bras...» Dans la tête de la jeune fille, les questions tournaient à l'obsession et les incertitudes grandissantes lui faisaient envisager toutes les possibilités. Son jeune âge s'accommodait mal de ce genre de réalité pour laquelle une adolescente n'est pas mûre. La migraine prenait possession de son crâne et son ventre ne disait rien qui vienne apaiser ses doutes... Rien qu'un silence inquiétant, souterrain, comme ce qui se passait dans cette partie encore inconnue d'elle-même. Lydia s'était crue à l'abri de ce genre d'épreuve. Elle aimait Dany et s'était laissé séduire, s'était prise au jeu de l'amour, éperdument, persuadée que ce genre de mésaventure ne lui arriverait pas. Pas à elle. Mais ses certitudes, qu'elle croyait solides comme le roc, s'écroulaient d'un seul coup et les paroles crues de Laurence la faisaient trembler de tous ses membres.

*

La vague de froid n'en finissait plus. On n'osait pas s'aventurer à mettre le nez dehors. Depuis trois jours, même Pierrette, pourtant peu frileuse, n'était pas venue à Outremont. Impossible de rester plus de quelques minutes à l'extérieur sans geler. Fier de ses trophées, porté par le vent de la victoire, Dany, de retour de Philadelphie, était en grande conversation dans le bureau avec Mike.

— Il fait frette, ici! s'exclama bien haut le jeune homme.

Mike s'amusait de l'entendre.

— En si peu de jours, aurais-tu perdu l'habitude de notre hiver?

Sans relever la remarque, Dany se lança dans les détails de son récent exploit et gratifia son père d'un résumé complet. Ce qui lui était arrivé était heureux en tout. Les deux hommes, très proches, avaient sur les lèvres un sourire qui soulignait leur ressemblance.

Le tournoi de football auquel le champion de la famille avait participé était un succès total. Son équipe avait remporté la coupe. Le jeune homme, très excité, contait, avec moult gestes à l'appui, comment il avait marqué des buts à plusieurs reprises dans les situations où son club perdait l'avantage... Il mimait ses réactions, les positions du ballon, la façon dont il l'avait rattrapé en risquant un *drop back* et se couchait sur le tapis pour démontrer à son père de quelle manière il avait marqué le but consacrant le triomphe de son équipe. Tout cela avant le décompte final, tandis que le premier et le deuxième rideau des coéquipiers formaient une ligne défensive arrière au cas où sa tentative aurait échoué.

— Si t'avais vu le *goaler* de nos adversaires, p'pa... Y faisait pas le poids devant nos passes. Quand on a attaqué, Rick et moi, y ont pas pu se rattraper avant le dé-compte final. On n'a pas perdu notre temps, hein ?…

Le bilan était inespéré. La performance des deux joueurs vedettes, les points gagnés dès la fin de la pre-mière manche avaient permis un revirement complet de la situation. Après le match, Dany et Rick avaient été portés en triomphe au milieu d'une foule d'admirateurs en délire qui agitaient des mouchoirs jaunes. Pour la première fois, Dany le calme, le débonnaire, parlait fort, s'excitait, laissait éclater sa joie. On aurait dit que ces quelques jours l'avaient complètement changé… Mike l'écoutait s'emporter et trouvait sympathiques les nou-velles façons de son fils. Les yeux brillants, il ne perdait aucun détail du récit. Lui qui connaissait bien l'agilité de Dany, sa fougue sportive et son talent doublé d'achar-nement, rien de tout ce qu'il lui décrivait ne l'étonnait… Ses propos suscitaient de sa part l'enthousiasme et l'ad-miration.

— J'ai jamais été aussi fier, p'pa… C'est incroyable l'effet que ça fait !

Et Dany arborait les couleurs de son club en débal-lant sur le tapis divers chandails qu'il avait échangés au cours de son séjour.

— J'imagine, Dany. Je suis fier d'être ton père…

— Recevoir publiquement un hommage de ses pairs, ça n'arrive pas souvent !

Dany riait. Il répétait comment, rapide, il n'avait pas hésité dans les circonstances à provoquer, aidé par Rick, une passe périlleuse que ses adversaires n'avaient pas vu venir. Ensuite, profitant de l'effet de surprise, agile, il avait marqué un but, celui qui, en fin de compte sauvait son équipe et assurait la victoire. Mike alla dans la cuisine et rapporta deux verres et deux canettes de bière fraîche :

— Une bière, pour fêter ça ?

— Yé !

Le liquide ambré moussait joliment.

— Okay, mais c'est pas tout, p'pa, j'ai besoin de tes conseils…

Le père et le fils trinquèrent et se donnèrent l'accolade au moment où résonna le pas des jumelles qui rentraient du collège.

— Dany est revenu ! s'écrièrent-elles en chœur.

Elles lui sautèrent au cou.

— T'as l'air d'un vrai champion ! remarqua Laurence. M'man va être contente de voir les trophées… Fais voir ?

Sur ces entrefaites, Myriam fit son entrée. La maisonnée était complète. Mike offrit une tournée de bière pour fêter la victoire de Dany et commanda deux pizzas « jumbo » pour régaler le clan. Au milieu de tous, plus réservée qu'à l'ordinaire, Lydia, qui souriait bizarrement, eut une envie folle d'entraîner Dany dans sa chambre et de lui confier sur-le-champ ses inquiétudes. Elle aurait souhaité voir tous les autres s'évaporer, être seule avec lui. Sa préoccupation allait en grandissant depuis l'autre jour. Rien ne s'était produit qui fasse disparaître sa nervosité. Coupée de la liesse générale par son anxiété, elle aspirait au silence et ne supportait pas les exclamations ni les compliments qui s'adressaient à Dany. Elle observait sa mère et sa sœur.

— Bravo, Dany ! fit Myriam en l'embrassant.

— Dommage que Guillaume ne soit pas avec nous pour te féliciter…, dit Lydia laconiquement.

— Ben, Lili, c'est tout ce que ça te fait ? T'as pas l'air dans ton assiette...

Dany avait remarqué que quelque chose troublait la jeune fille. Pour toute réponse, elle souleva les épaules et s'esquiva pour aller aux toilettes. Quand elle réapparut, il soutint son regard, mais elle baissa les yeux et tourna la tête. Que se passait-il donc ?

— Ben, Lili, qu'est-ce qui t'arrive ? lui souffla-t-il entre deux bouchées.

Il ne reçut qu'un regard noir qui venait de Laurence. Qu'est-ce qui avait bien pu passer par la tête des jumelles pendant son absence ? Se liguaient-elles contre lui ? Alors, piqué au vif, il imagina les pires folies. En l'espace de quelques secondes, il vit Lydia au bras d'un autre que lui. Une grande douleur emplit son crâne qui donna naissance à des fantasmes. Il se voyait emporté malgré lui sur le chemin d'une défaite qu'il ne méritait pas et qui brisait sa joie de tantôt. Il connaissait assez Lydia pour savoir que son attitude ne découlait pas d'un caprice. Quelque chose était arrivé... Affolé, il essaya, mais en vain, de lui faire comprendre, dans leur langage codé, qu'il la retrouverait comme d'habitude, plus tard. Chaque fois qu'il tentait de faire passer le message, Lydia détournait son regard. Alors, contrarié par le mutisme de sa belle, il s'obligea à ne plus y penser et remit à plus tard les questions que soulevait l'incompréhensible réserve de Lydia-la-douce. Mais sa froideur lui faisait mal. N'avait-il pas rapporté pour elle un cadeau, une surprise pour lui faire plaisir, pour la voir se réjouir et pour pouvoir l'embrasser tout à son aise. Il comptait le lui remettre aussitôt qu'on aurait fini de manger, ou un peu plus tard, après avoir écouté les conseils de Mike, puisqu'ils avaient été interrompus tout à l'heure. Le cadeau, il le retournait dans sa poche et, satisfait de son choix, le soupesait en se réjouissant d'avance. En même temps qu'il était inquiet, il l'imaginait ravie quand elle découvrirait le bijou. Heureuse. C'était un collier fait de petits coquillages nacrés qu'elle aimerait, il en était sûr. Ça lui allait si bien, ce genre de fantaisie. Alors, elle redeviendrait sa Lili adorable, celle dont il était amoureux. En attendant, il devait, malgré l'agitation qui régnait ce soir, continuer sa conversation avec Mike.

— Tu sais, p'pa, je t'ai dit que c'était pas tout...

— Allons-y, mon gars, parle!

Ils prirent place dans le salon. Dany ne pouvait rêver mieux. La réussite sportive et la réussite dans ses études. Il s'assit face à son père, hésitant malgré tout. Un cruel dilemme le torturait et le faisait balbutier. Partir, ne pas partir? Devant Myriam et les filles, il hésitait à parler, sachant d'avance que Lydia n'aimerait pas ce qu'il avait à lui annoncer. Il se rapprocha de son père et profita de ce que toutes les trois papotaient en feuilletant une revue de mode:

— On m'a fait signer un contrat pour rentrer dans la ligue de foot de Philadelphie...

— C'est une belle réussite, mais...

— Ne t'en fais pas, c'est assorti...

Mike se leva d'un bond:

— D'une bourse d'études. C'est super!

Dany ne savait comment aborder la suite:

— Je... vais être obligé de partir le temps de mes études... Qu'en penses-tu, p'pa? J'ai bien fait?... fit-il à voix basse.

Devant son air perplexe, Mike n'hésita pas à l'encourager :

— Saisis ta chance, mon gars. C'est maintenant ou jamais ! Au fait, quel montant, la bourse ?

— Plus que confortable, trente mille.

À ce moment, Lydia, qui, sans en avoir l'air, tendait l'oreille, se ramollit d'un coup et perdit connaissance. Dany se précipita en même temps que Mike. Ils allongèrent la jeune fille sur le sofa. Myriam et Laurence s'affolaient :

— Lili, Lili, es-tu malade ?

Myriam, le visage crispé d'angoisse, était penchée au-dessus de sa fille et répétait :

— Qu'est-ce qui t'arrive, ma fille ?

Elle se tourna vers Laurence :

— Laurence, va chercher une serviette mouillée avec de l'eau bien froide. Fais vite !

Laurence courut jusqu'à la salle de bains, puis appliqua la serviette sur le front de Lydia. Au bout de quelques secondes, elle reprit conscience et, encore tremblante, voulut rassurer tout le monde :

— J'ai rien, rien du tout...

Myriam lui prit la main :

— Pourquoi dis-tu que tu n'as rien ? Ce n'est pas rien, ça, tomber dans les pommes... Est-ce le départ de Dany qui te fait de la peine ?

Myriam, qui ne croyait pas si bien dire, guettait la réponse de sa fille. Fallait-il aborder le sujet franchement ?

— Oui..., répondit timidement Lydia, qui aussitôt se reprit. Mais non, c'est pas ça, m'man, je te l'ai dit, j'ai dû attraper la grippe...

Et elle se mit à pleurer sur l'épaule de Myriam, qui comprit ses réticences. On en reparlerait plus tard. De toute façon, ils étaient si jeunes, l'un et l'autre. On ne peut s'engager à cet âge immature… Tandis qu'elle consolait sa fille, Dany changeait de couleur lui aussi. L'émotion se lisait sur son visage. Si jamais Lydia était malade, qu'allait-il faire ? Son rêve s'écroulerait-il avant d'avoir commencé ? Évidemment, la distance qui les séparerait bientôt n'était pas ce qu'il y avait de mieux. Cela ne le réjouissait pas plus qu'elle, mais enfin, il fallait sauter sur cette occasion qui ne se représenterait sans doute jamais, même Mike l'avait dit. Il aurait bien voulu dire à Lydia qu'il préférerait rester près d'elle, qu'il l'aimait sincèrement, mais avait-il le choix ? Non, assurément, une aubaine comme celle-là ne se refuse pas. Tant de ses amis souhaitaient avoir ce privilège, et c'était lui que le sort avait désigné… Aller à Philadelphie comme une star du football, être choyé là-bas, poursuivre ses études dans une des meilleures universités tous frais payés, n'était-ce pas ce dont rêvait un jeune comme lui ? L'assurance d'un avenir doré. Il parviendrait bien à lui faire comprendre. Plus tard, ils se retrouveraient et elle en profiterait.

Il apporta quelques coussins pour l'installer plus confortablement. Jamais il ne s'était senti aussi gauche :
– Lili, est-ce que tu vas mieux ?

Il ne trouvait ni ne pouvait rien lui dire. Rien qui vaille la peine. Seulement des banalités ! Autour d'eux, son père et Myriam les observaient sans relâche. Même Mike cherchait à analyser la situation. Son regard allait de son fils à Lydia et ne perdait aucune de leurs réactions. Myriam et Mike étaient les meilleurs parents du monde, mais un fossé les séparait, intangible et pourtant bien réel, celui des générations… L'atmosphère s'était alourdie. Dany sentait que son avenir se jouait en ce moment, ici même. Que dire ? Faire une déclaration d'amour à Lili et renoncer à ses projets devant la famille ? À cette perspective, il eut un mouvement de recul. Sa gorge se serrait. L'ambiance de la soirée était en miettes. Alors, Lydia, qui paraissait fatiguée, réclama du repos. On l'escorta jusqu'à sa chambre et Myriam, soucieuse, ne permit pas que tous restent auprès d'elle.

— Demain, tu n'iras pas au collège…, prévint-elle.

Lydia refusa de se plier aux conseils :

— Mais non, m'man, j'irai à mes cours…

— Pas question avec ce froid ! Tu resteras au chaud jusqu'à nouvel ordre… Et si tu ne vas pas mieux, je t'emmènerai consulter…

Lydia pâlit un peu plus. Il fallait à tout prix éviter ça. Dany, de son côté, se faisait mille reproches. Il n'avait peut-être pas été prévenant avec elle. Il s'en voulait. Comment rattraper la situation et lui dire qu'il l'aimait avec cet obstacle entre eux : elle devait garder la chambre et Laurence se tenait à côté d'elle en permanence, la surveillant comme si elle était un bébé…

*

Tout le monde avait fini par se coucher, mais Lydia ne pouvait trouver le sommeil. Toujours pas de règles… Et puis, elle était si fatiguée. Vraiment, faudrait-il penser à être mère ? Quel souci… Elle imaginait le tableau, se voyait dans quelques mois avec un bébé dans les bras, mais était incapable d'imaginer la situation plaisante. Comment subviendrait-elle à ses besoins ? Et ses études ?

Elle avait décidé de se lancer en design. Il n'était pas question d'abandonner maintenant. Étant donné son habileté naturelle et son goût pour le dessin, ça allait de soi... Mais ce casse-tête la bouleversait, il était trop compliqué. Trop compliqué. Évidemment, il y avait quelques options : soit elle avouait à tous ce qu'il en était, soit elle ne disait rien du tout... Au fond d'elle-même, elle penchait pour cette solution. Se confier à sa mère la paniquait. Plus elle y pensait et plus elle hésitait, perdait ses moyens, avait peur de décevoir Myriam. Elle ravalait ses phrases au moment de parler. Ou bien encore elle préviendrait Dany, quitte à l'empêcher de partir ? Ce serait cruel ! Mais après tout, pourquoi pas ?... Non, elle ne pouvait pas lui faire ça. Il devait partir et devenir médecin. Perdue dans ses pensées, elle n'avait même plus le courage de laisser couler ses larmes. La porte de sa chambre s'ouvrit doucement. Son cœur battait fort.

— Dany ?

— Mais non, bécasse, c'est moi ! Laisse tomber Dany, je t'ai dit...

Laurence entra à pas de loup et lui murmura :

— Il faut que je te parle...

Lydia était sur la défensive.

— Tu veux encore me faire pleurer ? dit-elle avec une toute petite voix.

— Mais non, je veux t'aider...

Après tout, Laurence était sa seule planche de salut.

— Qu'est-ce qu'on va faire, Lolo ?

— Fais-moi confiance, demain je vais aller chercher des renseignements au Centre de santé des femmes... Et je vais t'organiser ça !

Lydia savait très bien de quoi il s'agissait. Nouvellement ouvert sur le boulevard Saint-Joseph, le Centre de santé des femmes accueillait les femmes enceintes en difficulté, celles qui ne pouvaient garder leur enfant sans mettre leur vie en danger pour différentes raisons. C'était un organisme pilote, où l'on pratiquait, grâce à de jeunes médecins téméraires, l'avortement, illégal, dans des conditions d'hygiène presque parfaites. Lydia mit les deux mains à plat sur son ventre.

– Quoi, tu veux que j'avorte?

– Quelle autre solution vois-tu?

Cette fois, Lydia se mit à pleurer sur l'épaule de Laurence. Le choc était grand. Sa jumelle, plus forte, lui soufflait la solution qu'elle-même n'osait pas envisager. Lydia se laissa aller comme cela ne lui était pas arrivé depuis leur petite enfance, et ses larmes coulèrent longtemps.

– Maintenant, dors. Demain, on avisera…

Laurence ne perdait jamais contenance… Quand Myriam, qui ne dormait pas non plus, vint pour s'assurer que Lydia était remise de son malaise, elle la trouva recroquevillée sous son édredon, apparemment endormie.

*

Il était très tard. Montréal, tapie dans la nuit sous une fine couche de neige, était au ralenti. Dehors, le vent s'était calmé et le ciel, d'un bleu profond et brillant, s'était parsemé de milliers d'étincelles. Un silence apaisant enveloppait les maisons du quartier tranquille. Lydia, dans son lit, n'osait pas bouger. Elle était incapable de s'endormir et entendait depuis la chambre de Dany la musique qui jouait discrètement. Malgré son envie, elle se retenait, serrait nerveusement le revers de sa couette et s'empêchait de poser un pied par terre. Il ne fallait pas qu'elle aille le retrouver... Surtout pas. Heureusement que Myriam et Mike n'avaient pas percé son secret, qu'elle l'avait bien préservé malgré son envie de se libérer. Lydia ne comprenait pas pour quelle raison inexplicable elle voulait se confesser et, en même temps, elle était terrorisée à l'idée de leur avouer que Dany et elle avaient commis une bêtise. Une énorme bêtise. Par amour pourtant! Et puis, cette réaction imprévisible qu'elle avait eue en entendant qu'il partirait pour Philadelphie, c'était fort... Elle ne s'attendait pas à ce départ. Quoi penser maintenant? Avait-elle le droit d'empêcher son amoureux de vivre sa vie? Non, elle ne pouvait pas faire ça. Elle et lui étaient si jeunes... Elle en avait souvent entendu des commentaires disant que, quand un gars immature devient père, il n'est pas capable de tenir son rôle! Et puis, elle ne se voyait pas avec un enfant sur les bras... Pas tout de suite. Il devait mener à bien ses études et elle aussi... La danse infernale qui n'avait pas de fin tournait dans sa tête et les questions sans réponse se répétaient: «Est-ce qu'on doit garder l'enfant qu'on attend quand on est si jeune? Seize ans à peine! Lui, le père, en voudra-t-il, de ce bébé? Est-ce qu'on devra se marier si la grossesse se précise?...» Laurence, après tout, était peut-être sage dans sa folie coutumière de vouloir trouver des solutions aux problèmes de chacun... Et le comble, c'était qu'elle finissait toujours par en trouver. Elle, au moins, elle était forte! S'il fallait s'en remettre à quelqu'un, aussi bien que ce soit à elle.

Quand elle ouvrit un œil dans la noirceur, la lune éclairait les murs de sa chambre et un frôlement la parcourut. Lydia faillit crier. Dany était penché au-dessus d'elle. Tendrement, il remonta sa couette. Elle se mordit les lèvres. Elle ne devait pas lui démontrer de l'enthousiasme.

— Dis-moi, ma Lili, es-tu fâchée?

Elle se força à prendre un ton détaché:

— J'sais pas…

Il s'assit près d'elle.

— C'est l'*fun*, ça! Qu'est-ce qui t'arrive, Lili?

— J'ai mal à la tête…

— As-tu rencontré quelqu'un?

Elle haussa les épaules:

— Qu'est-ce que tu vas chercher là?…

— Ben, alors?

Elle perdait les pédales.

— Alors, tu trouves ça drôle, peut-être, de partir loin? Moi pas… Il vaut mieux qu'on arrête de se voir…

Le jeune homme était décontenancé. Elle avait réussi à le faire se sentir coupable. Il lui prit la main et essaya de la serrer dans ses bras. Elle se détourna. Vraiment, elle exagérait.

— Non, Dany, essaye pas! Je te dis que c'est fini…

Il était touché en plein cœur, au centre de son orgueil de mâle.

— Es-tu folle, explique!

Les filles sont imprévisibles, se dit-il avec une certaine colère. Si Lydia avait été un garçon, il lui aurait envoyé son poing dans la figure. Mais il n'en était pas question… Et puis, son malaise de tout à l'heure, c'était ça qui lui faisait dire n'importe quoi. Elle était si frêle. Si fragile. Il fallait patienter. Il ravala sa salive. Comme il essayait encore de l'approcher, elle le remit vertement à sa place:

– Si tu me touches, j'appelle m'man et Mike pour leur montrer comment tu es!

– Mais, ma Lili…

– J'suis plus ta Lili, okay?

Elle éclata en sanglots. Il ne fallait surtout pas l'aider à comprendre combien il lui en coûtait de le traiter de la sorte. Elle se tortillait dans son lit comme si elle avait mal au ventre et piquait du nez sous les draps pour se cacher dans la pénombre.

– Es-tu bien sûre que tu ne veux plus de moi?

Lydia s'était juré de le pousser à partir, il ne devait rien soupçonner de son état. Absolument rien. Elle se rassit et prit un air assuré:

– Pars, Dany, j'veux plus te voir…

– Bon, si c'est tout ce que tu as à me dire…

Il se leva et resta planté, les bras ballants, au bord du lit. Sa superbe s'était envolée, il n'y avait plus devant Lydia qu'un adolescent égaré qui hésitait à faire un pas. Alors, pour qu'il comprenne bien et qu'il n'ait aucun regret, elle lui répéta trois fois la sentence en prenant le ton le plus mauvais possible. «J'veux plus te voir…» Dany reçut un coup dans la poitrine. En plein milieu. Ça n'était pas elle qui disait ça! Ça ne pouvait pas être sa Lydia. Il ne comprenait décidément rien aux filles. La mort dans l'âme, il sortit sans faire de bruit, après avoir jeté sur son lit le petit collier de coquillages, qui fit une tache claire au milieu de la couette.

*

Myriam et Mike marchaient main dans la main dans une des petites rues qui descendent vers le centre-ville. Le temps s'était adouci. On approchait du mois de mars. Le paysage montréalais, d'un blanc immaculé, était féerique. Les arbres habillés par l'hiver avaient un air de fête depuis le début de la nouvelle année et Myriam, qui adorait cette saison, même par les froids extrêmes, se souvenait avec une pointe de mélancolie des escapades de son enfance. Partout, la neige, repoussée par les charrues, formait des remblais le long des trottoirs et découpait de gracieuses franges autour des escaliers métalliques. Chaque pas crissait doucement sur le tapis frais qui étouffait les sons, et des flocons légers voltigeaient encore en se posant comme des papillons pour butiner les volutes de fer forgé des balcons. Le ciel était gris, il faisait bon. Prudentes, les automobiles roulaient sans bruit.

— Si on allait chercher des croissants et des petits gâteaux? lança Myriam.

L'idée était excellente pour continuer la promenade et Myriam, qui revoyait la scène de la veille, s'interrogeait encore sur la véritable raison du malaise de Lydia.

— Je suis sûre que le départ de Dany y est pour quelque chose...

— D'accord avec toi. Ils sont amoureux, admit Mike.

Myriam hocha la tête.

— On ne peut pas le nier, mais que faire?

— Rien... Justement, il ne faut rien faire! On a tous vécu des histoires d'amour, à peine sortis de l'enfance, et il faut apprendre à surmonter ça.

Mike passa un bras autour des épaules de Myriam.

— C'est une épreuve initiatique, en quelque sorte, on ne doit pas chercher à les influencer...

Myriam, moins catégorique que lui, émit des réserves:

— Vivre avec le cœur en compote... Je connais ma Lydia, elle aura du mal à s'en remettre.

— S'ils s'aiment, ils feront comme nous, ils sauront attendre...

— Mais nous, on n'était plus des ados, la vie nous avait déjà appris bien des choses...

Mike se mit à rire :

— On était endurcis, quoi, on avait vu neiger !

— Ce n'est pas le cas de Lili...

Ils entrèrent dans la pâtisserie qui sentait bon. Les clients faisaient la file devant les viennoiseries. C'était invitant. Ils ressortirent avec une montagne de croissants tout chauds. À la maison, ils s'attablèrent devant une tasse de café pour déguster leur butin. Dany, là-haut, remuait tout dans sa chambre. On aurait dit qu'il cognait sans retenue sur les murs. Laurence chantait ses mantras sans fin et Lydia n'avait pas ouvert sa porte.

— Avis à tous, il y a des croissants ! cria Myriam.

Dany dévala l'escalier en même temps que Laurence.

— Qu'est-ce que tu fabriques, Dany, pour nous gratifier d'un tel fracas ?

— Je fais mes bagages...

— Tu es donc bien pressé ?

— Je pars après-demain...

— Pour Philadelphie ?

— Pour Philadelphie...

— Mais où est l'urgence, tes cours ne commencent pas avant fin avril !

— Possible, mais je pars.

Il se précipita sur les croissants et en prit un dans chaque main :

— J'ai faim !

Mike regarda Myriam. Cela confirmait leurs suppositions : Dany s'enfuyait au plus vite et Lydia se confinait dans sa chambre pour cacher sa peine. Ils étaient vraiment amoureux.

— Laurence, dis-moi, Lydia ne descend pas ?

— Non, elle préfère que je lui monte un croissant...

— Je vais aller la voir, dit Myriam.

— Oh, pas la peine, m'man... Elle est pas de bonne humeur !

— Quelle mouche l'a piquée ?

— Ça, je me le demande ! grommela Dany, qui donna un coup de pied dans son sac de sport.

N'était-il pas préférable de le laisser passer sa rage sans en rajouter ? Le temps accomplirait son œuvre.

*

Depuis plus de trois semaines, Dany était parti et l'humeur familiale s'en ressentait. Privée des deux garçons, la maison semblait morne, surtout quand on était réunis autour de la table. Les repas agrémentés de discussions qui finissaient par des tiraillages et des chicanes s'étaient envolés et, désormais, ils manquaient de piquant... Heureusement, Guillaume téléphonait tous les deux jours, plaisantait avec ses sœurs et leur racontait combien il était heureux à la campagne où, disait-il fièrement, il menait une vie proche de celle des Indiens. Là-bas, la neige régnait encore, alors qu'à Montréal tout avait fondu. Avec Mini-Paul, son inséparable acolyte, Guillaume organisait des soirées musicales à succès qui faisaient la une des journaux locaux. Il parlait souvent de Chloé. La jeune fille et lui s'étaient découvert des tas d'affinités. Guillaume reprenait du poil de la bête. On sentait qu'il n'envisageait pas de revenir en ville et Myriam s'en faisait une raison. Elle le sentait bien dans sa peau, n'était-ce pas l'essentiel?

Lydia, qui se mourait d'ennui, pensait: «Quel chanceux!» chaque fois qu'il parlait de sa nouvelle petite amie et des moments qu'ils partageaient. Pour tenter d'oublier son triste sort, elle s'était lancée à corps perdu dans l'aquarelle. Jour après jour, pour éviter de trop pleurer, inconsolable de l'absence de Dany, elle barbouillait ses carnets de croquis avec diverses teintes qui, à l'image de son moral, avaient tôt fait de devenir marécageuses. La quasi-totalité de ce qu'elle dessinait et coloriait traduisait une déroute intérieure; aucune de ses esquisses ne reflétait l'harmonie qui l'habitait jadis. Alors, déçue, elle jetait tout à la poubelle. Pour la distraire, Laurence l'emmenait chaque fois qu'elle le pouvait, inventait des sorties qu'elle qualifiait de la plus haute importance et réussissait, par un tour de force dont elle seule était capable, à lui faire réciter des litanies sacrées rien que pour la tirer de cette mélancolie dangereuse et sauver son âme dont elle se sentait responsable. Lydia n'était pas dupe. Laurence, poussée par son tempérament de battante, se réjouissait de prendre le contrôle et de mener Lydia, qui la laissait diriger les opérations et s'en remettait d'autant plus à elle qu'elle avait toutes les raisons de se croire enceinte. C'en était terrifiant. Dix fois par jour, elle cherchait un indice pour se rassurer, une preuve que son corps aurait fait une épouvantable erreur et escamoté, dans un moment de dérapage, sa régularité habituelle. Elle espérait voir revenir l'ordre d'antan, mais rien ne se produisait qui lui donne raison. Elle interrogeait Laurence qui, pas plus qu'elle, ne pouvait fournir une réponse pour apaiser son angoisse, laquelle grandissait chaque jour. Pourtant, physiquement, elle était en forme et, malgré un dégoût tout nouveau pour le café et son odeur, aucun inconvénient n'était à signaler.

Bien sûr, Lydia aurait dû se confier à sa mère et lui avouer son crime, mais non. Elle fuyait toute forme de rapprochement avec Myriam pour ne pas avoir à s'expliquer. Il n'était pas question de dévoiler son secret ni à Mike ni à sa mère, qui ne se doutaient de rien. En même temps qu'elle s'était juré de laisser Dany vivre sa vie loin d'elle, elle se sentait victime. La désolation qui se dégageait d'elle passait sur le compte de son tempérament romantique à l'excès, et l'on pensait que la cause de sa déprime résidait entièrement dans l'absence de Dany. Les deux sœurs étaient maintenant inséparables comme elles l'étaient dans leur petite enfance.

— Je suis bien contente que Laurence s'occupe de sa sœur, disait Myriam.

— Tu as raison, c'est ça qui lui fait du bien…, renchérissait Mike.

— Laurence est excessive, mais elle sait s'y prendre avec Lydia.

Les choses semblaient ainsi aller selon un ordre logique et acceptable et Myriam, rassurée en observant tout cela, se préoccupait presque exclusivement de la mise sur pied de son centre.

CHAPITRE XII

— Allez, Lili, grouille…

— Zut, j'ai mal au ventre, et puis tu me fais courir!

— Ça ne change rien du tout, alors avance et respire par le nez…

Dans tout Montréal, la circulation était au ralenti à cause du verglas. Les jumelles traversèrent prudemment l'avenue du Parc pour se rendre jusqu'au Centre de santé des femmes. Après avoir fait des pieds et des mains, Laurence avait réussi à obtenir un rendez-vous pour Lydia qui, bien que consentante, se faisait tirer l'oreille, pleurnichait et ne savait plus si elle devait avancer ou reculer.

— Allez, marche et fais attention où tu poses le pied…

Sans tenir compte des hésitations de sa jumelle, Laurence, qui n'avait pas l'habitude d'y aller par quatre chemins, continuait sa route. La chaussée était glissante comme une patinoire. Même les autobus dérapaient. Laurence saisit la main de sa sœur pour la faire avancer plus vite. Lydia, récalcitrante, se cabra :

— Aïe, mais tu me fais mal!

Laurence poussa un soupir retentissant.

— Tu préfères prendre ton temps et tomber sous une voiture, peut-être?

– J'veux plus…

– Tu veux plus quoi ?

– Y aller, c't'affaire…

– Tais-toi, envoye !

Elles arrivaient à destination. De l'autre côté du boulevard Saint-Joseph, devant le parc qui fait face au parvis de l'église, rien n'indiquait le genre d'activité qui avait lieu dans une des maisons victoriennes en pierre grise. Tout était tranquille derrière les rideaux de dentelle. Laurence poussa la porte du Centre de santé des femmes en tirant encore une fois la main de Lydia. Au mur, un tableau et quelques affiches énonçaient brièvement la vocation du lieu. Une dame assise dans un coin lisait une revue, une autre tricotait. L'ambiance était feutrée. Deux ou trois jeunes filles, qui papotaient derrière un petit bureau, se précipitèrent ensemble pour les accueillir. Avec gentillesse. L'une d'elles consulta le cahier des rendez-vous :

– Okay, mademoiselle Dagenais, c'est vous ? demanda-t-elle.

Puis elle leva les yeux et s'aperçut de la ressemblance frappante entre les deux sœurs :

– Ah, ben, des jumelles ! fit-elle en riant.

– Laquelle des deux ? dit une autre.

– Comme vous vous ressemblez… On doit souvent se tromper, s'amusa la troisième.

– Oui, on nous le dit souvent, répondit Laurence, mais aujourd'hui, c'est pour Lydia…

– Faudrait pas qu'on vous confonde !

– Ça risque pas, bougonna Laurence tout bas pour ne pas choquer sa sœur.

L'une d'elles, qui avait entendu, s'esclaffa, prête à rire de tout. Dans un ensemble parfait, les trois jeunes femmes hochèrent la tête.

— Bon, on va tout vous expliquer… N'ayez pas peur, ça sera pas compliqué et ça sera pas long non plus…

— Combien de temps ? questionna Lydia.

— Dans moins de deux heures, on vous laisse repartir chez vous…

— Suivez-nous…

La première, qui leur montrait le chemin, se tourna vers Lydia :

— Souhaitez-vous que votre sœur reste avec vous ?

— Oh, oui !

Comment imaginer une seule seconde que Lydia aurait souhaité être seule ? Elle se rapprocha de Laurence et marmonna entre ses dents :

— J'ai peur, maudit calvaire !

— Ben, Lili, tu sacres maintenant !

Lydia tremblait de tous ses membres.

— J'te dis que je veux plus !

Laurence faillit se mettre à crier. Elle pinça les lèvres et maugréa tout bas :

— Tais-toi ! Tu crois que j'ai fait tout ça pour que tu restes prise avec ton problème ? Quand tu vas avoir l'air d'un ballon, hein, tu vas aimer ça, peut-être ?

Lydia ne répondit pas. Elle avait la frousse et son visage se décolorait un peu plus à chaque pas. Devait-elle accomplir cet acte définitif pour la vie qui s'éveillait en elle, ne le regretterait-elle pas un jour ? Sa conscience s'agitait et criait, elle avait le cœur gros et la vie qui pesait trop lourd sur ses épaules lui faisait regretter son jeune âge. Laurence la surveillait du coin de l'œil :

— Arrange-toi pour pas nous retomber dans les pommes, hein?

— T'es bonne, toi, j'sens que je veux plus!

— Tu crois peut-être que si tu le fais pas, les choses seront plus simples? Allez, grouille…

On les fit entrer toutes les deux dans un petit salon adjacent à une pièce équipée d'une table de soins et de matériel médical. Une jeune femme avenante les attendait, un stéthoscope autour du cou. Ici, pas de blouse blanche ni de sarrau. Personne n'aimait impressionner les femmes, déjà vulnérables, qui franchissaient le seuil. Le mot d'ordre était de rassurer avant tout. Le médecin leur tendit la main :

— Bonjour, je suis le docteur Guillemot… Annick, si vous préférez!

— Bonjour…

Annick les fit asseoir et, sur un ton amical, interrogea longuement Lydia pour connaître ses intentions, sa détermination et ses antécédents médicaux. Lydia, qui se sentait en confiance, reprenait des couleurs. Annick lui remit un questionnaire :

— Il faut m'indiquer précisément la date de vos dernières règles, votre histoire gynécologique et…

— Mon histoire gynécologique?

— Ben oui, fit Laurence, t'as jamais eu de problèmes, alors c'est rien!

— Depuis combien de temps êtes-vous réglée?

— À peine quatre ans…

C'était décidément bien jeune. Annick ne démontra aucune réaction négative. Ces cas-là étaient les plus dramatiques. Le corps n'étant pas préparé à la grossesse, encore moins à une interruption aussi bien pratiquée fût-elle, en plus des circonstances familiales rarement idéales, elle savait que les jeunes filles du genre de Lydia étaient prises dans un cercle vicieux sans soutien moral, abandonnées à elles-mêmes. Elle s'était juré de venir en aide à ces femmes afin que leur avenir ne soit pas hypothéqué pour une erreur de quelques instants.

— Votre famille est au courant de vos démarches?

Lydia et Laurence hochèrent la tête d'un commun accord.

— Pas du tout…

— Soyez sans crainte, ici vous ne serez pas jugée, encore moins dénoncée. Je vais vous examiner. Passez sur la table. Allongez-vous…

Avec bien des réticences, Lydia enleva ses collants et sa petite culotte et posa ses pieds dans les étriers. Laurence, assise à ses côtés, impassible, lui tenait la main.

— Bon, tout est bien normal et la grossesse est environ à douze semaines… C'est le bon moment pour intervenir, expliqua Annick.

Puis, elle quêta une nouvelle précision:

— Vous êtes bien sûre de votre choix?

Lydia opina et Laurence renchérit comme si elle était concernée.

— Comment Lydia pourrait-elle vouloir être mère à seize ans?

Annick eut tôt fait de préparer ses instruments sur un plateau tout en les nommant et en expliquant la façon dont elle allait s'en servir. Ensuite, pour détendre Lydia qui serrait la main de sa sœur et pleurait en claquant des dents, elle se mit à parler de choses et d'autres. Lydia avait froid et n'entendit pas la moitié des paroles qui lui étaient adressées. On lui mit une couverture sur le ventre et on lui administra un calmant. Alors commença l'intervention délicate. Malgré les propos rassurants d'Annick, ce fut trop long. Extirper de l'utérus ce qui n'était qu'un minuscule fœtus avec le placenta ne se fit pas en une seule étape. L'énorme seringue dont Annick se servait comme d'une ventouse allait chercher tout ce qui remplissait la cavité utérine de Lydia avec un horrible bruit de succion. C'était douloureux. Lydia ne s'attendait pas à cet élancement intolérable qui prenait sa source dans la partie la plus sensible d'elle-même. L'opération meurtrissait sa chair. Elle ne put se contenir et poussa un cri en s'agrippant à la main de Laurence. Celle-ci, devenue maternelle, penchée vers elle, lui donnait des petits becs sur le front sans oser regarder ce qui sortait d'entre ses jambes, en songeant que, pour sa part, jamais un homme ne lui ferait ça et que, sous aucun prétexte, elle n'en viendrait à vivre un pareil calvaire. Laurence fermait les yeux, priait et annonçait à Dieu sa détermination irréversible de travailler à faire de la population féminine de la planète des êtres libres de leur destin et délestés de la domination masculine. Rude programme à la mesure de Laurence.

Au bout de quelques minutes, Annick ayant accompli ce qui devait se faire, son assistante épongea le front de Lydia, qui resta silencieuse. Tout était fini. Très pâle, Lydia s'interdit de regarder les résultats sanguinolents de l'opération et se blottit contre sa sœur pour laisser couler ses larmes et pour ne pas tourner de l'œil une nouvelle fois. Une autre qu'elle aurait serré les dents et se serait relevée sans réaction, mais Lydia n'était pas assez aguerrie pour subir un avortement sans broncher. Le choc était dur. Elle était encore à l'âge des rêves d'enfant et ses rêves, impitoyablement, la fuyaient.

*

— Voyons, Lydia, qu'arrive-t-il? Tu devais nous préparer un exposé concernant le dernier cours d'histoire sur la Nouvelle-France et…

— Et je n'ai rien fait, madame, avoua Lydia, penaude.

Devant toute la classe, le professeur d'histoire prit un air sévère. Sa meilleure élève! Pour la première fois, cette jeune fille sérieuse et pleine d'ardeur faisait faux bond à ses camarades. Pour la première fois? Pas tout à fait, car, depuis quelques semaines, on la sentait perturbée. La qualité de son travail laissait à désirer et son comportement était imprévisible. Ses notes baissaient. Le professeur se rendit au tableau pour commenter elle-même la bataille des plaines d'Abraham en inscrivant les événements qui avaient mené le peuple français à la catastrophe. Loin du XVIIIe siècle et de ses faits marquants, Lydia reprit sa place à côté de Laurence en baissant la tête. Ses camarades, intrigués, l'observaient avec insistance. Laurence, sans se troubler, fit des grimaces à tous les curieux. « Fixez votre attention ailleurs », disaient ses yeux.

Lydia avait le cœur à la dérive… La honte, la culpabilité, un immense dégoût d'elle-même et un sentiment d'échec qu'il lui fallait refouler sans rien dire la taraudaient. Et puis, elle avait toujours mal au ventre. Elle jeta un regard par la fenêtre. Dehors, l'hiver n'en finissait plus, on avait essuyé deux nouvelles tempêtes de neige comme si la nature voulait souligner que les beaux jours n'étaient pas gagnés, qu'il fallait endurer les misères. Elle n'en pouvait plus de traîner fatigue et désappointement. Dany ne lui avait pas écrit. D'ailleurs, pourquoi l'aurait-il fait puisqu'elle l'avait envoyé promener? Contradictions… De gros cernes noirs marquaient son visage et on pouvait lire dans ses yeux une détresse qui n'y était pas auparavant. Le professeur eut un doute. Un événement hors de l'ordinaire avait troublé son élève. Impossible qu'il en soit autrement. Le cours fini, elle lui demanda de la suivre dans son bureau. Lydia hésitait.

— Viens avec moi, implora-t-elle auprès de Laurence.

— Mais non, vas-y, je t'attends.

— T'es bonne, toi, qu'est-ce que je vais lui raconter?

— Que t'es malade ou quelque chose du genre…

Lydia n'y alla pas de gaieté de cœur. Le professeur lui posa plusieurs questions et tenta de connaître les motifs du désintérêt de la jeune fille, mais en vain. Elle refusait de donner des détails et se contenta de répondre par oui ou par non pour éviter toute complication.

— Je suis déçue, Lydia, je vais être obligée d'aviser tes parents, conclut le professeur.

Lydia ne put s'empêcher de réagir:

— Ne faites pas cela, madame!

« Laurent ferait toute une tragédie, comme il avait déjà fait pour Guillaume!» Les larmes lui montaient aux yeux. Elle avait l'air pitoyable en imaginant les conséquences de ses mauvaises notes. « Cette enfant, pour une raison que j'ignore, a besoin qu'on remarque ses difficultés et qu'on s'occupe d'elle, songea le professeur. Ses parents sont-ils si sévères avec elle?» Elle inscrivit un mot sur le bulletin de liaison afin de prévenir son père et sa mère du relâchement qui grugeait depuis peu les résultats de son élève.

*

Depuis quelques jours, le dégel rendait les routes dangereuses dans la plupart des régions du Québec. Des crues soudaines dues à des pluies torrentielles avaient provoqué des glissements de terrain et deux ponts avaient été emportés sur la Côte-Nord. Gaby, qui arrivait de loin, accrocha son manteau et vint s'asseoir sur le sofa près de Mike. Malgré son allure détendue et calme, il était un peu las. Sillonner les routes année après année et mois après mois n'était pas toujours une partie de plaisir, mais aussi longtemps qu'on n'aurait pas donné aux Premières Nations une cohésion et une structure solides, il considérait son rôle comme primordial.

— Comment as-tu trouvé Guillaume, mon oncle?

Myriam, qui avait plusieurs questions à poser au sujet de son fils, ne pouvait contenir son impatience.

— Je ne l'ai jamais vu aussi épanoui. Sans aucun doute, là-bas, il est dans son élément.

Gaby affichait une satisfaction qui la rassurait.

— Au moins une nouvelle qui fait du bien…

— Et ici?

— Hmm, je me fais du souci pour Lydia. C'est à son tour de ne pas être dans son assiette… Mais, raconte!

Gaby revenait de la vallée de la Matapédia en passant par Saint-Fabien après avoir traversé le fleuve et séjourné quelques jours aux Escoumins. Un long périple qui avait été fructueux. Dans la municipalité de la Côte-Nord, Blancs et Innus se faisaient une guerre sans merci: la guerre du saumon de l'Atlantique. C'était devenu catastrophique. Comme en Gaspésie, les choses s'envenimaient à propos de la pêche. Avec la température plus élevée que d'habitude, les derniers embâcles fondaient d'heure en heure en libérant le lit des rivières et déjà, on tendait des filets entre les berges des rivières à saumon. Chacun revendiquait le droit de préséance sur le poisson. Blancs et Amérindiens levaient le poing, s'opposaient, s'invectivaient avec le concours des journaux locaux, trop heureux de répandre la controverse. On manifestait sur les routes. Tout cela au risque de voir gaspiller les nombreux efforts faits au cours des dernières années pour réintroduire le saumon, ce roi des poissons, dans les rivières... Gaby n'avait pas perdu son temps. Assisté de quelques leaders et des chefs locaux, il avait organisé des réunions, des soirées de discussions, dont certaines avec les parties adverses pour faire comprendre à tous la nécessité de travailler en commun. Il devenait urgent de construire des passes migratoires pour les alevins et de réaménager les rivières. Il fallait cesser de pêcher sans se préoccuper de la disparition de l'espèce, en plus de batailler pour résoudre les problèmes posés par les centrales hydroélectriques privées, celles qui détournaient certains cours d'eau au détriment de la migration du poisson... Rien n'était acquis et, comme d'habitude, les avis étaient contradictoires dans presque toutes les concertations.

– Marcher main dans la main, c'est une notion encore trop simpliste... Que ce soient les Blancs ou les Autochtones, tous aiment à se quereller! C'est décourageant..., conclut-il.

Depuis nombre d'années, Gaby avait l'impression d'avoir à recoller des morceaux que les hommes se plaisaient à mettre en pièces aussitôt qu'il avait suggéré une bonne solution. Dans le Nord, les négociations tournaient à la catastrophe et, parmi les Cris, hormis Billy Diamond qui jouait un rôle de rassembleur, on n'avançait guère depuis la mise en chantier de la Baie-James.

On s'embourbait dans les débats et la mauvaise volonté présidait aux échecs successifs des accords proposés. Tout cela sans compter les problèmes de pollution qui commençaient à se faire jour et que les autorités étouffaient consciencieusement par tous les moyens possibles.

— Là où il y a deux êtres humains, dit Mike en riant, il y a plusieurs sujets de discorde! Faire une croix sur le passé est la condition nécessaire pour avancer. Va faire comprendre ça aux pêcheurs ou aux chasseurs qui revendiquent leurs droits ancestraux et qui doivent nourrir leur famille.

— Exact, Mike, partout, on déterre la hache de guerre à cause de la précarité des situations. C'est le fond du problème. Les frustrations engendrent un comportement destructeur. Il faut oublier le passé et laisser la place aux rêves des nouvelles générations. Pour cela, il faut abandonner les vieilles rancœurs et il faut aussi que les décideurs arrêtent de s'enrichir sur le dos des plus démunis.

— Et va faire comprendre aux hommes de pouvoir qu'ils doivent arrêter de se boucher les yeux et les oreilles pour se remplir les poches…

— On n'en est pas encore à ce stade de compréhension, malheureusement…

Tous ici ne le savaient que trop, Myriam et Mike les premiers. Mener à bien leur entreprise humanitaire était un immense défi. Gaby sortit de sa poche une enveloppe, qu'il tendit à sa nièce:

— Tiens, Myriam, j'ai une lettre pour toi de la part des demoiselles Lespérance…

— Pour moi?

Myriam ne dissimulait pas son étonnement. Elle s'attendait plutôt à un message de son fils ou encore de

Fleurette. Fébrilement, elle décacheta l'enveloppe… Gaby rit de la voir faire. Il y avait tout à coup sur son visage cette expression enfantine qui l'animait et qui lui rappelait Kateri. Ses yeux brillaient d'autant plus que les nouvelles de Guillaume étaient bonnes. Excellentes même. Mike se leva et lut par-dessus son épaule :

Chers amis montréalais,

Vous avez un fils plein d'allant et de belles initiatives. Nous passons des moments extraordinaires dans notre village depuis que Guillaume est parmi nous. Il met avec ses nouveaux amis une ambiance qui nous ravit. Ses projets et son entrain sont faits pour redonner la vie à notre coin de pays, même pendant l'hiver. Fleurette est débordée, La Belle Étoile ne désemplit plus.

Mini-Paul apprend à lire grâce à Guillaume et à Chloé. Les jeunes et les vieux reprennent goût aux veillées d'antan, alors nous avons, Émilienne et moi-même, décidé de faire notre part.

Guillaume nous a parlé de votre désir de mettre sur pied un centre pour les jeunes en difficulté et nous a dit que vous cherchiez des fonds et des lieux d'hébergement.

Nous vieillissons toutes les deux et nous n'avons pas d'héritier ou du moins, pas directement. Nous avons décidé de faire un legs pour vos œuvres: nous vous cédons dès maintenant notre grande maison. Elle devient impossible à entretenir pour deux vieilles comme nous!

Vous saurez en faire un lieu de rassemblement et d'enseignement pour ces enfants oubliés qui ne savent pas vers qui se tourner et leur donner le soutien dont ils ont besoin…

Nous avons déjà acheté un condo dans un immeuble en construction: nous y serons tranquilles pour nos vieux

jours. Nous espérons que vous accepterez notre contribution
qui n'est que peu de chose en regard de ce que vous entre-
prenez.

Vous serait-il possible de venir pendant quelques jours
pour signer les papiers chez le notaire? Nous attendons de
vos nouvelles,

Vos amies,
Julienne et Émilienne

Le premier moment de surprise passé, Myriam
poussa un cri de joie. Pierrette, qui était affairée dans la
cuisine, lâcha ses compotes et vint aux nouvelles, tandis
que Mike et Gaby se donnaient la main en signe d'allégresse. Même Laurence descendit promptement les escaliers pour venir s'informer.

— Qu'est-ce qui arrive?

— La fin de nos inquiétudes et le début de tout...,
lança Myriam en serrant la lettre sur sa poitrine. Ces
deux femmes sont les meilleures personnes au monde,
elles nous lèguent leur maison pour notre centre d'hébergement...

Laurence poussa son cri de joie:

— Yé!

Et elle regrimpa aussi vite qu'elle était descendue
pour aller chercher Lydia. Pierrette se comportait
comme si l'aubaine lui était destinée. Elle éprouvait un
réel sentiment de gratitude envers ces deux femmes
qu'elle n'avait jamais rencontrées. Le maillon manquant,
c'est-à-dire le lieu pour abriter les activités, tombait du
ciel. Myriam serait moins préoccupée. Ainsi, les recherches sans fin, les demandes rejetées et les tribulations de
dossiers à la chaîne dans les ministères voyaient leur

aboutissement grâce à un don venant du privé. Il existait donc encore des mécènes! Il fallait se réjouir! La prière avait eu son efficacité, ou peut-être l'esprit de Kateri ou Judy qui veillaient sur leurs ouailles, Pierrette en était sûre. Chacun laissait aller ses pensées... Gaby et Mike voyaient là-bas un havre pour la jeunesse. Myriam, quant à elle, avait toujours pensé que le quartier général de son centre devait être situé dans la zone urbaine de Montréal, mais le sort en avait décidé autrement et tout compte fait, les choses seraient mieux ainsi. Loin de l'agitation, les jeunes pensionnaires reprendraient goût à la vie grâce à des activités de contact avec la nature. Guillaume en était la preuve. Lui qui avait fugué et qu'on avait cru perdre, il s'était épanoui, il suivait avec brio la voie qui le menait vers ses aspirations. Il serait le premier à en entraîner d'autres, comme Mini-Paul, à les aider et à partager avec eux les joies simples de tous les jours. Ensemble, ils faisaient renaître la région, comme le soulignaient Julienne et Émilienne dans leur lettre. Ce serait encore plus évident dans quelque temps... Guillaume avait redéfini ses ambitions et, au moins, dans sa tête, il y avait désormais une musique agréable. Plus de révolte! Un fils revenu à la vie et une grande maison pour héberger les décrocheurs, deux cadeaux magnifiques étaient donnés aujourd'hui à Myriam. Excitée, elle embrassa Pierrette sur les deux joues et sauta au cou de Mike et de Gaby au moment où Lydia, poussée par sa sœur, fit son apparition :

— Lili, tu en fais une tête! Viens célébrer avec nous...

Lydia, tendue, ne prenait pas part à l'allégresse générale. Myriam, en la voyant ainsi, fut coupée dans son élan. Trop de chagrin marquait le visage de sa fille ; il fallait apaiser sa souffrance et vite ! Il était temps de penser à elle, de l'aider. Elle lui tendit les bras. Pierrette saisit l'importance de ce qui se jouait entre la mère et la fille.

— Viens t'asseoir avec nous, Lydia...

Mike et Gaby comprirent que la situation serait inconfortable pour la jeune fille et qu'elle se confierait plus aisément à Myriam et Pierrette. Ils se placèrent à l'écart dans la cuisine et, un verre à la main, relancèrent un débat animé sur les rivières à saumon. Lydia, qui ne cherchait pas à masquer son malaise, se laissa tomber plutôt qu'elle s'assît. Après avoir usé ses forces à lutter contre elle-même et contre des doutes de toutes sortes pendant des semaines, elle s'écroulait.

— Lili, raconte-moi ce qui ne va pas..., proposa Myriam, délicatement.

Et elle prit sa fille dans ses bras.

— J'sais pas m'man... J'sais pas...

La jeune fille s'effondra en pleurs sur l'épaule de sa mère. Laurence, aux côtés de Pierrette, pour une fois ne dit mot. Mike et Gaby, ressentant la gravité du moment, spontanément, arrêtèrent leur conversation. Ce fut plus fort qu'eux. Ils se rapprochèrent des femmes. Consoler Lydia, guérir d'un seul coup cette souffrance qui la défigurait les préoccupait tous. Myriam, en la berçant comme un petit enfant, lui dit à l'oreille :

— Lili, dis-moi ce qui te fait mal, mon ange...

Ô la magie de cet instant où une mère guérit tout, où elle enveloppe celle qui souffre d'un manteau de bien-être. Une aura presque irréelle reliait la mère et la fille. Personne n'osait intervenir. Une grande retenue les rivait tous au plancher. Chacun fit semblant de ne pas écouter, pour respecter les aveux de Lydia.

— Est-ce l'absence de Dany qui te bouleverse de cette façon?

— Oui, et puis…

Enfin, c'était dit.

— Et puis, tu es très amoureuse?

Lili hocha la tête:

— Et puis, j'étais enceinte…

— Hein, quoi?

Myriam tombait des nues et Mike encore plus. Quand on ne s'y attend pas, une nouvelle comme celle-là est pire qu'une douche d'eau glacée, elle vous fait sentir le sol se dérober sous vos pieds, elle a un goût de fin du monde, c'est la foudre qui vous frappe. Il n'y avait rien à ajouter. Un silence de plomb s'était installé. Pesant mais libérateur. Quoi de plus terrible pour une mère que de recevoir une pareille confidence, surtout quand elle n'a pas imaginé que cela soit possible, quand elle n'a pas deviné la réalité dans laquelle sa fille se débattait et qu'elle n'a rien vu… L'amour, qui est la racine de la vie, pouvait donc se transformer en cauchemar et les jeunes ne le savaient pas! Leur avait-on déjà appris, sérieusement? Au bout de quelques longues secondes, Myriam dit:

— Mais dis-moi, chérie, tu étais… ça veut dire quoi?

— Je me suis fait avorter, maman!

Un nouveau coup s'abattit sur sa tête. Ses yeux croisèrent ceux de Mike, de Gaby et de Pierrette. Tous étaient atterrés. Comment croire que des jeunes portaient ce genre de fardeau sur leurs épaules! Seuls.

— Et Dany?

Mike était aux aguets. Il voulait tout savoir, entendre dans les moindres détails jusqu'où allait la couardise de son fils Dany qui s'était enfui… Il devint blanc tout à coup.

— Pourquoi n'as-tu rien dit?

— Dany n'a rien su! précisa Lydia en essuyant son nez.

— Cela se peut-il, avais-tu si peur?

Lydia hocha la tête et ses pleurs redoublèrent.

— J'voulais pas qu'il sache… J'voulais pas! J'lui ai fermé la porte au nez…

— Pourquoi?

Impossible de répondre à cette question. Elle ne savait pas pourquoi. Comment l'aurait-elle su? Ainsi, elle avait cru agir pour le mieux pour ne pas encombrer la vie des autres. Elle avait voulu faire disparaître ce qui aurait changé l'avenir de Dany, le sien, celui de Myriam et de Mike… Elle avait fait de son mieux…

Myriam, consternée, songeait: «Comment ai-je pu ne pas voir les signes annonciateurs de ce qu'a vécu ma fille? Encore une preuve de mon incapacité à être attentive!» Pierrette remerciait le ciel de n'avoir pas eu à vivre cela… S'il avait fallu… Mais non, dans ce temps-là, tout était différent. Les jeunes filles étaient réservées, la virginité signifiait quelque chose! Et les années passant, les mœurs avaient glissé insidieusement vers une liberté empoisonnée. Mike, quant à lui, se détendit légèrement: son fils n'avait pas été lâche, Lydia l'affirmait. Il n'avait pas abandonné sa blonde, c'est Lydia qui, par un effort de volonté, l'avait rejeté. Mais il fallait tirer tout cela au clair. Dany devrait apprendre bientôt ce qu'il ignorait encore… Et Gaby, qui n'était pas intervenu dans la conversation, pensait avec gravité que la cellule familiale est un microcosme de la société. Elle évolue selon les événements qu'elle vit. Il songeait : « La famille est malade par manque de communication, par perte de valeurs et de modèles... » Alors, ce fut au tour de Laurence de trembler et de se poser en protectrice de sa sœur. Depuis quelques minutes, mains jointes, elle priait. Elle releva la tête et dit :

— C'est ma faute, m'man. Y fallait pas qu'elle ait un bébé... Elle est trop jeune, ma sœur... T'inquiète pas, m'man... C'est moi, c'est entièrement ma faute...

Quand Myriam entendit la supplique de Laurence, les bras lui en tombèrent. Comme si celle-là était plus âgée que Lydia ! Laurence comprit que ni Myriam ni les autres n'éprouvaient de colère et elle retrouva son calme. L'incident vécu en cachette était trop gros, il bouleversait les principes et les points de repère de la vie, c'était un accident. Un terrible accident de parcours. De ceux qui vous empêchent de vous tenir debout. On ne lutte pas contre une catastrophe comme celle-là, on répare les dégâts en douce : personne ne veut en entendre parler. Il fallait aider Lydia à s'en remettre et justement, en parler.

— Voyons, les filles, racontez-moi tout en détail. Tout, je veux tout savoir... C'est important...

Et Lydia, tout d'abord penaude, raconta ce qu'elle avait fait en croyant bien faire avec le concours de Laurence, et donna sa conclusion : il fallait laisser Dany libre. Libre de vivre sa vie. Ça n'aurait pas été juste pour son avenir qu'il soit empêché de partir, répétait-elle. Mais il y avait aussi le fait qu'elle était trop jeune, bien trop jeune pour y voir clair.

*

Le soir, après que tous furent couchés, Myriam, qui ne pouvait fixer son esprit sur aucune lecture, songeait que, malgré tous les efforts déployés par les mouvements féministes, les femmes, toutes les femmes, y compris Lydia sa fille chérie, étaient prêtes à offrir leur souffrance pour l'amour d'un homme. On ne les changerait pas! Il y avait dans cette constatation quelque chose qui touchait à l'essentiel de la vie sur terre. Elle se tourna vers Mike, qui lisait des magazines scientifiques:

— Chéri, es-tu d'accord avec moi, il n'y a rien de plus vulnérable qu'une femme amoureuse...

— Ni de plus batailleuse, au risque de se sacrifier, de s'effacer, elle et son besoin...

— C'est vrai, une femme amoureuse veut tout à coup faire rejaillir son bonheur sur l'humanité tout entière, le distribuer sans compter, jusqu'au jour où elle s'aperçoit qu'elle s'est oubliée.

— Tu as raison, fit-il. L'amour altruiste, le besoin de savoir les proches heureux règlent la vie des femmes depuis la nuit des temps.

— C'est sans doute le mythe qui reste le plus vivant de nos jours, malgré la désaffection religieuse...

— Et si c'est arrivé à Lydia, cela veut dire que Dany l'aimait vraiment, sincèrement. Il éprouvait pour elle un sentiment fort et elle le sentait...

Myriam savait que Mike disait vrai et cette certitude sembla l'apaiser. Son fils n'avait pas feint d'aimer Lydia, ce qui aurait été à ses yeux une grave trahison.

— Rien ne peut survivre à cette sorte de mensonge, dit-il d'un air songeur.

Après les tracas qu'on avait vécus, la fugue de Guillaume et la grossesse interrompue de Lydia, Myriam se reconnaissait dans ce qui animait ses filles, car Laurence, bien que très différente, avait hérité de certains de ses traits. Et puis, n'avait-elle pas elle-même éprouvé souvent ce besoin maladroit de donner du bonheur ?

— Laurence veut aider, elle veut trop. Souvent, elle accumule les gaffes par besoin de jouer la mère supérieure !

Tous deux éclatèrent de rire dans un ensemble parfait.

— Après tout cela, dit-elle en plaisantant, je me demande bien ce qui va maintenant perturber nos jeunes et nous faire vieillir avant l'âge !

— Je pense que c'est assez pour ma part, on n'a pas besoin de plus pour apprendre…

Il ferma son magazine et se tourna vers elle :

— Allez, viens dans mes bras, ma petite vieille, qu'on célèbre nos longues années…

Ils furent pris d'un fou rire qui n'en finissait plus. Il fallait que la vie continue et il fallait l'aménager pour chacun…

Un changement rapide se produisait dans tous les domaines dont peu de gens étaient conscients. Les jeunes avaient à passer au travers de nouvelles épreuves, les familles et la société aussi. Et les hommes, eux, changeaient-ils en ces temps difficiles, pris dans les innovations de toutes sortes, poussés par les progrès techniques et la course à la performance ? Rien n'était moins sûr. Myriam se releva et nota ses réflexions sur une feuille de papier.

Son rôle de mère n'était pas arrivé à la fin du parcours…
Au contraire.

Elle sortit de son sac la petite photo de Kateri et la mit en évidence sur sa table de chevet.

— Il ne faut jamais que je l'oublie, elle à qui on a volé son rôle de mère!

DEUXIÈME PARTIE

Chapitre XIII

Rimouski, le 10 mai 1993.

C'était un grand jour à l'Institut des sciences de la mer, une bâtisse récemment construite dont les fondations, vues de la route, semblaient reposer dans l'eau. Quatre biologistes, fébriles, y étaient rassemblés dans un bureau équipé du matériel de son le plus sophistiqué. Au centre de la console trônait, au-dessus de l'amplificateur, un énorme magnétophone et, sur les murs, des affiches illustraient la danse des mammifères marins du Saint-Laurent.

Guillaume soupesa le trésor qu'il avait dans les mains : une bande sonore sur laquelle, depuis plus de deux mois, on avait patiemment enregistré le chant des baleines... Chloé approcha trois chaises et adressa un clin d'œil complice au jeune homme avant de fermer la fenêtre. Pour écouter ce trésor, on avait besoin de silence, un silence presque religieux, car si on n'y prenait garde, le grand vent qui déferlait aujourd'hui le long de la côte viendrait gâter l'audition. Depuis des jours, tous attendaient ce moment magique, aussi fallait-il empêcher le nordet, impertinent voyageur des grands espaces, de pénétrer entre les châssis doubles. La jeune femme s'assura que pas un filet d'air ne pourrait s'infiltrer pour siffler dans leur dos, puis elle laissa son regard embrasser le paysage. Du côté de Matane, on apercevait au large, à perte de vue, des milliers de moutons blancs agitant la surface du fleuve, et au centre de la voie maritime, impassible dans la tourmente, la silhouette noire d'un énorme cargo qui glissait sur les flots. Chloé décrocha la longue-vue et la braqua dans la direction du bateau, puis vers la pointe rocheuse où se brisait l'écume en furie. Même s'il lui était devenu coutumier, le spectacle était extraordinaire pour elle qui, venant d'ailleurs, ne l'avait pas toujours connu. Malgré la douceur de l'air, elle eut un frisson et resserra les pans de son chandail sur ses épaules.

— Aïe, c'est pas un jeu d'enfant, naviguer ce matin ! s'exclama-t-elle.

Les trois autres hochèrent la tête. Son accent de la France, tout comme ses expressions colorées, les amusait.

— Le travail en mer, c'est pas du tout cuit ! dit Pierre en imitant ses intonations.

Chloé acquiesça en riant. Elle n'avait pas la vocation d'un matelot, mais, avec ses compétences en biologie et en biotechnologie, elle pouvait en remontrer à bien des gars du terroir. La « petite Française de l'Institut », comme tous se plaisaient à l'appeler, revint sagement à sa place et s'assit face à Guillaume, qui lui adressa un sourire. Il lisait dans les yeux de la jeune femme, en plus de tout ce qui les liait, la passion du travail et la joie de la découverte. Autant de choses qui avaient un goût délicieux. Et puis, elle était jolie… Alors, lentement, comme s'il allait accomplir un geste déterminant pour l'avenir de l'humanité, Guillaume jeta un regard entendu à ses collègues, Pierre, Simon et Chloé, qui firent silence. Il se leva, tourna le bouton du volume jusqu'au maximum et inséra la cassette dans le lecteur. Tous les quatre tendirent l'oreille. Quand les premières notes fusèrent, les visages, jusque-là figés par une expression grave, s'animèrent. L'émotion était intense. La musique qui se répandit dans la pièce n'avait rien de séduisant. Ce n'était pas une mélodie populaire composée d'accords familiers et les amateurs de disco auraient été déroutés par de telles séquences... Sans la transformation qu'on lui avait fait subir grâce aux tout nouveaux ordinateurs, elle aurait été inaudible pour les oreilles humaines. Avec cette technologie des temps futurs, il était possible d'échanger, d'un institut à l'autre, entre chercheurs qui avaient le même objectif, les résultats des expériences, de mettre bout à bout les déductions, de les comparer. Depuis des mois, dans les quelques laboratoires spécialisés de la planète, avec patience, on déchiffrait ce langage récemment découvert, on le répertoriait, on tentait de l'interpréter d'une façon méthodique et de le classifier mais hélas sans avoir obtenu les résultats escomptés ou, du moins, sans avoir trouvé le fil conducteur qui permettrait de traduire les conversations des baleines, de connaître leur histoire mystérieuse.

Guillaume ferma les yeux pour mieux se concentrer. Dans sa tête rompue à toutes les formes de musique, au fur et à mesure qu'il se laissait pénétrer par ce que le commun des mortels aurait qualifié de bruit, il voyait bouger et s'exprimer les cétacés, il imaginait leur façon de dialoguer et les us et coutumes qui présidaient à leurs nombreux déplacements. Il se laissait emporter dans leur sillage...

Plusieurs longs cris aigus puissants, d'autres en écho, plus brefs et plus doux, se répondaient, s'entremêlaient, composant un dialecte qu'il voulait comprendre! On aurait dit des plaintes, des appels lancés par les géants des mers à leurs congénères. Étrange symphonie d'un monde inexploré, fait de sensations acoustiques dont nous, les individus de la surface terrienne, n'avions pas jusqu'à tout récemment la moindre idée, les cris se répondaient. Portés par la masse vibrante des eaux, ils se répandaient par les ondes au-delà des limites de nos perceptions.

Au bout de plusieurs minutes, Guillaume en était sûr, il tenait enfin un des échantillons dont il avait besoin : le chant nuptial des rorquals, des baleines bleues et des bélugas emplissait la pièce… C'était renversant. Impossible de comprendre à coup sûr ce que disaient ces reines des profondeurs, impossible de traduire leurs vocalises avec certitude, mais une chose était évidente, au travers de ce langage sonore leur arrivaient des informations et des points de repère qui prouvaient que les baleines de toutes les espèces entretenaient entre elles de véritables conversations. Celles-ci se parlaient parfois d'un groupe à un autre à des distances considérables. On pouvait déjà penser que les signaux parvenaient à leurs destinataires quelque part, à plusieurs milliers de kilomètres. Les êtres humains, emprisonnés dans leurs sens très limités, n'avaient pas encore une idée exacte de la portée de ces chants. La bande magnétique tournait toujours, émettant les fréquences des sonars, décodées et amplifiées par les appareils performants dont on disposait, et Guillaume, fébrile, griffonnait des notes et prenait des repères.

À un passage particulièrement expressif, Chloé et Pierre réagirent avec enthousiasme. Guillaume sourit en silence et Simon s'agita. Ce fut plus fort que lui, il sortit son paquet de cigarettes pour en griller une. Malgré leurs connaissances en la matière, chacun d'entre eux se laissait surprendre par une fréquence encore inédite. Ce qu'ils entendaient là ouvrait une porte inexplorée, permettait d'élaborer une nouvelle interprétation, de formuler une hypothèse qu'on n'avait jamais osé avancer… C'était un pas gagné sur l'ignorance. Guillaume, triomphant, stoppa l'appareil pour faire son commentaire.

— En tout cas, les repères auditifs créent une véritable vision acoustique. Voici encore vingt ans, qui aurait pensé à ça?

Chloé et les deux autres manifestaient leur enthousiasme.

— Une chose est sûre, chaque baleine reconnaît les individus de sa race et les interpelle…

— L'esprit de famille est fort, chez les baleines, il pourrait faire des envieux parmi les humains, dit Simon.

— Gageons que les informations qui circulent sous les eaux sont d'ordre pratique…, commenta Chloé.

— On serait peut-être étonnés si on comprenait ce qu'elles se disent! ajouta Pierre.

— Y aurait là des considérations d'ordre sentimental que ça ne m'étonnerait pas, renchérit Guillaume.

— Les baleines, c'est comme les femmes, fit encore Simon, c'est romantique en diable, ces créatures-là!

Il y eut un éclat de rire général. Guillaume remit l'appareil en marche. Les quatre biologistes prirent des notes et décidèrent d'attendre la fin de l'audition avant de faire des commentaires plus documentés. Quand la bande cessa de tourner, Guillaume alluma le projecteur. L'écran fixé au mur s'illumina d'un coup, puis s'anima. De nouvelles scènes prises sur le vif autour d'une colonie de bélugas avaient été envoyées la veille par le Centre d'interprétation de Tadoussac.

— On recommence, je veux revoir les images d'hier, lança Guillaume. Il me semble que le long cri du rorqual est quasiment semblable à celui que lançaient les bélugas de l'autre groupe...

— Exact, fit Simon. Tiens, regarde !

— C'est étrange, j'ai eu la même impression, précisa Chloé...

Guillaume arrêta le projecteur et remit la cassette.

— Ce qui est évident, c'est que ces animaux voyagent et se déplacent en groupes familiaux indissociables, identifiables et reconnaissables... On peut maintenant le prouver, écoute...

— Justement, là !

La mélopée se répétait.

— Les familles ne se quittent jamais de leur vivant..., précisa Pierre. Elles se reconnaissent tout au long de leurs migrations, on n'a pas fini de le prouver...

— Ce qu'il faut démontrer, ce sont les habitudes des couples après la naissance de leurs bébés...

— On ne sait pas encore si le mâle laisse les petits à la mère ou s'il fait équipe pour relayer la femelle...

— On travaille là-dessus toute la semaine prochaine !

— Okay...

Ils étaient unanimes. On allait de surprise en surprise, on avançait dans la compréhension du monde des mammifères marins et on découvrait une civilisation ordonnée, structurée et même raffinée à certains égards. L'équipe de biologistes dirigée par Guillaume avait lieu d'être fière.

Depuis les premiers temps de son séjour chez les sœurs Lespérance, amoureux du Bas-Saint-Laurent et de

Chloé par surcroît, le jeune homme avait repris ses études et complété une maîtrise en biologie. Après les tribulations dans lesquelles il s'était égaré pendant un temps, il avait compris, voilà quelques années déjà, qu'il devait réserver ses talents de musicien pour les loisirs et en faire bénéficier l'entourage comme il avait depuis longtemps entrepris de le faire. De plus, la maturité venant avec l'âge, il était plus raisonnable… Désormais, il acceptait d'écouter les conseils de Mike, au grand soulagement de sa mère, et quand il se fut inscrit à l'Université de Rimouski, stimulé par Chloé qui suivait le même chemin que lui, Myriam sauta de joie. À partir de ce jour, Guillaume se mit à étudier sérieusement. La paix se concrétisa à plusieurs égards : tout d'abord avec Laurent, qui, ayant constaté le peu d'intérêt de son fils pour le droit, n'insista plus pour lui imposer les études auxquelles il tenait tant jadis. En second lieu, la sérénité revint dans son cœur au milieu de tous ceux qui l'aimaient et rendit les communications plus aisées. La personnalité de Guillaume reprit forme en même temps qu'il retrouvait confiance en lui. À cette époque, Gaby n'y fut pas étranger. Ce fut lui qui scella le nouveau pacte d'amitié entre Guillaume et Mike. Les deux hommes devinrent de vrais amis, pour la joie de Myriam qui rêvait de cette bonne entente depuis longtemps.

Quant à Chloé, étant venue du « vieux pays » avec Chantal, sa mère associée de Fleurette, la jeune fille avait vécu un grand bouleversement. Entre le changement de continent, la perte de ses amis d'enfance et celle de son père qui les avait abandonnées, elle était passée par des moments difficiles qui avaient perturbé son enfance. Elle était en général d'un caractère agréable, aimait la nature et les animaux, mais se refermait parfois sur elle-même quand un événement venait toucher ses cordes sensibles. Alors, personne ne pouvait sonder ce qui lui tournait dans la tête. Très vite après son arrivée, Chloé avait fixé son choix sur Guillaume, à qui elle vouait une grande admiration. Il avait su la faire rire à plusieurs reprises et l'enchanter lorsque, avec Mini-Paul, il faisait danser le village au complet… Tout de suite, elle avait voulu l'avoir comme amoureux et lui s'était laissé faire, pour son grand bonheur.

Depuis bientôt deux ans, les jeunes gens avaient scellé leur attirance et quitté Saint-Fabien. Ayant décidé de faire vie commune, ils habitaient un petit appartement, à la périphérie de Rimouski, et revenaient passer les fins de semaine chez Fleurette et Chantal, ou chez Mike et Myriam, selon les circonstances. On retrouvait les soirées musicales, les amis, et on s'en donnait à cœur joie. Les familles respectives étaient d'autant plus ravies que leur complicité sans cesse stimulée par les recherches, qui les passionnaient, faisait plaisir à voir. Ces deux-là s'étaient ainsi découvert une vocation peu ordinaire, inspirée par l'environnement régional. Qui aurait pu penser, quelques années plus tôt, lorsque les errances de Guillaume faisaient craindre qu'il ne retrouve jamais son équilibre, qu'un dénouement aussi serein l'attendait?

À l'UQAR, étant donné sa passion pour le monde marin, les professeurs avaient vite dirigé Guillaume vers l'Institut des sciences de la mer. Depuis maintenant deux ans, Guillaume, qui avait accepté d'assumer des responsabilités scientifiques, poursuivait l'objectif de traduire les conversations des cétacés du fleuve, et c'était là le sujet de la thèse qu'il soutiendrait bientôt. Pour réussir les prises de vue et synchroniser les sons correspondants, avec la petite équipe de biologistes et de biotechnologistes acharnés qui l'entouraient, depuis des mois, ils plongeaient en eau froide, à l'embouchure du Saguenay. L'endroit était fabuleux, car toutes les espèces migraient à l'entrée du fjord, dont la profondeur était vertigineuse, juste avant qu'il se jette dans le fleuve Saint-Laurent. Plus qu'ailleurs, il était facile de suivre les animaux dans leurs déplacements et de répertorier les résultats des découvertes. Avec le bateau léger et rapide que l'Institut avait mis à leur disposition, ils avaient tôt fait de traverser le Saint-Laurent pour se rendre sur la rive nord. Performance technique autant que véritable exploit, relever de nouveaux défis était le choix de ces fous de la mer.

Le film arrivé à sa fin, Guillaume consulta le calendrier. Le mois de mai était bien entamé. Ce serait bientôt l'été et les touristes afflueraient dans tous les villages côtiers. Les musées marins de Tadoussac et des environs, riches en documents inédits relatant l'histoire des fonds aquatiques particuliers à cette région du Québec, accueilleraient la foule des vacanciers. Excellent moment pour éduquer le public! Les baleines, jadis chassées et mises à mort, traquées pour leur graisse et pour leur chair, deviendraient les stars des régions maritimes… Mais tout n'était pas rose: on avait aussi pour mission d'enrayer une nouvelle menace qui planait sur leur existence. Il était urgent de mettre sur pied des moyens concrets qui retarderaient la disparition prochaine du peuple des mers froides. La pollution chimique, de plus en plus dense, dégradait la qualité des eaux, intoxiquait les cétacés, grands et petits, surtout les bélugas dont il restait peu de spécimens. Il fallait protéger leur reproduction et, pour cela, faire adopter des mesures drastiques, interdire les déversements de produits contaminants dans les eaux. Il incombait aux jeunes chercheurs d'informer les touristes, de sensibiliser l'opinion publique par tous les moyens, pour éviter une catastrophe dont, à vrai dire, personne ne se souciait et sauvegarder les espèces en voie de disparition.

Guillaume s'approcha du haut-parleur jusqu'à y coller son oreille. Il voulait capter et graver dans sa mémoire le moindre détail sonore. Encore bien plus que les images, ce qui le fascinait, étant donné son penchant pour la musique, c'étaient les bruits produits par les mammifères, ceux qu'on avait fixés grâce aux nouveaux équipements. Il replaça la cassette dans le système afin de l'écouter de nouveau plusieurs fois après avoir revu le film. Chloé le regardait faire, songeuse. Même si elle prenait des notes, elle ne le lâchait pas des yeux et Guillaume ne se gênait pas pour lui rendre ses œillades. Leur manège ne passait pas inaperçu à Simon et Pierre, qui se poussaient du coude.

— Tu disais que le chant des bélugas de la semaine dernière est un chant d'amour? fit Pierre.

— Y a pas que les bélugas! ajouta Simon.

Leurs collègues s'amusaient chaque jour de les voir ainsi et, comme leur travail n'en souffrait nullement, on plaisantait gentiment sur leur relation.

Quand ils sortirent de l'Institut, le soleil se couchait sur la surface mordorée des eaux. Chloé et Guillaume, main dans la main, flottaient sur un petit nuage. Pour eux, tout se concrétisait selon leurs rêves les plus chers. Ils s'investissaient dans ce travail passionnant qui les rapprochait et les remplissait de joie. Ils n'avaient guère le temps d'envisager autre chose que ce bonheur quotidien qui s'écoulait sans heurt.

En courant, ils longèrent la jetée jusqu'au stationnement. Là-bas, à l'extrémité, un couple de hérons surveillait avec patience ce qui viendrait innocemment lui servir de repas, et quelques mouettes plongeaient au pied des brise-lames sagement alignés. Le vent avait ralenti son allure, mais il soufflait encore sur la digue malgré l'heure tardive et gonflait leurs vêtements, faisait voler leurs cheveux. L'air avait ce parfum indéfinissable qui monte à la surface des mers : il sentait à la fois l'iode, les embruns et l'odeur des longues algues qui se balançaient doucement sous la surface des flots. Il faisait très beau. Le traversier était arrivé à quai et était prêt à repartir pour Saint-Siméon. Vue de la jetée, l'énorme construction paraissait modeste et, encore plus minuscule à ses côtés, des passagers chargés de valises s'étaient attroupés.

— Est-ce que ça te tente de manger un morceau en ville ? demanda Guillaume en se tournant vers Chloé.

— Oui, j'ai faim…, acquiesça la jeune femme.

En fait, même si elle avait dit non, il se serait chargé de la convaincre. D'un naturel simple, ils aimaient cuisiner ensemble chez eux et allaient rarement au restaurant, mais aujourd'hui il voulait faire exception. Il la serra dans ses bras avant de lui ouvrir la porte de la voiture, puis ils filèrent le long la Promenade de la mer, vers la rue de la Cathédrale. Là, il y avait deux ou trois endroits sympathiques où ils pourraient souper en tête-à-tête. En réalité, sans rien lui dire, il avait déjà réservé une table. Il souhaitait lui faire une surprise et fêter son anniversaire avant l'heure. La serveuse les installa un peu à l'écart et adressa à Guillaume un sourire complice en allumant un lampion coloré au centre de la table. Chloé se pencha vers son amoureux :

— Tu ne crois pas que ça va nous coûter une fortune ici ?

— T'occupe pas de ça, ma bibiche…

Quand il lui donnait ce petit nom bien français, elle ne pouvait s'empêcher de rire aux éclats, ce qui lui procurait un grand plaisir. Il commanda une bonne bouteille de vin, et Chloé ouvrit de grands yeux, mais finalement, elle décida de le laisser faire. Pourquoi pas ? Elle chassa les considérations d'ordre matériel, commençant à se douter un peu de ce qu'il mijotait… Leur conversation s'animait, tout emplie du chant des baleines et de leur passion pour elles. Après avoir englouti deux assiettes bien garnies d'un faux-filet accompagné de côtes levées, il lui lança de but en blanc :

— Bibiche, es-tu heureuse ?

— Bien sûr !

Ce fut spontané. Il n'y avait même pas à poser la question.

— Pourquoi me demandes-tu ça ?

Guillaume sortit de sa poche un minuscule paquet enrubanné. Elle rougit de plaisir, devinant que cela ne pouvait être qu'un bijou.

— C'est bientôt ton anniversaire, et puis…

— Et puis ?

— Et puis, on célèbre, ce soir…

Il la voyait s'émouvoir derrière la flamme de la chandelle, elle prenait son temps pour détacher délicatement les rubans et les plis du papier. Alors, il n'y alla pas par quatre chemins :

— J'aimerais qu'on se marie bibiche, qu'en penses-tu ?

Chloé arrêta de déballer la jolie boîte et le regarda droit dans les yeux, avec une seconde d'hésitation.

— On n'est pas obligés, on s'aime et, mariage ou pas, ça ne changera rien, non ?

La réponse inattendue le figeait.

— Bah, ouvre…, fit-il, un peu désarçonné.

— Oh, qu'elle est belle !

Enthousiasmée, elle brandit l'anneau et se leva pour lui donner un baiser par-dessus la table. La serveuse, discrète, les regardait derrière le comptoir en imaginant le dialogue. Guillaume avait choisi une ravissante bague ornée de rubis. Elle la passa à son doigt et admira sa main, émue.

— Ma pierre préférée… Mais, c'est une folie… Oh !

Elle se confondait en remerciements et admirait l'objet avec des yeux immenses.

— T'occupe pas, bibiche, et dis-moi que tu ne refuses pas mon offre !

Chloé eut un bel éclat de rire.

— C'est à prendre ou à laisser, tu me fais des menaces maintenant ?

— En quelque sorte !

Il prenait son refus sur le ton de la plaisanterie. Il voulait qu'elle accepte et ne la quittait pas des yeux. Elle avait encore quelques réticences :

— Je comprends, mais pourquoi veux-tu qu'on se marie quand on est bien comme ça ?

— Je croirais entendre ma petite mère, Chloé… Mais c'est justement parce qu'on est bien ensemble que j'ai envie d'officialiser notre union. Je ne vois pas pourquoi tu hésites… On se connaît bien, non ?

— Évidemment, mais…

Elle admirait encore la bague, se perdait dans l'éclat des pierres.

— Mais quoi d'autre ? Si tu ne l'aimes pas, on peut aller choisir un autre modèle…

— Pas du tout ! C'est pas la question… Je suis fascinée…

Elle se pencha un peu, les mains à plat sur la table, comme pour lui faire une confidence.

— Si j'hésite à m'engager, ce n'est pas que je doute de toi, mais de moi…

— J'ai du mal à te suivre…

— Tu sais, mes parents ont vécu l'enfer pendant plusieurs années… Je ne tiens pas à suivre leur exemple !

— Ils ne s'entendaient pas ?

— Pire que ça, il y avait entre eux beaucoup de violence…

— Ton père ?

— Oui, et puis ma mère ne supportait pas…

— Évidemment…

En fait, Chloé n'avait jamais donné à Guillaume beaucoup de détails sur leur passé outre-mer. Quand on est follement amoureux, est-il besoin de raconter le passé ? La vie renaît le jour d'une rencontre comme la leur… Il réalisait tout à coup qu'il connaissait bien peu son histoire, alors qu'elle savait tout de ses tribulations et de sa situation familiale.

— Raconte…

Et Chloé, qui gardait résolument la bague à son doigt, fit à son amoureux un long récit de ces années pénibles à traverser pour la petite fille qu'elle était. Son père et sa mère, tous deux enfants uniques, s'étaient mariés sur un coup de tête. Mal préparés à la vie commune, ils ne supportèrent pas leur désillusion et, comme beaucoup de jeunes couples, furent déstabilisés par la déception. Sa mère, tombée enceinte aussitôt après le mariage, devint coléri-que. Son caractère changea et le père de Chloé se mit à boire. Il s'éloigna d'elle. L'un et l'autre se déchirèrent sans répit pendant des années, jusqu'au jour où le père fit ses bagages pour ne plus revenir. Chantal décida alors de quit-ter la France et vint à Montréal, où elle fit la connaissance de Fleurette. Un projet de restaurant germa vite dans l'es-prit des deux femmes entreprenantes, qui réalisèrent leur projet à Saint-Fabien. Chantal, très habile cordon-bleu, fit la réputation de l'auberge, que Fleurette administrait avec amour. Les affaires devinrent prospères et Chloé retrouva une certaine joie de vivre. Guillaume était attentif.

— Mais notre histoire n'a rien à voir avec celle de tes parents, d'autant plus que les temps ont bien changé!

— C'est exact, le contexte est bien différent…

— Alors, on se marie?

Elle ne pouvait nier qu'elle aimait Guillaume. Sincè-rement.

— Pourquoi tant hésiter si tu m'aimes? lui demanda-t-il encore.

Tout doucement, elle flanchait:

— Oui… Mais pas avant la fin de l'année…, finit-elle par consentir.

Il lui prit la main et la porta à ses lèvres.

— À une condition, ajouta-t-elle.

— Maintenant, ça fait deux, madame! Quelle est cette deuxième condition?

— On n'aura jamais d'enfants…

Guillaume, estomaqué par les désirs de sa compagne, se fit un peu prier avant d'accepter cette condition. Pas d'enfants, ce n'était pas dans ses plans. Cela le contrariait, car il aurait aimé en avoir un ou deux.

– Guillaume, je ne veux pas d'enfants… Je suis sérieuse, tu sais…

– Mais bibiche…

Il ne trouvait pas d'arguments. Comme Chloé tenait bon, Guillaume finit par dire oui en imaginant que l'avenir se chargerait de lui faire entendre raison. La semaine suivante, ils annoncèrent la bonne nouvelle à leur entourage et à la famille. Ils se marieraient avant le jour de l'An…

*

Saint-Fabien.

En émettant un bruit étouffé, le télécopieur cracha quelques pages de formulaires envoyés par le ministère de l'Éducation. Myriam prit les feuilles et les rangea dans le classeur avant de jeter un rapide coup d'œil à la pendule. Il était presque quatre heures. Mike ne tarderait pas à revenir. Impossible de contourner les impératifs de toutes les paperasses à remplir, qui se multipliaient d'année en année et faisaient perdre un temps précieux. Elle éteignit l'ordinateur et alla s'appuyer quelques instants devant la fenêtre. Hormis le fait qu'il faille sans cesse trouver de nouvelles sources de revenus, les activités du centre étaient de belles réussites. Les réalisations pour lesquelles ils avaient travaillé pendant des mois avaient donné des résultats spectaculaires : elle et Mike avaient toutes les raisons d'être fiers.

Depuis deux ans, on avait agrandi la maison des demoiselles Lespérance, baptisée Le Havre, et ajouté une aile du côté sud, pour satisfaire aux besoins des pensionnaires devenus plus nombreux. Dès 1986, soit au début de l'aventure, six jeunes y avaient été accueillis. On en comptait maintenant une trentaine qui y séjournaient à plein temps, envoyés quelquefois par leurs proches, d'autres fois par des travailleurs sociaux ou par la DPJ. Ici, adolescents meurtris ou jeunes adultes reprenaient goût à la vie et apprenaient à utiliser leurs ressources grâce à la patience et à la persévérance de l'entourage. Continuer à faire prospérer cette œuvre humanitaire stimulait l'énergie et la volonté de Myriam, surtout lorsqu'elle constatait que, devenu indépendant, chacun des jeunes qui avaient séjourné là menait une vie saine après avoir recouvré la confiance en lui-même. Mike et elle n'avaient jamais regretté d'avoir quitté Montréal et, bien qu'une fois la décision devenue irréversible quelques hésitations l'aient titillée face à l'inconnu, leur vie avait pris en ces lieux la tournure dont ils avaient rêvé. Souvent, Mike se rendait dans le Nord et sillonnait les réserves innues, en quête de jeunes à repêcher… Et Gaby l'aidait. Les jeunes pensionnaires, eux aussi, vivaient de grands changements à Saint-Fabien, car, dans les semaines suivant leur arrivée, les troubles de comportement s'estompaient et des résultats encourageants devenaient tangibles. N'avait-on pas déjà remis sur les rails une bonne vingtaine de jeunes filles un peu perdues que la prostitution guettait et autant de garçons qui consommaient des stupéfiants et avaient abandonné leurs études…

Myriam laissa son regard se perdre au-delà du Bic. Une échappée encastrée entre les flancs des collines permettait de voir le fleuve, sorte de triangle pâle qui s'élargissait à perte de vue et se confondait avec la ligne floue de l'horizon. Splendeur paisible. Le beau temps était revenu avec les vols d'oies qui, en migration vers le nord, avaient glané les sucs nourrissants des premières herbes vertes. Le fait de contempler chaque jour la masse changeante des eaux, de se laisser imprégner par ses mouvances, était une source d'inspiration et d'équilibre. Tout n'était que beauté. Quelquefois, comme aujourd'hui, c'était un miroir lisse et scintillant au-dessus duquel les oiseaux planaient, d'autres jours, c'étaient des remous sans fin bordés d'écume, qui faisaient danser les bateaux et s'écrasaient sur les rochers de la côte, quelquefois encore, une brume opaque enveloppait le paysage familier, qui disparaissait derrière un rideau de mystère. Et puis, il y avait le ciel. L'étendue de la voûte céleste s'offrait aux regards sans restriction et donnait la mesure de la condition humaine… En admirant les millions d'étoiles piquetées sur un fond de velours sombre, comment ne pas se sentir humble? Les mois et les années passant, Myriam avait acquis, au rythme de la nature, une assurance tranquille qu'il lui eût été impossible de préserver dans l'agitation grandissante des villes. Sans le moindre artifice, elle rayonnait et éprouvait un sentiment d'appartenance à cet ensemble parfaitement orchestré. Le printemps était déjà bien avancé. Désormais, à chaque changement de saison, quelques jours de température douce étaient gagnés sur la longueur de l'hiver, ce qui faisait dire aux vieux du village:

— Tout est changé, on n'sait plus s'y retrouver.

Finis les murs de neige d'autrefois, ceux qu'on pelletait par-dessus le deuxième étage jusqu'au sommet des toits, où les petits allaient glisser plusieurs semaines avant Noël. Ils étaient inscrits dans la légende d'antan. Myriam sourit en pensant à tout ce qu'elle avait inventé comme pirouettes lorsque son grand-père la promenait dans la campagne enneigée… C'était à la fois si loin et si présent dans sa mémoire. Certains jours, lorsqu'elle était dans un de ces moments de contemplation, les souvenirs refluaient dans son esprit de façon inattendue, sans obéir à la logique qui sous-tend les comportements. Quelquefois, c'étaient les jeunes années des enfants qui venaient la hanter : elle n'avait pas savouré à satiété le temps de l'innocence et il avait filé, sans bruit, pour une destination inconnue... Tous, Guillaume, Laurence, Lydia et Dany, avaient maintenant quitté le berceau familial. Myriam en était à la fois heureuse, car chacun suivait la voie qu'il avait choisie, et mélancolique à cause de cet éclatement qui survient dans toute vie humaine, surtout dans ces années où les grands déplacements étaient devenus, grâce à l'expansion du transport aérien, monnaie courante. Elle ouvrit la fenêtre à deux battants pour prendre quelques bonnes respirations et regarder, de loin, ses protégés. L'air était vraiment trop tiède. Désormais, le climat suivait les caprices d'un insidieux réchauffement et même au milieu de l'hiver, le tapis qui blanchissait les champs restait mince et poudreux : une piètre couverture de surface. On commençait à mesurer les effets de la pollution, sans toutefois s'en alarmer, et l'on dénonçait depuis peu de nombreux trous dans la couche d'ozone. Récemment, le 22 mars, on avait célébré la première Journée mondiale de l'eau. Qui, dans la région, se sentait concerné ? Peu de gens. Bien des pays sur le globe, hormis le Canada, souffraient de sécheresse. Ici, une des richesses naturelles étant les innombrables lacs et les rivières gigantesques qui quadrillaient le territoire, on était en sécurité, l'eau ne manquerait jamais... Le fleuve Saint-Laurent à lui seul constituait un réservoir immense, impossible à tarir. Véritable monstre aquatique, il exerçait une fascination sur les habitants des régions côtières en plus de constituer leur gagne-pain grâce à la grande diversité de sa faune. Chaque Québécois savait à quel point son pays avait été façonné, depuis l'arrivée des premiers colons, par les cours d'eau aux proportions inconnues en Europe. Plus on remontait vers le nord, plus il y avait de rivières à fort débit. Les Amérindiens, même s'ils n'avaient depuis toujours que de frêles canots d'écorce, avaient su les utiliser pour pêcher et pour se déplacer.

Des voix tirèrent Myriam de sa rêverie. Dehors, une poignée d'adolescents, garçons et filles, allaient et venaient autour de la dernière réalisation du Havre : une serre fraîchement construite. Leurs silhouettes, gauches, vues de la fenêtre, paraissaient anachroniques au milieu de l'environnement naturel. Ils papotaient et plaisantaient dans un langage empreint de joual, tout en s'affairant à transporter des sacs de terre et des caissettes de fleurs. Autour d'eux, le fidèle ami de Mini-Paul, le chien Loup-Blanc, frétillait et quêtait des caresses. D'autres jeunes, armés de sécateurs, de pelles et de bêches, taillaient, plantaient, bouturaient ou dédoublaient de jeunes pousses sous la direction de Mini-Paul et d'un nouvel éducateur : Jason, le fils de Gaby, qui avait depuis peu rejoint les rangs des passionnés. Les deux jeunes gens, restés fidèles à eux-mêmes, avaient acquis une place importante dans la petite communauté. Mini-Paul, au gré des années, était devenu le meilleur pédagogue qu'on puisse imaginer. Son côté sauvage s'était envolé pour laisser place à l'espièglerie. Après avoir suivi des cours d'horticulture, il enseignait aussi la musique, sa vocation première, et avait constitué un *band* local qui faisait fureur chez Fleurette les samedis soir. Quant à Jason, après avoir fait des études de psychologie à l'Université Laval, il dirigeait les apprentis avec beaucoup de maîtrise et veillait à ce qu'il n'y ait jamais de tension dans les rapports entre les pensionnaires. Il était vite devenu indispensable.

Aux oreilles de Myriam parvenaient les exclamations colorées de la fine équipe :

— Donne-moi un coup d'main, regard' ben, mets de l'engrais icitte, là, dans l'trou…

Le premier, avec sa casquette mise sens devant derrière et ses pantalons trop larges, déployait toute l'énergie possible, tandis que le deuxième, accroché au manche d'un râteau qui semblait le tirer de force, cherchait le mode d'emploi de son instrument :

— Comment tu veux que j'fasse, *man* ?

— Débrouille, t'es pas manchot !

L'autre, qui venait de lâcher son instrument, s'empêtrait dans l'arrosoir.

— Passe-moi ta pelle…

Il était pris au dépourvu.

— Pas comme ça,

— Ben comment tu veux ?

— Là, de même, niaiseux…

Les moqueries fusaient autour du maladroit et Myriam, qui observait discrètement, sans être vue, pouffa de rire. Dans quelques semaines, l'incompétence se transformerait en efficacité grâce à la persévérance de l'encadrement… Une équipe de quatre jeunes, au fond du terrain, sarclait la terre afin de la préparer à recevoir les rangées de fraisiers qu'on avait amoureusement bouturés la saison précédente. C'était une innovation téméraire, proposée par Myriam, les fraises n'ayant jamais été – à cause de la rudesse du climat –, cultivées dans la région. Deux ou trois garçons, nouvellement arrivés, se faisaient tirer l'oreille et essayaient de gagner quelques minutes de repos en s'écartant pour griller une cigarette. Jason les rappela à l'ordre, fermement. Apprendre les rudiments de la discipline s'avérait pour eux aussi étrange que de débarquer sans transition sur un lointain astéroïde… Les filles, consciencieuses, plus enclines à faire des efforts et plus minutieuses que la plupart des garçons, se concentraient sur les tâches qu'on leur avait assignées. À cette heure-ci, les travaux de plein air tiraient à leur fin et le professeur de français, en bas dans la salle de classe, attendait ses élèves pour terminer la journée par un texte qui susciterait une réflexion personnelle.

Le lendemain serait un jour de fête. Myriam repassa dans sa tête l'horaire chargé. Guillaume et Chloé, ces inséparables biologistes marins, feraient profiter les stagiaires de leurs connaissances. Ils escorteraient les pensionnaires pour une longue journée d'excursion. On irait en canot repérer quelques baleines à l'embouchure du Saguenay et Guillaume donnerait un cours sur les coutumes de ces énormes mammifères des fonds marins, captivants et méconnus. Tous en étaient excités à l'avance. Plus loin, vers l'île aux Coudres, on irait aussi visionner un documentaire sur les bélugas dont on craignait la disparition prochaine. Les baleines blanches, plus fragiles que les baleines bleues, non seulement avaient été massacrées sans pitié par les insulaires, mais la pollution avait un effet nuisible sur leur santé et les rendait stériles… Avec Guillaume et Chloé comme guides et grâce à leurs commentaires, les expéditions de ce genre se transformaient inévitablement en randonnées inoubliables. C'était un véritable apprentissage de vie. Depuis l'époque de sa fugue, qui avait suscité tant d'inquiétudes à son sujet, le fils de Myriam avait accompli un magnifique parcours. Ici, il avait trouvé sa voie et s'était donné entièrement à ce nouvel environnement et à son amour pour sa compagne avec qui il partageait ses passions. Myriam sourit en songeant à eux. Les deux jeunes gens étaient vite devenus inséparables, comme les doigts de la main, et bientôt, ils l'avaient annoncé, ils se marieraient...

Myriam entendit le ronflement du moteur et descendit les escaliers. Mike était de retour. Le matin même, à l'aube, il était parti pour Québec chercher des accessoires indispensables pour l'ordinateur et pour l'imprimante. En même temps, il devait rapporter des nouvelles de Lydia. La jeune femme, établie depuis deux ans comme décoratrice étalagiste, réussissait fort bien dans ses affaires. On se l'arrachait dans la vieille capitale où les magasins étaient prospères grâce au développement du tourisme. Elle avait su se tailler une belle clientèle et ne manquait pas une occasion de s'adonner à la peinture et à l'aquarelle lorsqu'elle prenait quelques jours de vacances à Saint-Fabien. Et puis, il y aurait sans doute un message de Gaby.

L'oncle Gaby avait quitté Kanesataké après les événements houleux de 1990. Il n'avait pas supporté que ses compatriotes se comportent comme des bandits, bloquent les routes et fassent intervenir les *warriors*, mitraillettes au poing, dans un face à face dramatique avec les forces de l'ordre, tout cela pour contester l'agrandissement du terrain de golf qui jouxtait la pinède... Homme de parole, il avait voulu régler les différends sans faire appel à la violence, mais force lui avait été de constater que, dans la communauté autochtone, plusieurs avaient jeté par-dessus bord les valeurs morales défendues par les anciens… Il en était profondément meurtri. Après cela, il avait plié bagage et était parti, avec Ida sa femme et leurs plus jeunes adolescents, vivre à Maliotenam.

Mike claqua derrière lui la porte de l'entrée et Myriam faillit lui tomber dans les bras.

— Comment va Lydia ? fut sa première question.

— Elle est en pleine forme. Sa clientèle augmente au point qu'elle ne prend plus de nouveaux contrats. Elle t'embrasse et te fait dire qu'elle viendra bientôt nous voir… Je crois qu'elle a rencontré quelqu'un…

— Elle t'en a parlé ?

— Non, mais, malgré sa discrétion, j'ai cru comprendre cela au travers des bavardages.

Myriam fronça les sourcils. Le propos de Mike suscitait l'étonnement, car Lydia était devenue très secrète en ce qui concernait ses amours. Enfin, Lydia parvenait-elle à oublier Dany ? Ce serait un grand soulagement de la savoir heureuse, car, pendant toutes ces années, on la sentait encore blessée de ce qui s'était passé quand elle avait tout juste seize ans. Elle évitait soigneusement de donner des informations quant à ce qui touchait à sa vie privée. Dany, de son côté, finissait ses études de médecine. Il habitait toujours Philadelphie et, très actif dans les équipes sportives, ne donnait pas souvent signe de vie. Fait étrange, il obtiendrait dans quelques mois son diplôme de médecine dans la spécialité qu'il avait choisie : l'obstétrique. Myriam revoyait encore combien il avait été bouleversé de savoir ce que Lydia avait souffert en grande partie à cause de lui ; mais, discret, il était reparti à l'université qui l'avait accueilli et on n'avait jamais su ce qu'ils avaient décidé après en avoir parlé tous les deux.

Avait-il choisi de pratiquer dans le domaine délicat de l'obstétrique à cause des regrets qui l'avaient hanté? Huit années plus tard, les choses semblaient oubliées, mais la douleur se lisait encore dans leurs comportements, dans la façon dont ils évitaient de se rencontrer l'un et l'autre. On ne leur connaissait pas de partenaire amoureux. Les deux menaient leur vie d'adulte en solitaire, ou du moins le laissaient entendre.

Mike déposa sa sacoche de cuir et tendit quelques enveloppes à Myriam:

— Tiens, je t'apporte du courrier…, dit-il encore, en lui déposant un baiser dans le cou.

— Une lettre de Pierrette! s'exclama Myriam, ravie. Et une de Laurence!

Elle ouvrit vivement la première enveloppe et la parcourut rapidement avec quelque inquiétude:

— Pierrette est malade…

— Malade?

— Oui, d'après ce qu'elle dit, elle a de plus en plus de douleurs arthritiques et elle s'ennuie à Montréal. Sa vue baisse: on l'a opérée pour un glaucome. Elle vieillit, tu sais…

— C'était à prévoir, et maintenant que nous sommes tous loin, pas facile de s'occuper d'elle…

— Le glaucome m'inquiète, c'est la première étape vers la cécité…

— Comment pourra-t-elle faire si elle perdait la vue?

— Son fils qui vit à La Malbaie pense à la prendre avec eux, mais elle ne s'entend pas avec sa belle-fille… Elle refuse cette solution!

Myriam fit quelques pas comme si elle cherchait l'inspiration avant de conclure:

— Si on la prenait avec nous?
— Bonne idée, mais où la loger?
— On va y penser…
— D'accord!

Myriam était certaine que Pierrette retrouverait la forme si elle ne souffrait plus d'isolement. Chaque fois qu'on en avait l'occasion, les uns et les autres passaient la voir, mais Montréal n'était pas la porte à côté et il n'était pas évident de l'entourer comme on aurait voulu le faire. Myriam se réservait un prochain moment de calme pour en reparler avec Mike. Déjà quelques solutions prenaient forme dans son esprit, car même si les espaces privés devenaient rares au centre, il y avait, au village, Fleurette, et aussi Émilienne et Julienne qui, pour Pierrette, seraient de bonne compagnie.

— Bon, la lettre de Laurence maintenant… Voici qu'elle est à Dubrovnik…

Myriam essayait de ne pas céder à l'inquiétude. Laurence, toujours aussi têtue, était partie en mission depuis un an avec une ONG. Impossible de prévoir ce qui, d'une journée à l'autre, pourrait lui arriver et, par-dessus le marché, elle n'était pas généreuse pour donner de ses nouvelles. Depuis quatre mois, ralliée à une équipe de Médecins sans frontières, elle sillonnait les routes de la Croatie. Comment la savoir en sécurité dans cette région troublée où des conflits ethniques et religieux donnaient lieu à des affrontements entre Serbes et Croates? Les populations voyaient leurs maisons détruites, leur milieu de vie saccagé. Après avoir échappé, avec ses coéquipiers, à plusieurs échauffourées, Laurence s'était réfugiée récemment dans un monastère avec deux autres femmes. Là, à l'abri des violences journalières, elle faisait retraite, vivait en moniale et décrivait les horreurs d'une guerre civile qui prenait de l'ampleur chaque jour.

En soupirant, Myriam tendit la missive à Mike :

— Laurence ne changera jamais !

— Elle est courageuse et, au moins, sa ferveur religieuse ne l'a pas empêchée d'agir dans les situations dramatiques...

— Elle parle des enfants qui subissent la guerre, de tous ces innocents dont la vie s'est arrêtée. C'est terrible...

En bonne mère qu'elle était, à la lecture de ce que relatait sa fille, Myriam cédait à une tristesse soudaine. Depuis le XVIIIe siècle, le Québec avait été épargné des atrocités qui font suite à une guerre, mais elle ne pouvait sans se faire du souci imaginer le sort de Laurence si, loin de tous, le pire lui arrivait. Mike, qui la voyait inquiète, tenta de la rassurer :

— Si elle se sent en danger, elle saura revenir... Laurence a toujours été une femme d'action, et en prime, son côté batailleur est doublé de mysticisme.

— J'ai l'impression qu'on ne la reverra pas avant longtemps... Pourvu qu'il ne lui arrive rien, c'est tout ce que je demande ! Nos jeunes ont la bougeotte...

— On dit qu'il faut voir du pays pour apprendre, on ne parle plus que de mondialisation et les frontières disparaissent... alors chacun se transporte à l'autre bout du monde pour voir si l'herbe y est plus verte...

CHAPITRE XIV

Lydia, en tenue de travail, descendit de son escabeau et se recula pour mieux voir l'ensemble. Ce qu'elle avait disposé dans la vitrine était à son goût, mais avant d'ajouter la petite touche finale, il lui fallait compléter le tout par quelque chose d'exceptionnel. Déjà, dans le Vieux-Québec, les touristes arpentaient les rues, emplissaient les hôtels, ratissaient la ville à la recherche des souvenirs les plus typiques que la province pouvait leur offrir.

Elle déplaça une ou deux des figurines inuites sculptées dans la pierre à savon, et pour trouver ce qu'elle cherchait, elle alla fouiller dans les dernières collections arrivées du village huron. Suspendues sur des cintres, il y avait des vestes et des robes traditionnelles faites de peaux souples comme du velours dont les tons variaient, pâles ou chauds, et évoquaient la nature. Elle les toucha une par une, en admirant le travail particulier des femmes, et, finalement, arrêta son choix sur une robe, d'une teinte délicate, presque blanche. C'était une de ces magnifiques robes droites, à l'empiècement frangé, brodée de perles minuscules et dotée de mocassins assortis. « Une vraie robe de mariée », ne put-elle s'empêcher de penser avec une pointe de nostalgie. Elle la retourna dans ses mains et l'examina longuement en laissant ses doigts courir sur les coutures. Cela lui procurait une sensation de plaisir si intense que tout son corps vibrait, comme si la texture du vêtement réveillait d'obscurs souvenirs. Myriam leur avait souvent raconté, à elle et à Laurence, que quand elles étaient petites, leur grand-mère Kateri, qu'elle n'avait jamais connue, était une artisane recherchée en matière de broderies. Ainsi, il y avait encore dans les villages indiens des grands-mères qui pouvaient confectionner de tels chefs-d'œuvre. «Comme j'aimerais voir travailler ces femmes!» se dit-elle.

Lydia, admirative, songeait à ses origines autochtones. Elle était loin l'époque où, avant l'arrivée des Blancs, seuls les Amérindiens peuplaient l'Amérique. Si, voilà quatre cents ans, un petit nombre de colons fraîchement débarqués avaient réussi à survivre sur le nouveau continent, on oubliait trop que c'était grâce à la collaboration pacifique des hommes qui y vivaient... Dans le monde moderne, on ne pensait plus du tout à ces choses, mais certaines nuits, Lydia rêvait qu'elle était une jeune Indienne et qu'elle avançait dans de vastes plaines blanches, derrière un traîneau tiré par des chiens, chaussée de mocassins et couverte de fourrures... Lorsqu'elle se réveillait après ce genre de songe, il y avait en elle une sensation de bonheur immense qui persistait et s'estompait très lentement. Ce genre d'images la hantait et revenait dans ses moments de méditation, et, même si elle n'en saisissait pas tout à fait le sens, elle aimait évoquer l'idée de son appartenance au peuple indien.

Chaque année, lorsque la première neige tombait, elle éprouvait une excitation incompréhensible pour ceux qui détestaient la saison froide. Fascinée, elle voulait courir après les flocons, se rouler dans le délicat manteau, goûter à sa saveur comme s'il faisait partie d'un univers qui lui avait échappé… Elle se promit de faire un jour un long périple vers le nord, ce qu'elle avait négligé jusqu'alors, trop absorbée par son travail.

La robe dans les mains, elle revint à sa décoration, fixa à son bras un coussin hérissé d'épingles et s'apprêta à accrocher au centre de la vitrine le vêtement qui lui rappelait ses visions nocturnes. Avec grand soin, elle plaça les épingles de façon à ne pas endommager le tissu. Puis, elle fit deux pas en arrière et, satisfaite, hocha la tête. L'effet était saisissant. La robe blanche était le clou de son étalage. La patronne et sa vendeuse, admiratives et ravies, multipliaient les compliments. Lydia les entendit qui s'exclamaient devant une cliente :

— Chaque fois que notre étalagiste change le décor, il se produit un miracle… On est sûr que les objets exposés se vendront comme des petits pains…

À la vue de la robe indienne, elles poussèrent des cris d'enfant :

— Quelle bonne idée !

— Ces robes sont si belles… On les remarque mieux ainsi, n'est-ce pas, madame ?

La cliente voulut en essayer une.

— Vous faites bien ! On va en manquer, c'est sûr…

— J'enverrai mon mari en chercher d'autres chez les Hurons !

Devant leur enthousiasme, Lydia sentit de petits frissons d'orgueil monter le long de son dos et courir sur la surface de sa peau.

Depuis quelques minutes, de l'autre côté de la rue, sur le trottoir où flânaient des promeneurs, un homme encore jeune, qui paraissait médusé par ses gestes, observait Lydia. Il restait là, sans bouger. Toute à son affaire, elle n'y avait pas prêté attention, ne l'avait même pas remarqué. Bientôt, il entra dans la boutique, fit le tour des présentoirs et refusa à deux ou trois reprises les conseils de la vendeuse. Finalement, après avoir fait les cent pas et regardé tout ce qui était exposé, il aborda Lydia de façon directe :

— Vous a-t-on déjà dit, mademoiselle, que vous aviez du talent ?

Lydia fut si surprise qu'elle bredouilla :

— Heu, oui… non… mais vraiment…

Elle n'osait pas lever les yeux, sentait le regard de cet inconnu rivé sur son visage et, lasse, mal coiffée, ne trouvait pas très agréable d'être observée de cette façon particulière… Elle aurait aimé disparaître. Comme toutes les femmes modernes, malgré les contraintes que comportait son travail, elle n'abandonnait jamais sa fierté. Aussi, voir son image ternie par une apparence qu'elle qualifiait de négligée lui déplaisait-il. Coquette dans toutes les circonstances, elle était mal à l'aise de montrer ce qu'elle croyait être une faiblesse devant cet étranger. Lui, au contraire, la trouvait belle. Ses mèches déplacées, un peu folles, et ses yeux brillants l'avaient déjà conquis autant que sa silhouette et il restait songeur, comme ébloui par sa grâce. « Cette jeune femme doit être de descendance indienne, se disait-il. C'est bien cela, une vraie princesse indienne. » Il revint vers elle.

— Si je peux me permettre, j'aimerais vous inviter à prendre un café, dit-il un peu cérémonieusement.

Lydia qui le croyait parti eut un imperceptible mouvement de mauvaise humeur. L'homme attendait une réponse. Elle voulait dire non. Il fallait dire non. Elle sentait rivés sur elle ses yeux curieux et pleins d'espoir. S'il est une chose qu'une femme sent immédiatement, c'est bien la convoitise dans les yeux d'un inconnu qui l'observe, et Lydia n'aimait pas cette sensation. De toute façon, il n'était pas son genre. Il avait l'air coincé, engoncé dans un manteau qui aurait pu appartenir à son père et ses cheveux peignés de chaque côté d'une raie impeccable l'irritaient déjà. Sur ses tempes, une légère pointe de gris laissait supposer qu'il avait passé le cap de la quarantaine. Il faisait vieux jeu, il était vieux et, en plus, il avait l'air snob, c'est-à-dire tout ce que Lydia détestait. Il lui tendit la main et se présenta :

— Gérald...

— Lydia...

Par politesse, elle lui rendit son salut en lui abandonnant la sienne et dit ce qu'on dit toujours dans ces circonstances :

— Enchantée...

« Pourquoi ai-je dit enchantée ? » se demanda-t-elle aussitôt, tout en songeant qu'elle était fatiguée de sa saison et qu'elle irait volontiers passer les prochains jours à Saint-Fabien. Le congé de la Saint-Jean approchait : prendre un peu de vacances lui ferait le plus grand bien... Et puis, sa petite mère, qu'elle n'avait pas vue depuis plus d'un mois, lui manquait. Tout à coup, elle vit Gérald qui s'inclinait devant elle. Il avait des manières qu'elle qualifia pour elle-même de « quétaines », démodées. Comme celles des hommes de la génération des grands-parents... Sans rapport avec l'époque, quoi !

Même s'il avait conscience des résistances qui rete-
naient la jeune femme, Gérald insistait. Comme s'il connaissait son tempérament, sans se décourager, sans manifester la moindre impatience, il attendait que le moment
soit favorable pour marquer un but qui lui assurerait
l'avantage :

— Accepteriez-vous de me parler de vos créations,
Lydia? Si vous y consentez, je vous emmène au Château
Laurier dès que vous aurez terminé votre ouvrage…

Comme il la sentait glisser vers un refus, il crut bon
d'insister, de se justifier :

— Soyez sans crainte, ce n'est pas un enlèvement…

Elle sourit de son audace et pensa : « Il ne manquerait plus que ça… » Comme elle prenait du temps pour
lui répondre, il sut qu'il avait gain de cause. Si elle ne disait pas non sur-le-champ, c'était qu'elle consentait. Il le
pressentait… Pour ne pas la laisser changer d'idée, il lui
tendit sa carte professionnelle :

— Je suis propriétaire de trois galeries d'art, une à To-
ronto, une à Montréal et une que je viens d'ouvrir…

Cela rassura Lydia tout à coup. Sentir que ce type
s'intéressait à elle non pas pour la séduire, comme de nombreux autres avaient tenté de le faire, mais pour parler
d'éventuels échanges professionnels fit tomber ses résistances. De plus, elle avait déjà entendu parler de cette galerie
de Montréal dont le nom était connu. Submergée par la
contradiction qui envahissait son esprit, tiraillée entre un
oui balbutiant et un non catégorique, elle accepta l'invitation. « Juste pour un café », se dit-elle.

— Je fais aussi de la peinture, annonça-t-elle tandis
qu'ils roulaient vers le Château Laurier.

Il répondit sur un ton sans équivoque :

— Cela ne m'étonne pas. À vrai dire, je le savais rien qu'à regarder la façon dont vous agencez l'espace…

Lydia tourna vers lui un regard innocent, touchée malgré elle par son compliment. Gérald lui posa maintes questions sur son art et manifesta le désir de mieux la connaître. Au cours de la conversation, elle apprit qu'il était divorcé et, qu'en homme d'affaires averti, il se consacrait à son commerce avec beaucoup d'énergie. Une fois la glace rompue, elle dut s'avouer qu'il n'était pas d'une compagnie désagréable comme elle l'avait craint tout d'abord, et puis, il paraissait avoir pour elle une admiration qui la flattait. Par-dessus le marché, parler de dessin, de peinture et de créativité avec un véritable connaisseur était très plaisant.

*

À partir de ce jour, Gérald lui fit la cour de façon assidue et, avec patience et persévérance, il trouva toutes sortes de manières subtiles pour arriver à ses fins. Il s'extasiait sur ses aquarelles, proposait d'exposer ses toiles, l'entourait et la gâtait si bien que sortir avec lui parut à Lydia être un baume, un luxe qui ne lui avait pas été donné ces dernières années, et qu'elle méritait. Pourtant, incertaine car elle ne ressentait rien pour lui qui ressemblât à de l'amour, elle s'efforçait de le tenir à une distance respectable et lui demandait le plus souvent d'espacer leurs rendez-vous. Mais Gérald, avec une fermeté qu'elle ne pouvait évaluer, savait la faire fléchir par toutes sortes d'habiles subterfuges. Il la couvrait de cadeaux luxueux. Fier de se montrer en public avec elle, il l'entraînait dans des sorties agréables ou inattendues et la présentait à des amis. Lydia, quant à elle, ne parlait pas ou très peu de sa rencontre à ses intimes. Les quelques copines avec qui elle allait de temps en temps passer une soirée ou voir un film se doutèrent de quelque chose en la voyant avec lui, par hasard, dans un restaurant. Elles lui posèrent mille questions qui la mirent mal à l'aise :

— Lydia, tu ne regardes plus les beaux garçons comme tu le faisais…

— Serais-tu en amour, par hasard ?

— Dis, qui est-ce, ce monsieur-là ?

— Mais vous m'ennuyez ! répliquait Lydia sans en dire plus, jusqu'au jour où elle ne put rien cacher.

— Oh ! Madame a un vrai chevalier servant…

— Chanceuse…

Les jeunes filles rirent de son air gêné et en rajoutèrent rien que pour le plaisir de la voir rougir.

Imperturbable devant ses réserves, Gérald continuait de la distraire et de l'entourer d'attentions. Comme il disposait de moyens financiers qui font rapidement fondre les hésitations de n'importe quelle femme, Lydia se laissait fléchir un peu plus chaque fois qu'ils passaient une soirée ensemble. Lorsqu'il se fit pressant, lorsqu'il lui déclara ses intentions et l'emmena avec lui au sommet du *Holiday Inn* pour y passer la nuit dans un cadre des plus romantiques, elle se sentit prise dans un piège qu'elle n'avait pas vu venir, ou plutôt qu'elle n'avait pas voulu voir venir… Elle devint sa maîtresse sans pour autant investir son cœur. Alors, la petite voix de sa conscience se mit à la harceler. Elle se reprochait chaque jour de lui avoir cédé.

*

À vingt-quatre ans, penchée sur son image après avoir pris sa douche, Lydia, entourée de petits pots d'onguent et de crème, examinait de près son visage et sa peau. Myriam avait toujours eu cette habitude et elle l'avait transmise à ses jumelles, ou du moins à l'une d'entre elles. Ce matin-là, après avoir dormi près de Gérald, la jeune femme, comme Blanche-Neige, interrogeait son reflet avec une certaine anxiété. Quand elle crut apercevoir des cernes qui gonflaient ses yeux, elle se lamenta, cherchant à masquer ses imperfections, catastrophée :

— Je suis affreuse ! C'est épouvantable…, dit-elle à voix haute, affolée.

Gérald l'entendit depuis la chambre et prit le parti de se moquer d'elle :

— Affreuse, dis-tu ? Voyons, Lydia, pourquoi te torturer ainsi ? Tes angoisses n'ont aucun sens…

Il s'approcha d'elle et la prit dans ses bras. L'occasion était parfaite pour lui murmurer des mots d'amour :

— Lydia, tu es la plus jolie femme que je connaisse… Chérie, tu es adorable… Tu es belle et ta peau est douce…

Il déposait dans son cou des chapelets de petits baisers et la caressait sans retenue. Elle fut prise d'une réaction épidermique incontrôlable avec l'envie folle de le repousser, de lui crier qu'il n'avait rien compris, qu'elle ne pourrait jamais l'aimer et qu'elle vivait avec lui dans le mensonge. Mais elle n'eut pas ce courage. Elle ne dit rien et s'efforça de faire taire l'espèce de répulsion qui courait dans tout son corps chaque fois qu'il devenait trop entreprenant. Finalement, elle se déroba à ses caresses en prétextant qu'elle devait se maquiller, mettre du rouge à lèvres. Gérald n'insista pas. Il avait décidé d'être patient et prévoyait prendre sa revanche au fil des mois et des années.

L'incident fut clos et, quelques minutes plus tard, il n'y paraissait plus. Chacun reprit ses activités : Gérald partit vers ses boutiques de tableaux et Lydia se remit à ses ébauches de vitrines, sans pour autant se sentir bien. Contrariée, prête à se punir pour le manque d'harmonie qui s'installait entre eux dans les moments intimes, Lydia conclut que son travail, auquel elle consacrait de trop longues heures, était responsable de ces réactions stupides. Quant aux marques disgracieuses qui l'avaient alarmée plus tôt, elle prit un rendez-vous chez son esthéticienne pour régler le problème. C'était rassurant de se préoccuper en premier lieu des soins esthétiques à apporter à sa personne. Elle refusait d'entendre le cri de son cœur. Son pauvre cœur protestait de toutes les façons possibles. Il voulait du bonheur sans réserve plutôt que ce simulacre qui devenait plus lourd de jour en jour… « Je ne suis pas amoureuse », se disait-elle, pour ajouter, en guise de consolation : « Je vis une amitié sincère pour Gérald, c'est un sentiment important, très important et suffisant sans doute pour mener une bonne vie. » C'est d'ailleurs ce qu'elle avait écrit à Laurence.

Sa sœur lui envoyait des lettres inquiétantes, de ce lointain pays d'Europe où la guerre faisait des ravages. Elle avait répondu :

> *Ma très chère Lili,*
> *Si tu savais comme c'est horrible ici. C'est épeurant…*
> *Il n'y a pas un jour sans bombardement, sans roquettes, sans grenades qui éclatent et sans qu'on enterre quelques cadavres.*
> *Souvent j'ai peur. Je sursaute au moindre bruit. Une peur viscérale monte dans mon ventre et m'oblige à me réfugier dans la prière. Sans la prière, que deviendrions-nous ? Ma foi se durcit et devient comme un roc, inébranlable.*

Tu me parles de Gérald, que je ne connais pas…

Il semble être un bon garçon et tu dis que tu n'éprouves pas d'amour pour lui, mais réfléchis un peu Lili, qu'est-ce que l'amour d'un homme?

Rien. Rien du tout sinon un jeu qui nous perturbe et nous rend malades, nous, les femmes. Tu ne vas pas continuer à te rendre malade pour les hommes, non? Tu me connais mieux que quiconque, ma chère petite sœur, et tu sais que j'ai renoncé à ce genre d'enfantillages. Pour toujours. Seul l'amour de Dieu m'importe et tant que tous les hommes ne s'y seront pas soumis jusqu'au dernier, le monde tournera tout «croche». Il faut que les femmes prennent la direction de la planète pour que vienne la paix sur la Terre. Je sais cela. Sans l'intervention des femmes, le monde court à sa destruction.

Maman m'a écrit pour me donner de vos nouvelles… Notre cher Guillaume est heureux. Que Dieu soit loué! Comme un roi, il règne sur les baleines avec sa Chloé, c'est bien ainsi… Je vous imagine tous à Saint-Fabien! Mon âme voudrait être parmi vous, mais j'ai trop à faire dans ce coin de pays. Je m'occupe des femmes qui vivent des horreurs.

Écris-moi et prie pour moi, pour que la guerre ne me transforme pas en cadavre comme ceux qui jonchent les routes.

Moi, je prie Dieu pour que tu trouves la paix de l'âme et pour que tu renonces à cette idée de l'amour idéal auquel, je le vois bien, tu crois encore, malgré tout ce que tu dis,

Ta Lolo qui t'aime.

En lisant la lettre de sa jumelle, Lydia ne put retenir ses larmes. Les mots de Laurence la bouleversaient… Laurence lui manquait. Depuis si longtemps. Sa façon de réagir par l'offensive, son énergie de battante qui avait toujours fait contrepoids à sa propre délicatesse ne lui était plus accessible et, sans elle, Lydia se sentait démunie. La nuit, elle se réveillait et pensait à leur enfance, à Gérald qui la laissait de glace, à ses amours perdues avec Dany, à sa sœur et à son frère. Enracinée dans cette profondeur qu'on n'atteint pas au grand jour, enfermée dans le silence propice à la réflexion, Lydia relisait les conseils de Laurence. Ses idées prenaient une tournure étrange. Elle tremblait. « Se pourrait-il que Laurence ait la vision juste d'une réalité humaine insupportable ? Se pourrait-il que l'amour n'existe pas sur la Terre et qu'il faille ne jamais croire les hommes ? » Elle replia la lettre de Laurence et la rangea soigneusement dans le tiroir de sa table de chevet.

*

Au fil des jours, Lydia se demandait où la mènerait cette aventure qu'elle n'avait pas, croyait-elle, acceptée de son plein gré. Insatisfaite, inconfortable, aux prises avec des pensées contradictoires, elle voulait de toutes ses forces renoncer à être amoureuse et, au petit matin, son regard était empreint de tristesse encore plus que la veille. Elle faisait de nouveau le bilan de ce qu'elle éprouvait pour Gérald. Ce qu'elle prenait pour une analyse objective se mélangeait avec de la déception, de la rancœur même. Sans qu'elle s'en aperçoive, son tourment commençait à faire des ravages dans sa bonne humeur. Lydia se raisonnait et se résignait à vivre pour le côté pratique et superficiel de sa relation avec Gérald, tandis que son âme se révoltait et, bien obligée de constater qu'elle n'était pas heureuse, elle devint, comme à l'époque où Dany l'avait abandonnée, mélancolique et déprimée.

Gérald, de son côté, se félicitait de sa relation avec Lydia. Plus il la regardait vivre et plus il était épris. Bourgeois, homme de tradition, il avait trouvé en elle une jolie femme doublée d'une artiste dont la sensibilité le touchait. Charmé par sa douceur, il se comportait de façon paternaliste avec elle, l'encourageait à produire de nouvelles toiles, à travailler son style. Excellent critique, il projetait d'exposer ses œuvres, voulait la lancer et la guider dans le monde des arts où la compétition est féroce. Au milieu de la quarantaine, très à l'aise financièrement, car il avait hérité des biens de son père, il menait depuis son divorce une vie axée sur le paraître et fréquentait les milieux branchés. Déçu de la tournure qu'avait prise son mariage, ou du moins de la fin brutale qui avait rompu ces quelques années sans heurt entre lui et sa femme, il cherchait une stabilité à n'importe quel prix et une compagne qui briserait sa solitude. Son ex-femme avait la garde de leur jeune fils, Thomas, âgé de cinq ans, qu'il ne voyait guère, trop occupé à faire tourner les trois galeries qu'il possédait. Depuis qu'il était célibataire, une réputation de séducteur le suivait, mais il n'en avait cure, ne se cachait pas d'aimer les jolies femmes et de pouvoir facilement obtenir les faveurs de qui lui plaisait.

Mais avec Lydia, c'était une autre chose. Elle avait ce charme indéfinissable qui l'avait attiré dès qu'il l'avait vue et il ne luttait pas contre le courant impétueux qu'elle avait fait naître sans le vouloir. Pour elle, il aurait fait n'importe quoi…

*

Bientôt les vacances. Enfin quelques jours de tranquillité. Marcher pieds nus dans l'herbe, respirer dans le vent, se tremper les pieds dans la mer… Autant de choses dont Lydia avait un urgent besoin. Et puis, ces quelques jours, songeait-elle naïvement, l'éloigneraient de Gérald, qui devenait un peu trop présent. Lydia se mit à paniquer tout à coup. Imposerait-il sa volonté d'être avec elle? Elle avait toutes les raisons de le craindre. Inconsciemment, elle se refusait à le présenter à Myriam et à Mike comme son fiancé… Pire encore en ce qui concernait Laurent. Il n'en était pas question. Elle regrettait de l'avoir connu, d'avoir accepté de le connaître, refusait en elle-même de le présenter comme son amant et cherchait en vain une raison de l'évincer quand elle n'en avait aucune. Comment officialiser une relation qu'elle ne voulait pas consacrer? Même si les conventions étaient plus souples d'année en année, même si l'opinion publique subissait de grands changements vis-à-vis des nombreux conjoints qui choisissaient de ne pas obéir aux anciens usages, il n'en restait pas moins vrai que vivre ensemble imprimait un côté «long-terme-sérieux» à une relation… Lydia voulait échapper à cela. Elle appréhendait le moment où Gérald lui demanderait de s'engager… Elle n'était pas non plus une femme volage, une de ces filles qui couchent avec le premier venu et ne cherchent que le plaisir, comme il y en avait de plus en plus, mais elle redoutait le jugement de Laurent quand il apprendrait qu'elle était en ménage avec Gérald. Elle imaginait sa réaction:

— Tu n'as rien trouvé de mieux, ma chère fille, que de vivre avec un homme en dehors des convenances, à la façon des sauvages?

Ces craintes lui donnaient envie de fuir, d'autant plus que Laurent Dagenais ferait ainsi allusion à la relation de

Myriam et de Mike… Cela ne serait pas agréable à entendre! Son père avait toujours été d'une sévérité excessive et les deux filles, plus malléables que Guillaume, s'en étaient accommodées, mais il terrorisait encore Lydia avec sa morale d'un autre âge.

Gérald, lui, n'attendait rien d'autre que l'occasion de faire savoir à tous que lui et Lydia étaient amants avant d'annoncer la prochaine étape : leur mariage. Tout était clair dans sa tête et l'avenir s'inscrivait chaque jour plus fermement avec les factures de sa carte de crédit. Lydia, candide et inexpérimentée, n'y prenait pas garde : elle le laissait faire des folies pour elle. Or, plus les semaines passaient et moins elle se voyait passer le reste de sa vie à ses côtés. Elle tentait de l'éloigner sans y parvenir et n'avait aucun motif valable de le faire, sinon sa propre appréhension…

*

Il faisait très chaud. Des éclairs couraient ici et là dans le ciel orageux. Nerveuse, Lydia, qui habitait au troisième étage d'une vieille maison pleine de charme mais mal isolée dans le Vieux-Québec, tentait de faire ses valises pour prendre le chemin de Saint-Fabien. Comme dans un état second, elle choisissait quelques vêtements, les entassait sur le lit avant de les plier, puis, insatisfaite, trouvait qu'elle avait fait une mauvaise sélection et recommençait. Sur sa commode, le tic-tac du réveil, qui lui semblait plus fort que d'habitude, l'agaçait et venait ajouter à la chaleur insupportable.

— Non, pas cette robe avec ce foulard… Oh, j'ai oublié des bermudas… Et puis deux maillots de bain…

Elle courait partout et revenait sur ses pas. Lorsque le téléphone sonna, elle sut que c'était Gérald. Elle fit la grimace et hésita un moment avant de décrocher, puis tendit le bras machinalement et répondit sans conviction.

— Lydia, fais-toi belle, je t'emmène souper !

— Nooon, j'ai mal à la tête…

— Chérie, que se passe-t-il ?

Elle perdait ses moyens, cherchait quelque motif sérieux qui ne lui venait pas à l'esprit.

— Tu sais que je m'en vais pour deux semaines à Saint-Fabien, j'ai besoin de préparer mes bagages et…

— Et ?

— Et il y a de l'orage ! dit-elle, prise au dépourvu, comme si l'orage de ce soir pouvait avoir une conséquence.

Gérald éclata d'un rire moqueur et, sans relever son propos, continua sur sa lancée :

— Ne t'en fais pas avec ça, ma chérie, moi aussi, je prends quelques jours. Nous n'en avons pas encore parlé, mais il est temps que je fasse la connaissance de ta famille…

Lydia ne répondit rien.

— Je resterai une semaine avec toi, si tu veux…

— Mais…

— Mais quoi ? Tu n'as pas l'air enthousiaste ! Viens souper, il faut qu'on parle de tout ça, toi et moi…

La mauvaise humeur envahit Lydia dès cet instant. Le malaise montait dans son crâne, résonnait derrière son front et de chaque côté de ses tempes. Elle prit son courage à deux mains et l'attendit de pied ferme en se disant qu'elle lui avouerait franchement ce qu'il en était, qu'elle resterait intraitable malgré ses supplices, qu'elle aurait le courage de rompre à l'instant, qu'elle ne pouvait plus vivre dans cette situation équivoque… Il fallait bien finir par lui expliquer les réticences dont elle souffrait, lui dire qu'elle ne se résignerait jamais à être à sa merci, que faire l'amour avec lui n'avait rien à voir avec ce qu'elle avait déjà connu… Évidemment, cela le blesserait, mais comment agir autrement? C'était ça, la vérité.

Mais quand Gérald arriva, ce fut comme si tout ce qu'elle s'était répété longuement n'existait plus. Ses jambes faiblissaient, sa gorge se nouait, ses mains tremblaient. Sans pouvoir prononcer une parole, elle se sentit fondre et le suivit. D'un seul coup, ses décisions se ramollirent et ce qu'elle avait cru inébranlable devint comme glace qui fond au soleil et s'évapore. Assise face à lui dans le restaurant le plus chic de Québec, elle se vit perdue, démunie…

Elle tenta d'argumenter faiblement. Elle mesurait ses mots. Lui, souriant et imperturbable, attendit que ses reproches une fois énoncés meurent d'eux-mêmes. Comme s'il n'avait rien entendu. Il ne restait à Lydia aucun des arguments qu'elle avait repassés dans sa tête! En fin de compte, elle ne put l'écarter comme elle l'avait prévu: buté, Gérald continua son raisonnement et il fut convenu qu'il resterait une semaine à l'auberge, chez Fleurette. Lydia dormirait dans une petite chambre sous les combles, au Havre. Pour lui faire plaisir, Gérald accepta cette solution, même s'il la trouvait défavorable à ses ardeurs. Il mit les exigences de Lydia sur le compte d'une pudeur d'enfant qui réapparaissait quand elle se trouvait dans sa famille. Dépitée et peu fière d'elle, Lydia appela elle-même pour lui réserver une chambre à La Belle Étoile. En même temps, elle prévint Myriam et Mike:

— Tu sais, m'man, je viens accompagnée de mon nouveau *chum*…

— Magnifique, Lili! Qui est-ce?

Myriam, loin de se douter de ce qui tourmentait Lydia, était ravie et elle, agacée par la réaction spontanée de sa mère.

— Heu… Il s'appelle Gérald…

— Alors, raconte…

Myriam posa des tas de questions dont sa fille se serait bien passée et conclut d'une voix enjouée :

— On vous attend, je vais annoncer la bonne nouvelle à Mike !

*

Le soir de leur arrivée, le souper fut animé. Guillaume et Chloé étaient là, eux aussi, et Lydia présenta Gérald, qui fit bonne impression à tous. Il s'informa tout de suite des implications du centre, de sa vocation et de son fonctionnement et parut admiratif… Myriam lui fit longuement visiter les lieux, les salles communes, les chambres des pensionnaires, les installations extérieures. Ce faisant, comme toutes les mères, elle tentait de l'évaluer objectivement et s'étonnait du choix de Lydia – car elle le trouvait trop vieux pour sa fille –, mais s'interdisait d'avoir des pensées négatives. La seule chose qui, pour elle, avait de l'importance était le bonheur de ses enfants. Pour le reste, elle s'accommoderait de la personnalité de son futur gendre.

Autour de la table, Mike et Guillaume, comme chaque fois qu'ils se retrouvaient, se lançaient diverses plaisanteries et échangeaient des commentaires sur l'actualité politique. Au début du repas, l'atmosphère fut plutôt calme, mais quand on arriva au dessert, les esprits s'échauffèrent. L'assermentation récente de Kim Campbell, première femme à accéder au poste de premier ministre du Canada, alimentait la conversation. Myriam et Mike s'opposèrent à Gérald, qui ne voyait pas d'un bon œil une femme à la tête du gouvernement fédéral :

— Elle commet déjà des gaffes, dit celui-ci, et je gage que ce n'est pas fini !

— Vous exagérez peut-être parce que c'est une femme… lança Myriam, prête à prendre le parti d'une congénère. Les préjugés sexistes sont énormes de part et d'autre dès qu'une femme accède au pouvoir !

— Ce ne sont pas des préjugés de ma part, se défendit Gérald, elle est assez malhabile pour faire des erreurs monumentales que les libéraux ne lui pardonneront pas… Vous verrez ! Elle ne durera pas…

Myriam n'était pas convaincue. Finalement, la discussion se tarit lorsque le sujet vint sur l'état de santé du premier ministre québécois :

— On dit que Robert Bourassa est très malade…

— Les informations sont contradictoires…

— Encore des élections en perspective !

— Vous l'enterrez un peu vite…

— L'instabilité est la caractéristique de notre époque…

Chloé et Lydia protestèrent tout à coup :

— Nous sommes en vacances, déclarèrent-elles en chœur, épargnez-nous vos réflexions politiques !

— Elles ont raison, acquiesça Myriam.

— La politique débouche rarement sur quelque chose de constructif ! appuya Mike.

— Parlons des baleines, du fleuve et des actions qu'on mène, proposa Guillaume, qui attendait le moment propice pour informer son monde des dernières découvertes.

— Bonne idée !

Et tous se passionnèrent pour la vie quotidienne des mammifères marins dont, en fin de compte, on savait si peu de chose... Guillaume parla longuement de ce que souffraient ces bêtes à cause de la pollution grandissante des eaux. Il sut captiver son auditoire.

— De nombreuses baleines sont atteintes de cancer, et même de cancer du sein...

— Non !

— Absolument vrai...

— Incroyable... Et on ignore encore leurs malheurs ?

— Il y a des prises de conscience, mais le chemin reste long, répondit Chloé.

Lydia, détendue au milieu de la famille, rassurée par la présence de tous ceux qu'elle aimait, mit naturellement ses doutes de côté. On finit la soirée à La Belle Étoile où la musique fit danser les plus réticents jusque tard dans la nuit.

*

Sur la rive du fleuve, Lydia, un immense carnet de croquis entre les mains, munie de ses pinceaux et de ses couleurs, profitait du soleil de ce début d'été. Au bord de l'épuisement, elle se laissait aller à faire ce qu'elle n'avait pas fait depuis longtemps, reproduire ce que ses yeux voyaient. Elle guidait sa main pour traduire les sensations et les sentiments qui habitaient son corps. Assise non loin d'elle sur une pierre plate qui surplombait le bord de mer, Myriam, pieds nus, admirait le travail de sa fille, heureuse de ces retrouvailles en tête-à-tête. Peu satisfaite d'elle, Lydia s'accusait d'être devenue malhabile et d'avoir perdu la fermeté de son trait. Pourtant, Myriam aimait ce qu'elle voyait.

— C'est joli, ça...

— Pantoute..., marmonnait Lydia, qui recommençait inlassablement.

Les hommes de la famille, y compris Gérald, étaient partis jouer au tennis et, non loin de là, les pensionnaires du centre, encadrés par Mini-Paul et Jason, faisaient un pique-nique assorti d'une partie de ballon-chasseur. D'où elles étaient, les deux femmes les entendaient rire et se tirailler. Myriam posa la main sur l'épaule de Lydia :

— Ma Lili, je ne te trouve vraiment pas bonne mine aujourd'hui, raconte-moi...

— Quoi donc ?

— Tout !

Lydia déposa ses pinceaux, haussa les épaules et, trop heureuse de pouvoir, comme lorsqu'elle était petite, se coller contre sa mère, sauta sur l'occasion :

— C'est vrai, m'man, je suis fatiguée... J'ai beaucoup travaillé, cette année. Il faut que je diminue les heures, mais d'un autre côté...

— D'un autre côté ?

— Je ne sais pas vraiment ce qui ne va pas...

— Vraiment, quelque chose ne va pas ? Tu m'inquiètes...

Lydia hocha la tête.

— À vrai dire, je ne sais pas trop... Je ne me sens jamais tout à fait bien...

— Aurais-tu des problèmes financiers ?

— Pas du tout !

— Gérald ?

Lydia soupira. On ne pouvait rien cacher à Myriam.

— Oh, m'man, parfois je me demande...

On entendait le clapotis des vagues qui venaient s'échouer un peu plus bas.

— L'aimes-tu?

— C'est bien ça, le problème… Je…

La jeune femme étira sa jupe sur ses genoux et admira le fleuve pendant quelques secondes avant de répondre.

— En fait, m'man, je ne crois pas!

— C'est quelqu'un de bien, pourtant…

— Je sais, mais je n'arrive pas…

Lydia eut un sanglot et se mit à pleurer doucement. Myriam passa un bras autour de ses épaules.

— Dis donc, Lili, c'est sérieux ce que tu avoues là!

Myriam ne savait comment aider sa fille.

— Maintenant que tu as commencé à parler, va jus-qu'au bout…

Elle attendit que Lydia s'apprivoise à ses paroles et finit par dire ce qui lui brûlait les lèvres.

— Tu sais, Lili, si tu t'engages, il faut être sûre de tes sentiments…

— Eh bien…

Et Lydia se mit à parler de ses réticences et de ses peurs. Myriam se gardait maintenant de tout commentaire pour la laisser vider son cœur.

— Je ne serais jamais allée vers Gérald, m'man, c'est lui qui m'a remarquée et qui a voulu, qui a insisté…

Myriam était un peu abasourdie par ses confidences.

— Que comptes-tu faire, alors?

— M'man, dis-moi, toi, ce que je dois faire…

Perplexe, Myriam comprenait ce que vivait sa fille, mais ne savait trop quel conseil lui donner. Lydia serait-elle toujours aussi malhabile en amour? Les jeunes de cette génération avaient beaucoup de peine à garder une relation stable. Ils changeaient de partenaire à la moindre déception et refusaient l'engagement sans lequel rien n'est possible. Avaient-ils été trop gâtés ou bien avaient-ils été marqués par les séparations de leurs parents?... La libéralisation excessive des mœurs en même temps que l'effondrement des anciennes valeurs était-elle la source des ennuis de la plupart? Autant de questions qu'on se posait, auxquelles les réponses ne viendraient qu'avec les années, quand les faits, avec le recul, appartiendraient à l'histoire...

Les deux femmes avaient perdu la notion du temps. Elles restèrent ainsi un long moment, songeuses, n'échangeant que peu de mots, encouragées à la méditation par la grandeur du paysage. Vers l'ouest, le soleil déclinait dans le ciel. L'après-midi était bien avancé. Un bruissement parvint aux oreilles de Myriam, qui se retourna. Avec la souplesse qui était la sienne, Mike, de retour de sa partie de tennis, s'approchait d'elles en sautant sur les pierres rondes, suivi par Loup-Blanc qui remuait la queue.

– Mike!

– Votre partie est finie?

– Déjà!

– On n'a pas vu le temps passer!

– J'ai une très bonne nouvelle...

Mike se redressa et annonça d'un air triomphant:

– Dany nous rend visite. Il sera là dans deux jours...

– Oh!

Myriam sentit confusément que la coïncidence pourrait être fâcheuse et que Mike, quant à lui, n'avait rien saisi de ce qui tracassait Lydia. Lydia pâlit. L'annonce la prenait au dépourvu. Dany n'avait pas mis les pieds à Saint-Fabien depuis le Noël précédent. Elle s'attendait à tout, mais pas à une rencontre de cette sorte entre elle, Dany et Gérald... Pourtant, rien ne pouvait laisser supposer que la situation serait équivoque puisque leurs sentiments avaient été apparemment classés parmi les vieux souvenirs. Peut-être étaient-ils encore de ceux qu'il ne fallait pas réveiller. Du coin de l'œil, Myriam observait sa fille, et Lydia qui avait l'air absent se répétait : « Depuis si longtemps… Il n'y a rien, aucune raison pour qu'il y ait le moindre remous, je vais me contrôler. » Alors, pourquoi avoir ce pincement au cœur ? Lydia prit quelques grandes respirations en faisant mine d'écouter Myriam et Mike. En réalité, elle n'entendait rien du tout. Tous deux se concertaient pour accueillir le nouveau venu. Pour faire diversion, Lydia caressa Loup-Blanc, qui grogna de satisfaction, tandis que Myriam posait des questions à Mike :

— Iras-tu le chercher à l'aéroport de Québec ?

— Non, c'est trop compliqué… Dany monte avec sa voiture…

— Est-ce qu'il vient seul ?

Lydia réalisa tout à coup ce dont il était question. Elle eut un petit frisson d'angoisse avant d'entendre Mike répondre.

— J'imagine… Il ne m'a pas donné de précisions…

— On va le loger chez Fleurette, lui aussi…

— Impossible, elle n'a plus une seule chambre…

— On l'installera dans la nouvelle aile…, dans la soupente.

— Qu'est-ce que tu as Lydia, tu trembles ?

— J'ai froid, m'man.

La brise du soir s'était levée. Quelques bateaux dont la coque dansait par-dessus les remous du large revenaient vers la marina. Myriam mit un châle sur les épaules de sa fille, qui rassembla ses pinceaux et ses carnets. On reprit le chemin de la maison. Tous étaient déjà de retour dans une ambiance festive. Guillaume et Gérald, qui s'étaient découvert une passion commune pour les jeux de cartes, buvaient une bière en se mesurant au tarot avant le souper, tandis que Chloé sirotait un jus en pariant sur la victoire de son fiancé. Gérald fit de grands signes à Lydia. Sur le terrain, derrière la serre, deux jeunes femmes munies de paniers cueillaient des laitues et des radis. Myriam avait instauré une nouvelle coutume : tous les repas devaient être accompagnés des crudités produites par le centre, ce dont elle était très fière. En attendant l'heure du souper, on s'assit autour des joueurs pour prendre un apéritif quand Mini-Paul fit irruption :

— Myriam, j'aimerais te dire un mot au sujet de Cécile…

Myriam hocha la tête.

— Y a-t-il quelque chose d'urgent ?

Cécile, arrivée trois jours auparavant, était enceinte. Depuis combien de semaines, on ne savait pas trop : elle n'avait pas été capable de le dire. Des âmes charitables l'avaient ramassée dans la rue et amenée au Havre et depuis, on s'efforçait de l'intégrer au groupe. Elle n'avait aucun dossier : il fallait le constituer pièce par pièce et au fur et à mesure qu'étaient connus les éléments objectifs qui aideraient à la traiter. On devait lui faire passer toute une batterie d'examens médicaux et on avait eu beau l'interroger, on n'en savait toujours pas plus sur son compte, sinon qu'elle était sans domicile fixe. La pauvre petite était perdue et disait n'avoir aucune famille autour d'elle. Comment avait-elle vécu ces dernières années ? Un fait était sûr, elle ne fréquentait aucun établissement scolaire et ne reconnaissait même pas les lettres de l'alphabet. Elle avait quinze ans à peine et ignorait complètement qui était le père de son enfant… On tentait de lui apprendre à lire et, de fait, elle en était capable si on ne la brusquait pas. C'était un de ces cas extrêmes qui demandent d'agir avec doigté et persévérance. Mini-Paul s'éloigna un peu avec Myriam pour lui expliquer :

– J'ai beaucoup de mal à éloigner les garçons… Ils rôdent tous autour d'elle. Cette petite-là, elle sait pas se retenir, elle fait des avances à tous ceux qui le veulent et évidemment…

– Ça pose des problèmes !

– C'est sûr !

Myriam fit la grimace.

– Je vais lui parler… Demande à Jason de faire une réunion demain matin sur le sujet après être intervenu auprès d'elle… Il faut lui enseigner le respect d'elle-même et des autres…

– Pas évident…

– Je sais…

Il ne se passait pas un jour sans que des interventions de ce genre soient nécessaires pour garder l'équilibre de la petite communauté, mais, pour Myriam, la tâche ne paraissait jamais lourde… Elle revint à table et décrivit en quelques mots la situation à Mike.

Après le souper, on se rendit chez Fleurette, où Guillaume anima avec Mini-Paul une soirée tout en rythmes.

CHAPITRE XV

Dany avait passé Québec et filait sur la rive sud, vers Montmagny. Depuis deux jours, il roulait en ne s'arrêtant que pour manger et pour dormir et même là, son estomac criait famine. Il ne put s'empêcher de regarder vers le fleuve avec une admiration mêlée de respect. Quelle beauté!

Enfin, il était en vacances! Pour une fois, un séjour à Saint-Fabien, cela voulait dire le repos total… Finis les examens et, dans six mois, complètement enterrée la vie d'étudiant! Le jeune homme avait obtenu le succès qu'il méritait et pouvait dès maintenant se targuer de choisir un poste d'obstétricien selon son gré… Il roulait et rêvait à ce qui s'offrirait à lui. Même si la situation des médecins spécialistes de la belle province n'était pas la meilleure en Amérique, il comptait revenir pratiquer dans son pays. Les États-Unis, certes, offraient de gros salaires, mais sa vocation à lui n'était pas d'entasser de l'argent. Il voulait mettre ses compétences au service d'une profession qui lui tenait à cœur plutôt que de profiter d'un statut acquis grâce à ses diplômes, sans compter que, depuis quelques années, la vie américanisée à l'extrême lui pesait. Il avait connu de gros succès sportifs, s'était donné à fond dans les matchs auxquels il avait participé et puis il avait décidé de tirer un trait sur ses succès au football. Le temps était venu de se lancer dans la carrière médicale qui s'ouvrait à lui. Dany n'avait jamais oublié les nombreux besoins du peuple de ses ancêtres ni les sacrifices consentis par tous ceux des générations précédentes qui voulaient, malgré les difficultés, mener une vie décente et aider les jeunes à se tailler une place dans la société. Son père et Myriam seraient fiers de lui, et Guillaume et Laurence et Lili… Il murmura le nom de Lili et une bouffée de mélancolie passa dans sa tête. Que devenait-elle, Lili ? Myriam lui avait mentionné récemment qu'elle avait une belle renommée à Québec comme décoratrice… Il n'osait jamais en demander plus sur le sujet, mais l'occasion serait bonne, pendant son séjour, pour aller la voir, enfin, si elle le voulait… Il faudrait bien qu'un jour ou l'autre on fasse table rase de ce qui s'était passé voilà longtemps. Il ralentit son allure et entra dans la petite ville de Montmagny pour trouver un restaurant. Le pâté d'oies sauvages était à l'honneur à deux ou trois endroits. C'était le moment d'en profiter et de se régaler avec la spécialité locale. Il n'y avait qu'au Québec qu'on pouvait se vanter de si bien manger…

Dany stationna sa voiture et s'installa à la terrasse d'une coquette auberge pour dévorer son repas tout en admirant le paysage. Il régnait une belle atmosphère de vacances. Autour de lui, quelques touristes venus de France, attablés en famille, riaient et contaient leurs dernières expéditions, tout fiers d'avoir vu à quelques reprises dans la même journée des baleines et des canards sauvages… C'était à l'embouchure du Saguenay, pas plus tard que la veille. Dany se dit que Guillaume lui ferait les honneurs des mammifères du fleuve sous peu et engloutit deux portions de pâté avant de commander un énorme dessert. Un vrai délice! La serveuse le regardait en souriant, ravie de le voir apprécier les mets du jour…

— Est-ce que c'est à votre goût?

— Si c'est à mon goût? Il y a longtemps que je ne me suis pas régalé de cette façon, mademoiselle…

Rien que le fait de parler français lui semblait, à lui qui avait été coupé de sa langue maternelle, un vrai bonheur. Il regarda sa montre, paya l'addition et reprit la route. Avec un peu de chance, il serait à Saint-Fabien dans le milieu de l'après-midi.

*

Depuis quelques jours, Lydia reprenait du poil de la bête. Une fois bien reposée, les choses lui semblaient moins dramatiques, et puis Gérald devait repartir le lendemain soir pour Montréal, où des affaires l'attendaient. Elle aurait tout le loisir de réfléchir à ce qu'elle voulait faire. Après en avoir discuté avec Myriam, elle avait décidé de ne pas prendre de décision définitive pour l'instant quant à la suite des choses. Évidemment, l'arrivée imminente de Dany la rendait fébrile, mais bon, il était clair qu'elle devait abandonner ses attitudes enfantines, alors, elle s'efforçait de ne pas y penser, ce qui l'obligeait à avoir sans arrêt cette idée présente à l'esprit…

Les pensionnaires, escortés par Jason et Myriam, étaient partis pour profiter d'une baignade à la plage et les hommes de la maison, avec le mécanicien du village, s'affairaient autour du chariot de bateau dont les roues étaient en mauvais état. Le ciel était couvert, il y avait un peu d'orage dans l'air, mais rien de menaçant.

Après le dîner, Lydia et Chloé sortirent pour ramasser de petites pierres brillantes, parsemées d'une fine couche de minuscules cristaux, qu'elles trouvaient jolies. Elles en avaient découvert tout un lot, charriées par le ruisseau qui descendait la colline. Il leur suffisait de regarder et de se baisser pour ramasser des trésors de toutes sortes. Les deux jeunes femmes s'entendaient à merveille.

— On pourrait presque en faire des colliers, regarde, ça brille comme des pierres précieuses, fit remarquer Lydia, émerveillée.

— Tu as raison, on pourrait aussi les agencer et les coller sur des coffrets que les pensionnaires vendraient… Artisanat du Havre!

— C'est une bonne idée! s'exclama Lydia. J'ai vu des choses semblables du côté de Percé, je crois bien…

Lydia releva la tête. Une voiture conduite par un jeune fou entra en trombe dans la cour du centre. Elle poussa un cri:

— Mais c'est Dany!

— *My God*, oui, fit Chloé. Il n'est pas timide au volant, Dany!

Lydia perdait ses moyens. Elle qui s'était promis de garder son sang-froid, elle s'affolait. Les deux jeunes femmes se dirigeaient vers lui quand elles virent les pensionnaires, sur le bord de la route, qui revenaient de leur baignade au pas de course.

— Mais qu'est-ce qui se passe? cria Chloé.

Il y avait du brouhaha de tous les côtés. Les pensionnaires s'agitaient et Jason parlait fort:

— Bon, pas de panique! Vous, allez travailler à la serre en attendant les nouvelles!

Le jeune homme désigna deux responsables et tendit le bras de façon impérative. Pendant ce temps, Dany, le nez en l'air, contemplait les lieux. Il était visiblement ravi d'être arrivé. Quand il se retourna, apercevant Lydia et Chloé, il se précipita au-devant d'elles. En fait, à la vue de Lydia, son cœur se mit à battre plus fort qu'il n'aurait voulu.

— Lili, depuis le temps! lança-t-il. Comment vas-tu?
La jeune fille rougit intensément.

— Bah, comme tu vois…

Mais à ce moment, Jason interpella le nouveau venu avant que quiconque ait eu le temps d'aller plus loin dans les salutations:

— Grouille Dany, remonte dans ton char, mets les gaz, on retourne à la plage…

— Explique, Jason!

— Grouille, pas le temps, je t'expliquerai en route…
Puis, s'adressant à Lydia et à Chloé:

— Venez les filles, Myriam aura besoin de vous…

— Veux-tu bien me dire ce qui se passe, pour l'amour?

— C'est que la petite qui est enceinte, eh bien…
Jason était tout essoufflé.

— Eh bien quoi?

— J'crois qu'elle accouche sur la plage!

— Hein, quoi?

— On pouvait pas l'voir venir, ça se voyait même pas tant elle est maigre…

Dany réagit tout de suite, tant pis pour les salutations:

— Lili et Chloé, vite, un gallon d'eau, des serviettes de toilette et des couvertures…

— Veux-tu que j'appelle l'ambulance, proposa Mike qui s'était rapproché avec Guillaume et Gérald.

— Okay…

Personne ne posa de questions inutiles. Il fallait courir sur les lieux et vite. Lydia et Chloé disparurent dans la maison et réapparurent quelques secondes plus tard, les bras chargés. Les hommes, devant l'entrée, l'air ébahi, ne savaient quoi faire pour aider. Gérald regardait Mike et Guillaume qui avaient plus que lui l'habitude de parer à ce genre de circonstances. En deux temps et trois mouvements, Dany, Lili et Chloé guidés par Jason étaient déjà repartis avec la voiture qui bondissait plus qu'elle ne roulait vers la dune. Dans le ciel, quelques éclairs zébraient les nuages et le soleil se frayait un chemin là où il restait encore du bleu. Temps étrange tout comme cette journée !

Dany s'approcha le plus possible de l'endroit fatidique, ouvrit le coffre et sortit vivement sa trousse médicale, puis, en courant, il rejoignit Myriam qui rassurait Cécile, allongée au milieu des herbes folles.

– Vite, Dany, la tête sort…

Cécile était rétive. Elle refusait de rester tranquille. Dany l'ausculta autant qu'il le pouvait et fronça les sourcils :

– Pourvu que le cordon ne soit pas enroulé autour du cou…, dit-il tout bas à Myriam.

Myriam, avec fermeté, maintenait dans ses bras l'adolescente qui avait piètre allure. Lydia et Chloé étalèrent une couverture sous son bassin. La petite, paniquée de sentir ce qui se passait dans son corps, malgré sa volonté, poussait de petits cris et se débattait en roulant des yeux hagards. Les contractions, très rapprochées, devenaient d'une violence insupportable et l'enfant, qui cherchait à sortir, restait coincé par les épaules dans son col trop étroit. Dany poussa un soupir de soulagement : sa position était bonne… On encourageait la jeune mère, on l'entourait le plus possible pour qu'elle aille au bout des efforts nécessaires. Lydia retenait ses larmes et lui donnait de petits baisers sur la main, le tout sans perdre aucun des gestes de Dany. Elle était fascinée. Chloé se détournait. Elle ne voulait pas voir « ça ». Elle ne voulait pas avoir d'enfants, jamais… Dany, qui avait enfilé des gants de latex, fit calmement quelques manipulations précises afin de faire descendre le bébé le plus possible sans déchirer la mère. Personne n'avait prévu qu'un jour sa qualité d'obstétricien s'exercerait en cet endroit… Quand le petit parut enfin, il y eut un moment d'anxiété : le nouveau-né ne criait pas comme il se doit. Seule la mère hurlait sa douleur. L'enfant, quant à lui, n'avait pas l'air vigoureux. Dany le retourna rapidement et, d'un doigt expert, dégagea les mucus de sa gorge. La jeune mère claquait des dents et regardait, stupéfaite, ce qui était sorti d'elle.

— Tiens, c'est ton bébé, un beau petit garçon, lui dit Myriam, qui mit l'enfant sur son ventre.

Puis elle ajouta :

— Comment vas-tu l'appeler ?

Cécile se mit à pleurer et, craintive, le toucha doucement sans répondre, comme si elle n'avait rien entendu. Elle semblait isolée dans un autre monde et caressait le poupon en lui murmurant des mots dont elle seule et son petit connaissaient la signification. Elle n'était déjà plus une enfant, en l'espace de quelques minutes, elle était devenue une mère et abandonnait derrière elle le monde insouciant de l'adolescence. Chloé, silencieuse, laissait ses larmes tomber dans le sable et Lydia, émue, se souvenait de ce jour où elle avait évincé la maternité au risque de perdre une partie d'elle-même. Le choc était violent pour tous. Myriam se pencha vers Dany :

– C'est bon, on dirait qu'elle accepte son petit...

Dany hocha la tête :

– C'est bon.

– On va tenter de l'envoyer dans une maison spécialisée pour les jeunes accouchées, ce sera sans doute mieux... Pourvu qu'on lui donne une place...

On enroula la jeune mère et son petit dans une couverture pour les préserver du vent. De minute en minute, le bébé gémissait plus fort. Il agitait ses petites mains et cherchait le sein. Instinctivement, Cécile, sans dire un mot, l'accrocha à son mamelon et frotta sa nuque. Il vivrait... La scène était surréaliste. Le soleil embrasait le ciel et descendait derrière les montagnes comme pour saluer cette nouvelle vie, si imprévue que personne n'avait songé à l'accueillir en bonne et due forme...

Le calme revenu avec le coucher du soleil, les oiseaux faisaient leur ronde au-dessus des flots. S'étaient-ils aperçus qu'un nouveau petit d'homme avait pris place sur ce coin de terre ?

À peine dix minutes plus tard, l'ambulance demandée aux urgences de Rimouski arrivait, escortée par Mike. On fit un dernier salut à Cécile et à son petit. Il y avait sur son visage un sourire nouveau.

– Tout est bien qui finit bien, fit Dany.

– Ça aurait pu mal tourner ! commenta Myriam.

– Personne n'avait vu que sa grossesse était si avancée ?

– Incroyable, mais pourtant vrai !

Dany remballa son matériel et on reprit le chemin du Havre.

*

De toutes parts, au village, on commentait l'événement. Impossible de laisser les faits dans l'ombre. La grand-rue était pleine de monde qui se passait le mot. Chacun regrettait de ne pas avoir vu naître le petit… Un enfant était né, non pas dans une étable, mais au milieu des dunes, parce que la mère avait été trop innocente pour évaluer son heure! On s'attendrissait et, d'une galerie à l'autre, on jasait. Même Émilienne et Julienne étaient accourues en apprenant la nouvelle, et aussitôt après elles, Fleurette suivie de Chantal avait frappé à la porte. Comme les rois mages, elles apportaient un énorme gâteau pour célébrer l'enfant.

— Tiens, ça vaut bien ça! fit Chantal.

— Pour que tout le monde se remette de ses émotions…, ajouta Fleurette qui coupait déjà des parts, pendant que Myriam sortait des assiettes.

— Un bébé qui naît avant qu'on voie que sa mère était enceinte, vous rendez-vous compte?

— Je n'ai jamais vu ça…, insistait Fleurette.

— Qu'est-ce qu'elle va faire, Cécile, avec son bébé?

— Oh, peuchère, quelle histoire! renchérit la maman de Chloé avec son accent. Elle est si jeune, la pauvrette…

Les pensionnaires, qui s'étaient regroupés pour la veillée autour de Jason et de Mini-Paul, accueillirent le dessert comme du pain bénit. Cette journée-là resterait à coup sûr inscrite dans les annales du centre. Les jeunes interrogeaient sans fin Jason pour tout savoir de cette séquence inédite. Dany, sans le vouloir, était devenu la vedette du jour, celui qui avait été là pour que cette histoire rocambolesque, qui aurait pu mal tourner, finisse en beauté.

Autour de la table et dans la cour, on racontait pour la énième fois les moindres détails. La soirée était déjà bien avancée, mais personne ne manifestait le désir d'aller dormir. Mini-Paul et Jason allumèrent un feu de camp. On rassembla des bûches. Mike et Guillaume sortirent retrouver les jeunes et accordèrent la guitare et la flûte. Lydia, impressionnée, n'osait toujours pas regarder Dany, qui avait les yeux fixés sur elle et ne lui disait rien. Mal à l'aise, Lili se penchait sans cesse vers Myriam pour éviter les tendresses de son *chum* Gérald, tandis que celui-ci, qui découvrait en Dany le héros de l'incident, ne la perdait pas de vue et cherchait à se rapprocher d'elle, à lui prendre la main. Se sentait-il inconsciemment menacé ? Finalement, assez maladroitement, il laissa tomber une remarque :

— Ainsi, vous avez pratiqué un accouchement en dehors de tout cadre médical…

Dany prit un air étonné. L'évidence se passait de commentaires :

— Comment faire autrement ?

— Exact…, fit Gérald en hochant la tête.

— Gérald…, grogna Lydia avec un mouvement d'impatience.

On aurait dit qu'il se jouait là une scène de vaudeville : les émotions rendaient toute forme de conversation incohérente entre Dany, Gérald et Lydia. Sans trop savoir pourquoi, Gérald était anxieux. Lydia ne lui avait jamais parlé de Dany et ce mystère apparemment anodin et sans véritable raison créait un charivari dans ses pensées, étant donné que le fils de Mike était en quelque sorte le demi-frère de Lydia… De plus, il était beau, avec ce caractère amérindien que sa blonde aimait tant.

Quand on prit le chemin des chambres, Chloé se blottit tout contre Guillaume. La journée avait provoqué bien des émotions. Elle lui chuchota :

— Guillaume… Cette naissance…

— Oui, je sais, bibiche, il ne faut pas penser à avoir des enfants!

— Bah…

— Bah?

— Bah… peut-être au fond que j'aimerais en avoir un!

Et elle se mit à l'embrasser avec fougue. Guillaume était heureux comme un roi.

*

La lune brillait de tout son éclat. L'aube n'avait pas encore levé le voile sur une nouvelle journée et pourtant, Lydia n'arrivait pas à trouver le sommeil… Il faisait encore chaud sous les solives du toit où était aménagée sa chambre de vacances. Après s'être retournée dans tous les sens pendant plusieurs heures, à pas de loup, la jeune femme descendit pieds nus les deux étages et se rendit jusqu'à la cuisine. Peut-être trouverait-elle quelque chose à grignoter, ce qui l'aiderait à s'endormir… Dehors, il n'y avait pas un souffle d'air. Elle ouvrit la porte du réfrigérateur et se versa un verre de jus avant de s'emparer d'une pêche bien dodue et juteuse qu'elle se promettait de déguster là-haut, dans son lit. Bientôt, dans quelques heures, Gérald bouclerait ses valises et déjà, un peu honteuse de ses sentiments, elle savourait le plaisir de se sentir de nouveau libre, jusqu'à une prochaine explication entre eux… Mais que se passerait-il demain, avec Dany? Elle avait peur. Elle avait retenu ses réactions toute la soirée et faisait comme si de rien n'était… Myriam l'avait senti et l'avait aidé à ne pas perdre contenance. Maintenant, elle redoutait de le rencontrer seul à seule. Qu'y avait-il à dire ? Rien de particulier, rien que des banalités… Et pourtant tant de choses.

Elle referma doucement la porte du placard qui était restée entrouverte et se retourna en étouffant un cri : Dany, qu'elle n'avait pas entendu arriver, était derrière elle…

— Lili…

— Dany…

Dans l'obscurité, ils semblaient figés l'un et l'autre et n'osaient pas se regarder. Elle, surtout, baissait les yeux. Il la prit par le bras :

— Viens, Lili, il faudrait qu'on parle tous les deux… Ça fait trop longtemps…

Elle le laissa faire et sentit un long frémissement parcourir son dos.

— Tu m'en veux encore, n'est-ce pas ?

Lydia restait muette.

— Regarde-moi, Lili, c'est bien normal, ta réaction… Je te comprends…

Il s'avança et, timidement, la serra contre lui. Il avait cru qu'elle s'enfuirait, qu'elle le giflerait peut-être, mais non. Elle était sans résistance.

— On était trop jeunes tous les deux, hein ?

— Oui…

— Et maintenant, tu vas te marier ?

Ce fut plus fort qu'elle :

— Jamais de la vie !

— Mais alors ?

— Alors rien… Ça te regarde pas, non ?

Il la sentit sur la défensive et eut un mouvement de recul.

— Tu as raison, Lili, on est libres toi et moi, hein ?

— Justement…

— Tu voudrais pas qu'on aille au bout de nos explications pour que tout soit clair une fois pour toutes?

— Oui...

— Alors, va chercher un chandail et viens dans la cour, on se rejoint sous l'érable derrière la serre. On sera bien là-bas... Es-tu d'accord?

Lydia hocha la tête:

— Allons-y, j'ai pas froid...

Ils s'assirent à même le sol. La nuit disparaissait en douce. Les grillons chantaient encore... D'ailleurs, avaient-ils arrêté une seule seconde de célébrer la vie depuis hier soir? L'herbe empreinte de gouttes de rosée sentait bon. Dany prit quelques grandes respirations comme avant de s'engager dans une compétition:

— Tu sais, Lili, même si tu ne me crois pas, je ne t'ai jamais oubliée, pas un instant...

Elle regardait le toit de la serre au-dessus duquel s'élevait la brume du petit matin.

— Tu as eu des blondes? demanda-t-elle d'une voix blanche.

Il lui prit la main et se pencha vers elle:

— Quelques-unes, Lili, je ne peux pas te dire le contraire... Je veux être honnête avec toi. J'ai mené une belle vie, terminé mes études, été une vedette sportive pendant des années... Je suis devenu un homme, Lili... Un homme!

Dany se mit à rire doucement. Elle cacha sa tête entre ses bras:

— D'ailleurs, moi, fit-elle, je serais mal placée pour t'en vouloir!

— Il y a Gérald n'est-ce pas?

— Oui et je suis bien mêlée avec ça... Je l'ai dit à m'man, je ne suis pas en amour...

— Mais lui ?

— C'est bien mon problème ! Y veut pas comprendre et il faut dire aussi que je ne sais pas lui casser le morceau… Il me met sur un piédestal…

— Alors, maintenant ?

— Quoi maintenant ?

— Qu'est-ce qu'on fait, tous les deux ?

Elle sursauta :

— Comment qu'est-ce qu'on fait ?

— Lili, as-tu encore des sentiments pour moi ?

Elle gémit comme s'il venait de lui lancer une flèche en plein cœur.

— Tu vois pas, non ? Tu vois pas, Dany, que je…

Il la prit contre lui. Il la serrait si fort qu'elle était prisonnière de sa passion. Il la souleva de terre, posa ses lèvres au creux de son cou et se mit à l'embrasser sans fin. Des petits baisers fous, gourmands, passionnés. Ses lèvres effleuraient chaque parcelle de sa peau, buvaient sa chair. Il retrouvait sa Lili, son amour, son odeur, sa douceur, et l'adoration qu'elle avait pour lui le traversait, le transformait, lui faisait oublier Gérald et ses malheureux espoirs… Gérald qui serait jaloux comme un fou et qui aurait bien raison de l'être ! Une vague énorme, faite de toutes ces années de regrets l'inondait, elle. Elle était sienne et revenait à lui comme si sa souffrance s'était dissoute, envolée à cet instant même. Le fil de leur relation malencontreusement coupé était réparé. À jamais. Il y avait entre eux, invisible, un long cordon qui fixait cet aboutissement.

Des bruits, des voix, et la clarté du grand jour tout à coup entre les feuilles, puis quelques taches dorées sur le visage de Dany. Lydia eut peine à se ressaisir. L'un et l'autre ne savaient plus où ils étaient, n'éprouvaient aucun besoin de le savoir. Là-bas, Myriam dans la cuisine préparait le café. Au fond de la cour, derrière la serre, des taches de lumière qui bougeaient doucement entre les feuilles attirèrent son regard. Alors, elle les aperçut de loin, enlacés, et se demanda tout d'abord si elle ne rêvait pas. Par trois fois, Myriam se reprit à douter avant d'avoir la certitude qu'elle avait bien vu. Elle appela Mike, discrètement :

– Regarde…

Mike, encore en pyjama, se pencha à la fenêtre :

– Ben ça alors !

– Ça devait arriver…

Ils se regardèrent. Était-il nécessaire de faire des discours ? Mike tira une chaise et remplit deux tasses tandis que son cerveau analysait la situation, se lançait dans des hypothèses. Malgré lui, il revint à la fenêtre et regarda encore Lydia et Dany. Collés l'un contre l'autre, ils ne bougeaient pas. À l'autre extrémité de la cour, quelques pensionnaires s'armaient déjà de leurs outils de jardinage. Un petit groupe chantait à tue-tête. D'autres commentaient le départ de Cécile et son bébé. Myriam déposa sur la table une pile de tranches de pain grillé ainsi que du beurre frais et de la confiture maison. Le café embaumait dans la cuisine et sur la galerie. La radio, en sourdine, diffusait quelques nouvelles : l'état de santé de Robert Bourassa avait nécessité une hospitalisation. La météo était excellente.

– Il va faire beau aujourd'hui, lâcha Myriam.

– On pourrait manger dehors…

– J'espère que la journée ne sera pas gâchée par un orage !…

Un salut retentit derrière eux.

– Bonjour !

Myriam et Mike tournèrent la tête et s'immobilisèrent, un sourire embarrassé sur les lèvres. Gérald venait d'entrer.

– Vous êtes matinal ! s'écria Mike.

– Lydia n'est pas encore levée ?

– Non, répondit Myriam, l'air gênée.

Gérald prit la chose du bon côté :

– Parfait, elle a besoin de repos !

Pour l'empêcher de regarder par la fenêtre, Mike dit ce qui lui passait par la tête, dans le seul but de faire diversion, de dévier la tornade qu'il pressentait :

– Si on vous emmenait faire un tour de bateau ?

– Impossible, je dois partir plus vite que prévu… Je vais monter prévenir Lydia…

– Attendez… avant, prenez donc une bonne tasse de café…

Gérald s'étira et sortit sur la galerie avec, dans une main, un journal, et dans l'autre, son café tout chaud. Il admira le ciel d'un air satisfait, scruta les nuages et se réjouit encore. Innocemment, il prenait son temps pour se réveiller. Myriam tremblait en le suivant du regard, et ce qu'elle redoutait arriva. Gérald vit soudain les deux silhouettes et se demanda tout d'abord s'il n'avait pas la berlue… Puis, convaincu de ne pas s'être trompé, il renversa son café, laissa tomber le journal et partit en trombe vers le vieil érable. Au passage, sans s'excuser, il bouscula Mini-Paul et tous ceux qui se trouvaient sur sa trajectoire. Même le chien dut s'écarter. Aveugle, furieux comme un taureau qui voit rouge, il courait plus qu'il ne marchait, fonçant vers ce qu'il croyait être un mirage : sa Lydia bien-aimée assise sous le vieil érable tout contre le nouveau venu… Ce soi-disant demi-frère, ce Dany, ce maudit sauvage !

En arrivant près d'eux, il poussa un tel cri que Lydia et Dany réalisèrent soudain combien leur situation était, aux yeux de tous, incongrue et dangereuse. Trop tard. Gérald, hors de lui, le visage rouge de colère, se précipitait comme un fou sur Dany. Ce dernier, qui avait senti venir le trouble, s'était levé avant Lydia et, conscient de la réaction à venir, l'attendait de pied ferme, prêt à donner les explications qu'il exigerait. Mais Gérald ne l'entendait pas ainsi.

Rouge, hors de lui, il proféra d'abord un certain nombre de menaces qui s'abattirent en trombe sur la tête des deux inconscients, puis il ironisa :

— Bravo… Je croyais rêver, mais non… On roucoule ! Ah, ah ! On roucoule…

Puis il s'adressa à Lydia qui, redressée, la tête haute, semblait le narguer :

— À quoi tu joues, Lydia… Hein ? À quoi tu joues, espèce de…

Il attrapa Dany par le collet.

— Et toi, le blanc-bec ! Tu viens voler ce qui ne t'appartient pas ! Tu viens juste pour ça, hein ? Viens te battre, si t'es un homme, simonac… Je vais te montrer, moi…

Il l'insultait, lançait des mots blessants pour toute la famille, le menaçait de son bras tendu. Finalement, n'obtenant pas autre chose que ce calme qui le dérangeait plus que tout, il frappa Dany à la tête. Lydia pleurait. Dany réagit aussitôt. Il en fallait plus pour l'assommer. Il immobilisa les bras de Gérald et lui cria dans les oreilles :

— Viens donc te battre, si t'es un homme !

Or la stature de Dany et son jeune âge laissaient supposer qu'il pourrait facilement avoir le dessus. À ce moment, Mike et Myriam apparurent, et la tension diminua instantanément. Myriam prit Lydia par la main :

— Rentrons, Lili, vous vous expliquerez mieux dans la maison...

Les deux ennemis se calmèrent un peu. Les pensionnaires, qui s'éparpillaient en plaisantant, eurent la certitude qu'il se passait quelque chose d'inusité. Il se fit tout à coup un grand silence.

— Viens, Gérald, on va parler, balbutia Lydia, larmoyante.

Le cortège prit le chemin de la maison. Les sourires de la veille avaient disparu. Chacun était mal à l'aise. Lydia fit signe à Dany de la laisser en tête-à-tête avec Gérald. Leur entretien fut bref :

— Je suis désolée, désolée, lui dit-elle pour toute excuse.

— Tu es désolée..., répéta-t-il avec un sourire sarcastique.

— Sincèrement, j'avais pensé que tout était bien fini...

— Alors, c'est notre histoire qui est bien finie, laissa-t-il tomber. J'espère ne plus te revoir, ajouta-t-il comme pour lui lancer au visage son impuissance et sa frustration.

Elle ne chercha pas à donner plus d'explication. Le premier moment d'émotion passé, amer, il la contemplait et constatait combien elle était belle avec ses yeux remplis de paillettes d'or qu'elle avait hérités de sa mère. Face à la brisure irréparable qui venait de se faire entre eux, il ne savait plus se situer et redoutait de s'exprimer, hésitant entre le désespoir et la révolte. Les mots lui manquaient, noyés au fond de lui, irrécupérables, sous le poids d'une peine immense. Pourquoi tenter d'avoir une longue explication ? Pourquoi insister et vouloir réparer ce qui n'avait jamais été idéal ? Lydia n'avait plus rien à lui dire et il le savait. Pendant quelques mois, il avait fermé les yeux, il avait refusé de voir, il n'avait jamais voulu reconnaître les signes avant-coureurs de ce qui arrivait aujourd'hui. Quant à elle, elle évitait de provoquer de nouveaux remous et choisissait le mutisme, ce qui le blessait encore plus. Ses yeux ne voyaient plus Gérald qui, pourtant, était là, devant elle. Étrangère à ce qui le faisait souffrir, grisée par les baisers de Dany, elle n'était plus dans son monde et ne pouvait se résoudre à y revenir. Alors, pris par une sorte de délire qui trouvait sa source dans sa déception, il voulut soudain lui laisser des traces de son passage, des traces indiscutables. Rien ne lui venait à l'esprit. Il faillit s'étouffer en refoulant d'autres invectives. Pourtant, il voulait punir Lili, lui faire regretter son geste d'une façon exemplaire, la voir se mordre les doigts et déplorer ce nouveau bonheur, planter dans son cœur quelque épine maléfique. Laisser des traces de son passage ! Lui qui n'avait jamais reçu ce qu'elle donnait si vite à l'autre : son abandon et sa passion, il sortit rageusement de son portefeuille la carte de crédit qu'il avait mise à sa disposition et lui cria comme un fou :

— Tu recevras ma facture par une lettre de mes avocats, espèce de catin !

Il était blanc de rage. Lydia le regardait sans broncher. Il aurait voulu la voir se tordre à ses pieds, implorer son pardon, lui remettre à genoux ce qu'il considérait après coup comme une dette, la facture de la défaite qu'elle lui faisait endurer, la somme de tous les cadeaux dont il l'avait couverte. Le manteau de fourrure, les bijoux et le reste. Le reste ! Mais insensible à ses menaces, Lydia détourna la tête et ne trembla même pas. Devant eux, Myriam et

Mike, sans état d'âme, l'écoutaient sortir de lui toutes ses horreurs. Il se sentait laid et il l'était.

– Le pauvre…, murmura Myriam.

Et Mike acquiesça de la tête, sans faire de commentaire. Alors Gérald, aussi impuissant qu'on l'est quand on est rejeté par l'être aimé, lança en l'air la fichue carte. Il était vaincu sur toute la ligne. Il ne lui restait plus qu'à déguerpir.

L'heure du départ ayant sonné, ils se saluèrent brièvement. Gérald ramassa ses bagages et prit la route sans se retourner. Quand il disparut derrière les montagnes, Lydia se sentit soulagée.

*

Dany sortit dans la cour pour se remettre de ses émotions et pénétra dans la serre. Il était passé si près de casser la figure de ce Gérald qu'il avait peine à se ressaisir et tremblait encore. La serre était un lieu paisible qui l'attirait. Il y régnait une humidité tiède, propice à la détente. Tout au fond, les plantes grimpantes se rejoignaient en une sorte de voûte fraîche et rassurante. Très vite, il réussit à calmer sa nervosité en se concentrant sur ce qui l'entourait ; il se pencha sur les nouvelles plantations, considéra les résultats du travail accompli par les stagiaires dans les derniers mois. Le long d'une rangée, c'étaient de minuscules plants de tomates, qui tranchaient sur les feuilles tendres des pousses de laitue, et là-bas, quelques plantes exotiques mettaient une touche plus contrastée. Admiratif, il félicita quelques-uns des pensionnaires au passage et plaisanta avec eux.

– C'est du beau travail ! Super ce que vous faites ici…

— Ouais, on aime ben ça!

Les jeunes étaient ravis. Les yeux pétillaient. Entendre ces compliments de la bouche de quelqu'un qui ne participait pas aux activités, et surtout de la part d'un visiteur « américain » de Philadelphie, c'était encore plus satisfaisant. Deux d'entre eux se redressèrent et lancèrent leurs casquettes en l'air en signe d'allégresse.

— Yé, c'est *cool*!

Il ne leur en fallait pas plus pour être revigorés. Quand Dany eut fait le tour et échangé ces quelques phrases pourtant banales, d'un seul coup, comme traversé par une illumination soudaine, il ressortit et monta l'escalier quatre à quatre jusqu'à la chambre de Lydia. Il fallait qu'il la voie sur-le-champ. Comme il le faisait jadis à Outremont, il entra chez elle sans frapper. Lydia, à moitié nue, enroulée dans une serviette de bain, était éplorée devant son miroir, la tête entre les mains… Perturbée. Elle tressaillit au bruit de la porte et releva la tête. Il s'approcha d'elle, tout à coup craintif:

— Je ne te dérange pas?

Elle fit signe que non.

— Lili. Qu'est-ce qui se passe, tu regrettes?

Le jeune homme ne savait plus quoi penser:

— Je me sens mal de te voir ainsi…

Lydia voulut le rassurer:

— Non, non, Dany… Il fallait que je prenne une douche, que je me lave de toute cette aventure! Je me sens mieux…

— Tu sais, tu m'as fait peur…

— Mais comprends-moi, Dany, j'ai peur!

— Peur de quoi, ma douce?

— Peur que tu m'abandonnes encôre… Peur de revivre un cauchemar, peur que tout cela ne soit qu'un rêve… Peur qu'on se fasse souffrir encore, toi et moi !

Il la serra dans ses bras.

— Écoute, ma Lili… Crois-moi, on ne recommencera pas à jouer pour tout perdre. Je ne pouvais pas deviner ce qui allait arriver entre toi et moi ! J'ignorais que tu étais avec ce gars…

Nerveusement, il déroula la serviette et la contempla. Elle ne savait plus si elle devait se cacher ou rester ainsi nue, naturellement. Elle s'approcha de sa garde-robe et choisit une petite robe sans manches qu'elle enfila. Dany posa les mains autour de sa taille. Il voulait effacer toute forme de différend entre eux :

— Lili, voudrais-tu qu'on se marie ?

Elle remonta rapidement ses cheveux, puis le regarda droit dans les yeux :

— Sérieux ?

— Je n'ai jamais été aussi sérieux, Lili…

Elle prit la décision de le croire, de croire que rien ne pourrait plus se mettre en travers de ce bonheur immense… Maintenant, c'étaient des larmes de joie qui roulaient sur son visage et qui la rendaient encore plus belle. Il la berça un long moment contre lui, puis la fit pivoter sur le petit lit en lui murmurant à l'oreille :

— Évidemment, je dois présenter ma thèse avant Noël. Je ne peux pas te promettre de t'épouser demain, mais on va se marier, crois-moi ! Aussitôt que je reviens…

Le soleil illuminait la soupente et se frayait une place entre les solives. La vie reprenait ses vraies couleurs.

– Tu sais, lui chuchota-t-elle à son tour, quand tu as fait naître le bébé de Cécile, sur la dune, je t'ai trouvé magnifique… Je t'ai admiré comme si…

– Comme si?

– Comme si aucun autre homme que toi ne pouvait aider à cette naissance…

– On aura des enfants, ma Lili! Et je t'assure que je t'aiderai à les mettre au monde…

Elle s'accrocha à son cou:

– J'ai hâte, j'en veux au moins quatre!

– Alors, tout ce qui t'a fait de la peine, c'est bien oublié?

– C'est oublié, et toi?

– Moi, je suis le plus heureux des hommes!

À ce moment, Guillaume, du bas de l'escalier, cria d'une voix retentissante:

– Allons, vous deux, descendez donc… Chloé et moi, on vous emmène faire un tour de bateau! C'est une journée à baleines, sur le fleuve!

– Accrochez-vous, les amoureux, ça va être spécial, il y a du roulis…, renchérit Chloé.

Dany et Lydia dévalèrent les deux étages en se donnant la main et coururent jusqu'au bateau.

*

Il était bientôt onze heures du soir. La journée avait été riche en émotions. Myriam et Mike, bras dessus, bras dessous, faisaient une dernière balade aux alentours, avant d'aller dormir. Il montait de la terre un parfum tiède et langoureux. De chaque côté des talus qui bordaient la route, les touffes d'herbe et les fleurs des champs se balançaient doucement. Dans les prés, les troupeaux de vaches en liberté broutaient encore, silhouettes sombres que l'on entrevoyait à peine. Au loin, minuscules, quelques lumières parsemaient la côte. La sirène d'un cargo qui glissait sans bruit lança son cri rauque au milieu de la voie maritime. Ils firent demi-tour vers la maison.

— Tiens, les premières mouches à feu…, remarqua Myriam.

Ils s'arrêtèrent quelques secondes pour admirer les étincelles fugaces qui éclataient tout autour.

— Il fait bon, on n'a pas envie de rentrer. Veux-tu marcher encore, minou, ou préfères-tu t'asseoir ? questionna Mike.

— D'accord pour s'asseoir… Je crois que je vais avoir de la difficulté à m'endormir, confia Myriam en se serrant contre lui.

Quand elle se fut installée dans l'herbe, il s'assit près d'elle et caressa son visage en souriant, puis il cueillit une graminée et, du bout des doigts, promena lentement la tige sur ses joues.

— Je suis sûr, minou, que tu vas bien dormir…
Elle rit.
— Tu me chatouilles !…
— Comme on est bien !

Il leur prenait tout à coup un goût de folie, comme s'ils avaient encore vingt ans. Mike l'enlaça et se mit à l'embrasser.

— J'ai envie de toi !
— Comme si on avait l'âge de nos enfants ?
— Comme si on n'avait pas d'autre âge que celui de s'aimer !
— N'est-ce pas ce qu'on a toujours fait, Mike ?

— Parfois, il me semble qu'on n'a pas été assez fous…

— Quand la sagesse surgit avec les années, la folie s'exprime mieux…

— C'est vrai, quand on est jeune, on n'a pas encore trouvé la façon de passer au travers de la vie et de savourer ce qu'elle a de beau…

— Ça prend la vieillesse pour devenir jeune dans la tête !

— Comme si on était vieux !

Myriam riait de tout son cœur et Mike, qui la tenait dans ses bras, abandonnée, se mit à rire contre elle. Il la prit sur le tapis d'herbes folles, dans l'ombre propice à ce plaisir qu'ils partageaient, et Myriam répondit à son étreinte, passionnément, comme au premier jour.

— Te souviens-tu de la première fois ?

— Quand j'aurais pu me noyer ?

— Ç'aurait pu être une tragédie, comme ce matin…

Même si l'un et l'autre ne pouvaient effacer de leur esprit les circonstances qui avaient perturbé le départ de Gérald, ils avaient fait la part des choses et très vite dédramatisé l'incident. Il n'avait jamais été question de blâmer aucun des trois acteurs.

— Évidemment, Gérald est celui qui souffre le plus, dans cette histoire…

— Toujours la même chose : il ne voulait pas voir les signes !

— Ce qui n'empêche que Lili a eu des torts…

Après les adieux fracassants de Gérald, Lydia et Dany, encore honteux de la scène dont ils avaient été les acteurs, étaient partis pour une expédition impromptue sur le fleuve, accompagnés de Guillaume et de Chloé. Puis, dans l'après-midi, les garde-côtes étaient venus chercher Guillaume de toute urgence. Une baleine bleue s'était échouée à quelques kilomètres en amont du Bic. L'énorme animal, blessé par l'hélice d'un gros bateau, avait besoin de soins particuliers que seuls les spécialistes pouvaient lui prodiguer. Il fallait faire vite avant qu'elle ne perde tout son sang et que, traumatisée, on ne puisse la remettre à l'eau. Sans hésiter, les quatre s'étaient rendus sur les lieux où Guillaume et Chloé étaient attendus pour diriger les opérations.

— C'est bon qu'il y ait eu cet épisode du sauvetage de la baleine bleue, cela a fait oublier les incohérences de Lili…

Toujours allongés et détendus, Myriam et Mike écoutaient le bruit régulier du ressac et admiraient la voûte céleste.

— Vois-tu celle-ci qui clignote en bleu et rose ? C'est Véga…

Après avoir admiré, Myriam revint sur le sujet :

— Dis-moi, Mike, que penses-tu de tout le charivari de ce matin ?

Mike prit une grande respiration et suivit des yeux les contours du Grand Chariot avant de répondre.

— Regarde, Myriam, ce n'est pas grand-chose si on admire le ciel et les millions d'étoiles… Et puis, c'est égoïste de ma part, mais la famille est réunifiée…

— J'ai l'impression que tout ça devait arriver !

— Le naufrage de la baleine ? Ah, non, tu veux dire qu'on ait fait l'amour ici ? C'était si bon…

Il la serra dans ses bras et elle rit encore plus fort de ses plaisanteries.

— Que tu es fou, Mike… Mais non, voyons, je parle de la renaissance des amours de ma fille et de ton fils…

— Je crois que c'est bien ainsi, pour Lydia et pour Dany...

Il passa la main dans ses cheveux.

— Ils s'aiment depuis trop longtemps. Ils ne pouvaient pas rester sur cet échec..., dit-elle. Et puis, même si Gérald était un bon gars, il n'avait pas les qualités qu'il faut à Lydia...

Mike prit quelques instants avant de répondre à Myriam :

— Pas si sûr que toi. Ce que je vois, moi, c'est qu'elle était incapable de s'engager, car son cœur était ailleurs...

— Maintenant, comment savoir ce que l'avenir leur réserve et de quelle façon ils vont manœuvrer leur barque !

— On ne peut jamais prévoir... Les hommes ne s'expliqueront jamais ce qui est la finalité de la vie : c'est et cela restera toujours le grand mystère.

Il lui donna encore quelques baisers.

— Le tabou du sexe est presque disparu de nos jours. Faire l'amour est devenu une source d'expériences et ne comporte plus la notion d'absolu... Les jeunes revendiquent leurs droits à l'erreur.

— Et aussi ce qu'on nous laissait ignorer, le plaisir...

— Peut-être qu'ils ont tendance à en abuser ?

— Plus l'époque est difficile à vivre et plus les mœurs se relâchent...

Tout en bavardant, ils reprirent leur marche et s'engagèrent sur le chemin côtier. On entendait fuser quelques éclats de rire derrière les maisons des vacanciers. L'air était doux.

— Personne ne veut dormir... Des soirées comme celles-là, on n'en a pas assez dans une année !

— Maintenant, il y a encore un point dont il faut parler : que fait-on pour Pierrette, demanda Myriam, y as-tu pensé ?

— Il n'est pas question de la laisser seule dans son coin. Appelle-la demain et propose-lui de venir s'installer dans l'appartement voisin de celui de Julienne et d'Émilienne…

— C'est vrai, il vient de se libérer…

— Vois si elle aimerait ça !

— Je suis sûre qu'elle va être ravie… C'est exactement à quoi je pensais…

*

Dans la ruelle, quelques gamins armés de bâtons de hockey poussaient la rondelle en criant à tue-tête, comme dans le bon vieux temps. Pierrette, qui revenait chez elle après avoir fait ses courses, posa son filet à provisions sur le trottoir et, essoufflée, prit une pause pour les observer. Le paysage montréalais se transformait d'année en année, tout comme son jardin qui, lui, n'était plus cultivé comme il l'avait été par le passé. Même si elle prenait soin d'entretenir les carrés de terre et les haies de fleurs vivaces longeant la clôture, elle n'avait plus la force ni le goût de cultiver assez de légumes pour sa consommation. Ce fut plus fort qu'elle, elle soupira en songeant aux années où Gaétan faisait pousser en abondance tomates, fèves et carottes au point qu'elle n'avait jamais besoin d'en acheter chez l'épicier du quartier… D'ailleurs, l'épicier avait disparu pour faire place à un supermarché qui, comme tous les autres, vendait les légumes alignés sur des plateaux de carton et emmaillotés dans une pellicule transparente.

Stupide façon de masquer l'absence de saveur des produits qu'on cueillait bien avant leur maturité et qu'on entassait dans des réfrigérateurs. Pierrette avait du mal à s'habituer à ce genre de modernité qui diminuait la qualité de la vie. Du revers de la main, elle chassa ses pensées nostalgiques qui ne la mèneraient nulle part sinon dans ses regrets et qui, de fil en aiguille, lui rappelleraient sa belle jeunesse. «Tu deviens de moins en moins tolérante», se fit-elle remarquer sans complaisance. Avant de reprendre son chemin, elle jeta un coup d'œil aux arbres qui bordaient l'avenue. L'automne s'annonçait chatoyant. Comme chaque année, les feuilles se coloraient, doraient et rougissaient, transformant la monotonie montréalaise en une vibrante symphonie. Elle monta les trois marches du perron et, au moment où elle pénétrait dans la maison, la sonnerie du téléphone retentit. Elle déposa son fardeau et décrocha le combiné.

— Myriam! Bien sûr, tout va bien... Mais non, je suis encore vaillante, ne sois pas inquiète pour moi... Donne-moi des nouvelles de vous tous...

Elle approcha une chaise pour être plus confortable avant de reprendre la conversation. Myriam, à l'autre bout du fil, en avait long à lui conter.

— Mais oui, je sais que vous êtes très occupés... Alors, comme ça, le mariage de Guillaume approche? Et Dany et Lili vont se marier eux aussi! Que de bonnes nouvelles! Si je viens... Oui, bien sûr! Vous viendrez me chercher... Bon, j'accepte...

Il y eut un long intermède durant lequel Myriam lui donna des détails sur les événements: l'été avait été fertile en imprévus. Finalement, elle aborda le sujet qui lui brûlait les lèvres:

— Pierrette, ça nous brise le cœur de te savoir isolée à Montréal et on a pensé, Mike et moi, que tu pourrais t'installer à Saint-Fabien…

La réaction ne se fit pas attendre :

— Non ça, jamais de la vie, il n'en est pas question !

Myriam, tout d'abord interdite, insista :

— On est tous inquiets de te savoir seule, surtout qu'il ne nous est pas facile de descendre fréquemment à Montréal…

— Je sais ça, Myriam. C'est gentil de votre part, mais je t'ai dit, ma petite fille, que je n'accepterai jamais…

— Mais pourquoi ?

Myriam était mal à l'aise. Quand Pierrette lui disait « ma petite fille », il n'était pas question de mettre de la pression. L'idée que Pierrette pourrait avoir un malaise ou même une simple difficulté pour se déplacer l'hiver venu la mettait sens dessus dessous. Mais impossible de discuter. Pierrette n'avait pas l'habitude de se laisser mener… Myriam tenta encore de la convaincre, de lui démontrer que, si elle acceptait, elle serait confortable à Saint-Fabien, bien entourée, choyée, mais Pierrette resta intraitable. Myriam et Mike n'avaient pas prévu qu'elle pourrait être aussi catégorique dans son refus. Fermée à ses suggestions… Était-ce un vestige de la rigidité qui avait animé les générations précédentes ? Myriam se souvenait malgré elle comment, dans son enfance, chacun s'accrochait à un point de vue immuable. Philippe Langevin, Albert Pellerin, et surtout Le Cardinal, étaient les premiers à être prisonniers de leurs positions autoritaires et sans nuances. Ce qui était dit avait force de loi. Des hommes de pouvoir ! La vie était coulée dans un moule formé une fois pour toutes, sans concessions, qui réduisait les proches à des rôles programmés, contrôlés. Mais lentement, le moule s'était usé, brisé. La vie moderne et les communications avaient fait changer les mentalités. Les femmes avaient réagi. Elles avaient activé le mouvement des transformations. Chaque personne avait désormais le droit de devenir un individu responsable et Myriam avait fait sa part. De la vieille attitude, il ne restait que des lambeaux : les comportements s'étaient assouplis de façon remarquable en cette fin de siècle.

Myriam, désolée de ne pouvoir faire entendre son point de vue, écoutait Pierrette répéter ses principes, ses décisions irrévocables. Pourtant, dans son cas, elle avait prouvé son ouverture à une nouvelle vision des choses. C'était pour le moins déroutant... Quand Myriam, à bout d'arguments, répéta une dernière fois son offre, la réponse ne se fit pas attendre :

— Ne reviens pas sur la question, Myriam, tu me fâches... Je ne quitterai pas mon chez-moi pour tout l'or du monde ! À mon âge, justement, on a besoin de ses souvenirs autour de soi... Et puis, ma santé n'est pas si mauvaise que ça, et tant pis si je meurs toute seule... Je ne serai pas la première !

— Mais qu'est-ce que tu me chantes là ?

— Je dis que je vieillis et que l'aboutissement pour nous tous, les humains, c'est de disparaître un jour...

Myriam soupira :

— Bon, je ne peux pas t'emmener de force... Comme tu voudras...

— Encore heureux !

— Alors, on viendra te chercher le jeudi avant les noces de Guillaume, d'accord ?

— D'accord...

Myriam, désolée, raccrocha et se tourna vers Mike :

— Je sens que je vais culpabiliser s'il lui arrive la moindre chose… Elle n'est pas commode quand elle se bute…

— Tu n'y peux rien, et à sa place, je crois que je réagirais de la même façon. Je la comprends, tu sais. Quand on vieillit, on a besoin de ses repères encore plus qu'à notre âge !

— Mais regarde Gaby… Il est bien parti avec Ida pour s'établir à Maliotenam et cela ne fait pas si longtemps…

— Gaby a toujours été un nomade dans l'âme… Ce qui était pénible pour lui, c'étaient les années où, à cause des enfants, il était devenu plus sédentaire…

— D'accord, on ne peut pas comparer !

Et Myriam songea que, peut-être un jour, sa vieille amie se laisserait fléchir, qu'elle se joindrait à tous ceux qui gravitaient autour de Saint-Fabien où le bonheur commençait à fleurir.

CHAPITRE XVI

Décembre 1995.

L'hiver s'installait sur le nord du Québec. Depuis plus de trois semaines, la neige qui tombait jour après jour transformait les paysages, gelait les rivières, brouillait les distances. Le matin même, un grand vent, de ceux qui brûlent les paupières et se faufilent en mugissant dans les moindres interstices, avait balayé la taïga. On entrait dans l'époque de la longue saison froide où la nuit ne cède sa place au soleil que durant de courtes heures. Les reliefs des montagnes figés par le froid étaient méconnaissables. Les chemins, balayés par la bise, avaient disparu. L'œil s'habituait à tout ce blanc qui endormait les contours, mais le corps en alerte ressentait le danger de toutes parts ; il se devait d'être fort. Depuis la nuit des temps, chez les Indiens innus, pour circuler d'un village à l'autre quand l'hiver s'abattait sur la terre, on suivait le lit gelé des rivières transformé en route. Même les plus grosses machines pouvaient rouler sans risque sur cette étrange piste prête à fondre en quelques heures dès le retour des beaux jours. D'ici là, elle était d'une solidité à toute épreuve et, si on l'empruntait, on ne pouvait jamais s'égarer et mourir de froid dans l'immensité blanche. Ceux qui persistaient à voyager par la forêt avaient tôt fait d'y perdre leurs points de repère quand le vent, comme cette nuit, se levait pour bouleverser les reliefs familiers et qu'il vous encerclait, plus cruel qu'une bête féroce. Les ours dormaient à l'abri. D'autres animaux à fourrure s'enfouissaient dans les terriers dès les premières chutes de neige, mais les caribous et autres cervidés, qui se nourrissaient de graines, se regroupaient, errants, pour glaner ce qui avait échappé au gel.

Au nord du territoire d'Uashat-Maliotenam, un petit groupe de chasseurs amérindiens revenait de Matimekosh, aux abords de Schefferville, en suivant la longue piste hivernale. Depuis plus de cinq jours, ils filaient sur leurs traîneaux tirés par des chiens et s'arrêtaient ici et là pour saluer quelque individu de leur communauté vivant à l'écart ou pour se rassasier et dormir. Emplis de gratitude envers la vie qui les aidait à vaincre les épreuves du Grand Nord, ils parcouraient les territoires sur des centaines de kilomètres, relevant le défi qui aiguisait leurs sens, mêlant le jeu à l'épreuve. Chaque attelage comptait huit bêtes de la race des malamutes, des chiens qui possédaient une endurance exceptionnelle et couraient sans relâche, disciplinés, attentifs au son de la voix humaine. Jamais l'un d'eux ne s'écartait ou ne faiblissait. Tous étaient reliés au harnais dirigé par l'homme qui faisait corps avec son équipe et lançait de longs cris pour encourager ses bêtes.

– Yé… Yaoh… aoh…

Ils formaient ainsi une famille indissociable. Le maître, lui, n'était plus, comme jadis, couvert de fourrures ; il portait des vêtements isothermiques aux couleurs vives. Sans les bêtes, l'homme du Nord n'aurait pu survivre, mais maintenant que les véhicules à moteur fourmillaient jusqu'au cercle polaire, partout on délaissait les chiens, ne les utilisant que pour le plaisir. Cela n'était pas bon aux yeux d'un petit nombre d'Amérindiens qui voulaient maintenir les coutumes en territoire montagnais. Ils soignaient leurs chiens et les traitaient avec un immense respect. C'était le bien le plus précieux que la vie leur ait jamais donné.

– Yaoh ! Yééé… Yaohhh…

Au loin, les bouquets d'épinettes qui parsemaient la lande se dressaient comme de minuscules franges grises qui hérissaient l'horizon. On ne savait pas trop si elles appartenaient au ciel ou à la terre. Trois traîneaux se suivaient ce jour-là, glissant sur l'immense voie blanche qui traversait une série de lacs en enfilade, transportant du matériel et des provisions dont quelques-uns auraient besoin au village. On avait acheté la plupart de ces marchandises à la jonction où le train faisait une halte avant de continuer vers Schefferville. Depuis toujours, les Indiens venaient ici acheter ou échanger les matières premières indispensables à leur existence, mais les choses avaient bien changé. Ils n'étaient plus aussi nombreux à attendre le passage du convoi, car, désormais, on recevait par avion ce qui venait du Sud. L'heure avançait, on approchait du but.

Gaby pensait qu'il serait plaisant, tout à l'heure, de laisser les chiens se reposer et de rentrer boire le thé tout en contant, autour du feu, les nouvelles qu'ils avaient glanées. En certains endroits, la neige encore poudreuse était striée d'ondulations qui ressemblaient à de petites vagues, formant au sol un motif régulier, et en d'autres, le traîneau glissait dans des ornières profondes, risquant une embardée. Parfois, il fallait ralentir.

– Ohh… Yaoh…

Là où la neige s'était accumulée en monticules sous les assauts du grand vent, son épaisseur et sa consistance légère obligeaient les chiens, qui s'enfonçaient dans la neige jusqu'au poitrail, à faire de longs efforts. Mais les malamutes s'amusaient de ce que d'autres n'auraient pas supporté. Ils se jouaient de tous les embarras, ayant eu la folie de s'adapter ici depuis la nuit des temps. Entêtés, ils poursuivaient leur but, heureux de la froidure qui leur picotait la peau sous l'épais pelage.

Le bruit d'un moteur, assourdi par les bancs de neige, résonna aux oreilles de Gaby qui était en tête du cortège. Un camion frôla les chiens et, en les doublant, fit s'envoler des nuages de poudrerie qui estompèrent les contours du véhicule. Aucune des bêtes ne ralentit l'allure, mais le conducteur, en passant près de la caravane, klaxonna à plusieurs reprises et, en riant, fit un grand signe :

– Salut, Gaby !

– Salut, Joe. T'es bien pressé…

Le gars du camion se pencha par la fenêtre :

– Plus qu'une demi-heure et vous êtes bons… Mais moi, j'y serai dans cinq minutes, ah, ah !

– C'est ça, cours… ah, ah ! répliqua Gaby, moqueur.

Et il maintint les rênes, criant quelques bons mots à ses chiens. À peine quelques secondes plus tard, le camion fit un tête-à-queue et décrivit un long arc de cercle avant de reprendre la ligne droite. Les traîneaux continuèrent à la même cadence, encouragés par les exhortations des hommes. Le village était composé de maisons préfabriquées, alignées dans deux rues tracées en forme de croix. Quelques panneaux en langue innue parfois traduits en français indiquaient la nature des quelques baraquements nécessaires à la communauté. À l'écart, une chapelle laissait timidement pointer sa flèche derrière la longue maison des assemblées. Des gamins emmitouflés sortaient de l'école et glissaient en riant sur un talus de neige, tandis que d'autres, plus âgés, tournaient en rond sur des motoneiges à grand renfort de bruit jusqu'aux abords de ce qui, en été, était la rivière. Un peu plus loin, des femmes entraient chez leurs voisines ou sortaient et, au-dessus des toits, les cheminées lançaient d'interminables nuages qui s'évaporaient dans la grisaille de ce jour sans soleil.

Derrière la maison, Gaby détacha les chiens pour distribuer à chacun sa part du festin : plusieurs kilos de viande qui furent déchiquetés avec ardeur. Parmi les malamutes, il régnait un ordre absolu, tout comme au sein des hordes de loups dont ils étaient les héritiers. Le chien dominant choisissait son morceau favori et le dévorait. Ensuite, ses compagnons d'attelage pouvaient se rassasier, chacun suivant son rang. Gaby, son fils cadet et un de ses neveux flattèrent chacune des bêtes et leur adressèrent quelques bons mots. Visiblement, il y avait entre eux cette connivence subtile qui ne peut se décrire et qui relie les êtres, dans l'unité. Satisfaits d'être rentrés à bon port, les hommes se débarrassèrent des lunettes et des mitaines, laissèrent tomber leur capuche. Peu sensibles au froid, ils s'apprêtèrent à quitter leurs manteaux en plaisantant. Ida, qui guettait leur retour, sortit sur le pas de la porte enroulée dans un châle :

— C'est toi, mon mari... Avez-vous fait bonne route et rapporté les commandes ?

Pour toute réponse, Gaby déposa le gros sac de toile qu'il portait sur son épaule, fouilla quelques secondes et lui lança un paquet enveloppé de papier brun qui semblait léger. Elle l'attrapa au vol, visiblement réjouie :

— La laine!

Gaby hocha la tête. Tout comme lui, Ida vieillissait. Sa silhouette s'alourdissait un peu plus d'année en année, mais on n'apercevait aucune mèche blanche dans sa chevelure noire comme le jais.

— Tout est là, Ida…

— Vous avez ramassé la tempête?

— Il en faut plus pour nous arrêter…

— Ah, ah, ah…

Les trois hommes riaient de plaisir en remisant les traîneaux sous l'appentis. Ida regarda le ciel. Le vent s'était calmé. Une neige légère commençait à tomber et adoucissait la température tandis que le jour déclinait rapidement. Quand, finalement, ils entrèrent, le feu ronronnait, la théière sifflait sur le poêle et deux jeunes femmes aux longs cheveux enroulés sur des bâtonnets de chaque côté du visage veillaient sur les jeux des enfants. Elles chantaient de vieilles mélopées. C'étaient les compagnes de Mathieu, second fils de Gaby, et de Théo, son neveu, avec leurs bébés. Ida ouvrit les ballots de toile légère que les hommes avaient déposés près de la porte. Ils contenaient toutes sortes de choses précieuses et indispensables. Il y avait du sucre, de la farine, du thé et aussi d'autres balles de laine pour tricoter. Elle répartit le tout en plusieurs parts pour les distribuer selon les besoins. Les femmes de sa génération savaient tricoter les tuques aux couleurs vives, les châles et les gilets aux motifs gracieux dont les Innus raffolaient. Habile, Ida enseignait aux filles du village la façon de faire. Elle choisit trois balles de couleurs vives et s'approcha de sa fille Wanda, la benjamine, qui était enceinte:

— Il est temps, ma fille, de jouer avec les aiguilles pour fabriquer des petits manteaux, des tuques et des chaussons…

Wanda sourit et acquiesça :

— Mère, nous allons le vêtir de neuf, mon enfant…

Et elle mit les deux mains sur son ventre d'un air triomphant. Wanda, qui portait le nom de sa grand-mère paternelle, était très jeune. Jamais elle n'avait vécu ailleurs que dans les villages des Indiens du nord ou à Kanesataké, ayant depuis sa naissance suivi le parcours de Gaby et Ida, ses parents. Elle était d'un naturel doux, aimait les enfants qui peuplaient le village et s'en occupait avec patience. Fière de son appartenance et excellente élève, elle assistait les professeurs pour enseigner la langue du pays, se destinant à devenir elle-même une institutrice après son accouchement. Sa grossesse était survenue sans crier gare alors que Joe, l'un des fils de Zacharie Vollant, sortait avec elle depuis un mois à peine. Il n'était pas un mauvais garçon, mais il était très immature et n'avait pas de travail. C'était lui que Gaby et les autres avaient croisé en chemin. Même si Joe passait son temps à faire des folies et refusait d'étudier, Wanda se réjouissait de devenir mère. Elle attendait patiemment son heure. Malgré tout, Ida et Gaby nourrissaient quelque inquiétude face à la situation.

Avec le retour des hommes, une atmosphère de fête s'était installée dans la grande pièce de la maison. Les jeunes femmes, curieuses et impatientes, se rapprochèrent du coin où les trois arrivants, assis sur des coussins posés à même le plancher, faisaient le récit de leurs exploits des derniers jours… Il y avait mille et une choses à raconter, de celles qu'on croise en chemin et qui font les belles heures des veillées. Quelques rencontres impromptues avec des caribous cherchant leur pitance, des traces fraîches de lièvres, des hordes de renards qui jouent à cache-cache à l'affût des mulots ou des oiseaux de proie guettant, de leur œil immobile, les écervelés qui s'égarent… Les histoires n'en finissaient plus et les enfants adoraient les entendre, agrémentées des tribulations mythiques de tous les esprits qui peuplent le Nord et voyagent dans le ciel quand la terre est endormie. Sans compter ce que l'on disait à propos de chacun des hommes et des femmes qu'ils avaient visités en chemin : Marie et ses enfants, et Nelson, et le vieux Jeff, et tant d'autres…

Mais ici, dans le village, rien d'aussi palpitant ne venait embellir les journées, ce qui désolait Ida tout autant que Gaby. Les occupations manquaient aux hommes de la communauté, qui erraient sur leurs motoneiges dans de vaines courses. Désœuvrés, les jeunes qui n'émigraient pas dans les villes du sud n'avaient de goût à rien. Quand ils ne consommaient pas de drogue, ils passaient leur temps à la taverne, buvant et faisant du trouble, tandis que leurs femmes, découragées des situations sans lendemain, tentaient d'éduquer les gamins… Quand Gaby mentionna leur brève rencontre avec Joe, Wanda releva la tête.

— Quand il est sans but, que peut-on espérer d'un homme ? dit Ida en soupirant.

— Un homme sans travail est une âme en peine…, murmura Gaby.

Il but longuement son thé en admirant deux de ses petits-enfants qui prenaient plaisir à dessiner des oies.

— Que de talents perdus ! dit-il encore.

Amer, il songeait que la situation des Autochtones n'avait pas encore assez changé depuis les années où il se démenait sans grand résultat aux alentours de la baie James. Plus récemment, au conseil de bande de Kanesataké, après les événements de 1990, il s'était fermement opposé aux projets qui remportaient les suffrages de la majorité de la population. Un groupe de dissidents avait décidé de créer un casino de jeux à partir des ordinateurs, virtuel certes, mais illégal! Le tout devait être implanté au moyen de ce nouvel outil qui inondait le marché mondial : l'Internet… Qu'en serait-il exactement dans la réalité? Où ce nouveau genre d'activités louches mènerait-il? Gaby ne voulait rien savoir des suites de ce qu'il qualifiait de manigances et c'est ce qui l'avait poussé à déménager ici, où résidait une partie de sa famille et de celle de Mike…

Pendant les quelques années précédentes, Gaby avait sillonné le Québec pour rassembler l'esprit de ses congénères éparpillés, mais, depuis un certain temps, il ne prenait plus la route. La seule chose à laquelle il aspirait maintenant était une vie tranquille. Ida et lui avaient acquis, dans la région de Maliotenam, une quiétude que seul venait rompre le souci grandissant d'un avenir qui se dessinait sombre pour les jeunes. Bien qu'éloignés des grandes villes, ils entretenaient des rapports réguliers avec Mike et Myriam, qui venaient parfois passer quelques jours, amenant avec eux Jason ou Guillaume et Chloé, plus rarement Lydia. C'était le plus souvent durant la belle saison. Quant à Dany, on avait entendu dire qu'il viendrait pratiquer la médecine à Schefferville. Gaby fut tiré de ses réflexions par Jonathan, son dernier petit-fils, qui brandit sa feuille de papier coloré et grimpa sur les genoux de son grand-père. Gaby lui en fit des compliments :

— C'est très beau, Jonathan…

Il tendit le dessin à Ida :

— Vois, Ida, ce que ton petit-fils a fait…

L'enfant était ravi. Gaby tourna la tête et ajouta, songeur :

– Cette situation ne peut plus durer, ma femme… Il faut trouver un moyen d'occuper les hommes qui restent ici et faire quelque chose pour leur redonner l'espoir…

– J'ai pensé à quelque chose, dit Ida…

– Parle, Ida…

– Je ne sais pas si l'idée est bonne!

Gaby lui adressa un grand sourire:

– Depuis qu'on vit ensemble, ma femme, tu en as déjà eu quelques-unes dont moi, ton mari, je ne me plains pas…

Ida regarda Gaby avec des yeux pleins de tendresse. Il avait toujours été bon pour elle et leur vie devenait encore plus douce maintenant qu'il ne s'éloignait plus aussi fréquemment.

– Parle, Ida…, lui dit-il encore en lui donnant une tape amicale sur le genou.

– Eh bien, commença-t-elle, j'ai entendu dire que les Blancs d'Europe recherchent les promenades en traîneau et qu'au Groenland ces circuits-là sont à la mode. Certains le font aussi en Alaska pour les touristes venus des États-Unis…

Gaby tendit l'oreille. Les propos de sa femme avaient du bon sens: il fallait les prendre en considération. Déjà, son esprit voyageait et voyait plus ou moins clairement ce que, ici, ils pourraient entreprendre. C'était plus fort que lui: quand il constatait la misère quotidienne à laquelle ses frères de race ne pouvaient se soustraire, il fallait qu'il fasse bouger les choses. Il en avait été ainsi toute sa vie et il en serait ainsi jusqu'à sa mort… Même s'il se sentait vieillir! En vérité, son corps n'avait plus la même endurance qu'auparavant, mais il avait emmagasiné au cours des ans la richesse de l'expérience et sa sagesse pouvait instruire ou guider bien des jeunes.

— Nous pourrions peut-être organiser des circuits touristiques avec les traîneaux, dit-il.

— Oui, entre la pourvoirie au bout du lac des chutes et la maison de Marie, à mi-chemin entre Matimekosh et Maliotenam…, précisa Ida qui décrivait sa vision des choses.

— Femme, je trouve que tes rêves sont pleins de bon sens!

Gaby se tourna vers son fils et son neveu:

— Vous qui ne voulez pas vous éloigner de ce pays auquel nous sommes attachés, que diriez-vous de faire grandir cette sorte d'activité?

Les deux jeunes hochèrent la tête. Rien que ces paroles suffisaient à faire naître un peu d'optimisme. Ils s'écrièrent:

— C'est bon!

— *Cool!* Nous sommes prêts à te suivre, père… La vie dans la forêt, c'est la belle vie, celle que nous aimons! dit Mathieu.

— Il paraît que les Blancs aiment ça et qu'ils viennent même de très loin par-delà l'océan pour s'amuser dans la neige…, clama soudain Théo.

Il y eut un grand éclat de rire. Passer sa vie à s'amuser malgré les difficultés, venir en vacances pour se mesurer à l'âpreté de la nature, cela correspondait en tout point à la philosophie des Innus. De plus, l'enseigner aux Blancs en les entraînant dans des balades à n'en plus finir, c'était encore meilleur.

— Si les Blancs aiment s'amuser et qu'ils en ont les moyens, nous allons leur offrir des trésors pour ensoleiller leur âme! décréta Gaby en lançant un clin d'œil à Ida.

— Et tout ça redonnera de la couleur à celle de nos jeunes…

— Qui seront bien occupés !

Ida se voyait préparer des tablées entières autour desquelles les promeneurs se délecteraient de ses ragoûts et de ses gourmandises. Elle qui, avec les autres squaws, cueillait minutieusement les baies estivales qui pullulent dans la lande et les engrangeait : c'était l'occasion rêvée de faire des heureux. Gaby, lui, répertoriait mentalement le matériel indispensable et son esprit vagabondait d'une chose à l'autre. Il voulait recevoir dignement ses futurs hôtes… Les intéresser à faire un feu sur la neige, à dresser un tipi pour dormir dehors même par grand froid, à écouter les contes et les légendes des ancêtres, à la façon de l'inoubliable Théophile Panadis d'Odanak, dans les années cinquante… Et tant de choses qui amèneraient le plaisir de la découverte, sans compter la vie en compagnie des chiens, ces fidèles éclaireurs. Il fallait dès maintenant prévoir les plus beaux circuits que les traîneaux pourraient aisément parcourir. Quant aux plus jeunes, le goût de l'aventure se manifestait déjà dans leurs veines et échauffait leur créativité et leur enthousiasme. Tout cela était beau à voir. La famille au complet était réunie autour de l'idée que venait de lancer Ida.

Les choses étant ainsi décidées, jeunes et vieux s'aperçurent que leur estomac criait famine. On s'assit autour de la table et Ida servit à tous les affamés une délicieuse soupe qu'elle avait mijotée avec du bouillon de porc-épic. Puis, pour célébrer la naissance de ce projet plein de promesses et pour que les hommes n'oublient pas d'y revenir afin qu'il soit de plus en plus précis, elle sortit de sa réserve des pots de confiture de bleuets et de chicoutai et de la graisse de caribou que Gaby lui avait rapportée d'un précédent voyage. Avec de la banique encore chaude et croustillante comme elle seule savait la cuire, il y aurait en un rien de temps sur la table un fameux dessert… On envoya chercher les voisins pour qu'ils aient leur part du régal, car, chez les Innus, tout ce que la vie promet à un homme, il le partage. Les enfants, excités, se pourléchaient déjà les babines. Il n'était pas question de laisser sans lendemain une idée comme celle-là!

Quand tous se furent rassasiés de leur part de dessert, Ida, heureuse de constater l'optimisme général, annonça une deuxième bonne nouvelle:

— Myriam et Mike ont téléphoné… Ils viendront passer les fêtes de Noël avec nous autres!

— Femme, pourquoi ne l'as-tu pas dit plus tôt?

— Pour vous faire la surprise.

— Raison de plus pour nous mettre à nos traîneaux, et vite!

Femmes et jeunes filles se réunirent par deux et se rapprochèrent face à face jusqu'à se toucher. Dehors, on entendait le nordet ratisser la neige et faire voler les esprits jusqu'en haut du clocher. Le vent s'arc-boutait et léchait les surfaces, il grondait et sifflait pour effrayer ceux qui n'appartiennent pas à la race des braves. Dans la maison chaude et pleine de monde, on se riait de ses colères, on était bien. Alors, les femmes se mirent à chanter les bruits de leur pays, les chants du ciel et de la terre. Leurs voix rauques ou aiguës sortaient de la gorge et se répondaient en répliquant au vent, elles montaient vers les nuages puis descendaient dans les entrailles secrètes des monts et des vallées, pour clamer à cet immense pays nordique qu'avec lui les Innus ne faisaient qu'un. Et l'on riait.

On s'endormit tard ce soir-là, en confiant au grand manitou un espoir, celui de la vie qui, d'elle-même, se renouvelle et s'accomplit pour le bonheur de tous les êtres.

*

L'avion tanguait un peu et, par moments, on avait l'impression que c'était la terre qui se couchait et se retournait, s'enroulait à la pointe de ses ailes. Le nez collé au hublot, Lydia essayait de tout voir. Le paysage était d'une beauté à couper le souffle. Du blanc de tous les côtés, mais du blanc qui prenait les reflets de l'eau, du ciel ou des montagnes et qui changeait de teinte, mouvant et vivant, vibrant à l'infini, passant des nuances douces à d'autres, éclatantes, à la fois pures et féeriques. Irréelles. Du rose, du bleu et du vert tendre, du mauve ou du violet foncé suivant l'heure et la disposition des rayons du soleil, mais toujours de la lumière. Un rêve de beauté, une explosion de magnificence. Pour ses yeux d'artiste, c'était presque trop. Elle n'avait plus de mots pour décrire ce qu'elle ressentait. Elle essayait d'enfermer tout au fond d'elle les sensations qu'elle recevait pour les traduire un jour prochain dans une de ses œuvres.

Son mariage avec Dany avait eu lieu la veille, à Saint-Fabien, au milieu de la famille et de tous les amis. Les images de ce jour inoubliable en plus de ce qu'elle découvrait la mettaient dans un état de fébrilité extrême. Dany ne la quittait pas des yeux. Il était heureux de la voir réagir comme une enfant et s'extasier toutes les deux secondes. De connivence avec Myriam, Lydia s'était bien amusée de la stupéfaction générale que son entrée avait provoquée : la mariée au bras de Laurent était vêtue d'une robe indienne, faite de peaux blanches, brodée de perles multicolores. Elle portait des mocassins et ses cheveux, noués par des lacets, étaient ceints de plumes. Dany avait adoré la tenue de sa bien-aimée… Il avait été fier de voir que, le jour de leurs noces, elle proclamait ainsi son appartenance. Myriam, en secret, avait ressorti la photo de Kateri pour constater la ressemblance entre Lydia et sa grand-mère. C'était frappant. Laurent n'avait fait aucun commentaire, bien obligé qu'il était d'accepter le choix de sa fille et de s'ouvrir à l'atmosphère de liesse générale sans oser faire un discours désobligeant pour les Autochtones… Il s'était contenté de regarder Lili d'un air songeur et de regretter l'absence de sa jumelle. Car Laurence n'avait pas pris le chemin du retour au bercail, bien au contraire. Ses lettres s'espaçaient, elle arpentait le monde et ses misères, elle décrivait avec emphase ses attentes mystiques, sa passion délirante pour un Dieu qu'elle disait être son seul amant. Et puis, on avait dansé toute la nuit. La musique de Guillaume et de Mini-Paul avait fait merveille. On s'était couchés à l'aube. Lydia se sentait bien dans sa peau, si bien qu'elle avait eu l'impression d'avoir attendu tout ce temps rien que pour vivre ce jour-là… Et maintenant, une nouvelle vie commençait, sa vie de femme, sa vie de squaw chez les Innus.

Il y eut un léger soubresaut. Déjà, l'avion amorçait la descente. Écarquillant les yeux pour tout admirer, elle murmura à Dany :

— Sommes-nous bientôt arrivés ?

Dany se pencha amoureusement sur son épaule :

— Ça n'est qu'une question de minutes… Vois les toits des maisons, là-bas, derrière le vallon…

Et en effet, on apercevait quelques rectangles bien alignés autour desquels, comme des fourmis, de minuscules silhouettes s'agitaient, et puis deux ou trois bouquets d'arbres, perdus ici et là.

— Regarde, c'est le village...

— L'avion descend?

— Bien sûr!

— Ça me donne le mal de mer!

— Prends ma main, Lili... Regarde, je crois qu'ils sont tous là pour nous accueillir!

— Vraiment?

— C'est certain... L'arrivée du médecin accoucheur est très attendue dans la région, tu sais... Tu vas voir comme les gens sont chaleureux, ici...

Dany n'avait jamais eu l'air si heureux. Quant à Lydia elle resplendissait.

— Wanda va bientôt donner naissance à son enfant, n'est-ce pas?

— Oui, c'est imminent...

— En fait, Wanda et moi, précisa Lydia en riant, nous avons en commun notre arrière-grand-mère!

— Bien sûr...

— Comme c'est étrange. Qui aurait dit, quand nous vivions à Montréal, que j'atterrirais ici, avec toi, pour y vivre!

— Et que tu serais ma femme!

Elle lui adressa une jolie grimace.

— Exact! Nous avions cru nous perdre...

— Et nous nous retrouvons tous les deux au pays de nos ancêtres...

— J'aime ce pays, je le sens. Je le sais...

La piste d'atterrissage, comme le reste, était recouverte de neige. Dès qu'ils descendirent sur le tarmac, ils aperçurent Gaby qui leur faisait de grands signes et, derrière lui, les habitants du village qui venaient accueillir les voyageurs et récupérer des paquets. L'aéroport était le lieu de rencontre le plus fréquenté dans la région.

— Ah, mon oncle…

— Bienvenue ici, les enfants !

Les hommes et les femmes se pressaient pour dévisager le nouveau médecin et sa femme. Ils avaient l'air d'autant plus réjouis que Dany portait les signes de son appartenance indienne. Il ressemblait à Mike, son père. Comme lui, il avait fière allure et Lydia, sa femme, ne pouvait, elle non plus, renier son sang.

— Je vous emmène sans perdre de temps jusqu'au centre médical. Ensuite, on ira déposer vos bagages et après, c'est la fête pour votre arrivée…

— On te suit…

Ils eurent à peine le temps de récupérer leurs valises que Gaby et Joe avaient déjà approché les traîneaux pour leur faire les honneurs du village. C'était imprévu… Lydia se collait contre Dany. Les grelots tintinnabulaient, la neige volait de tous côtés et le jour achevait son cycle. Gaby conduisait vite, il encourageait les chiens et connaissait les chemins. En l'espace de quelques minutes, on fut au centre communautaire où deux femmes enceintes attendaient déjà l'obstétricien. L'une d'elle était Wanda, accompagnée d'Ida, sa mère. On aurait pu croire que tout avait été calculé. Les contractions avaient commencé un peu plus tôt. Dany eut tôt fait d'enfiler des vêtements stériles. Il était temps. Sans la moindre anicroche, la jeune femme donna naissance non pas à un enfant, mais à deux :

— Des jumeaux!...

— Une vraie surprise!

— Deux garçons?

— Non, un gars et une fille!

— Quel bon augure!

— Votre séjour ici est rempli de promesses..., affirmèrent les deux gardes-malades.

— Oui, oui, vous verrez!

Joe, le jeune nouveau père, n'en revenait pas d'avoir deux bébés en une seule naissance, et Wanda les chérissait déjà. Lydia vivait tout cela comme dans un rêve. Dans une seule journée, sa petite-cousine Wanda, la fille de son oncle Gaby, avait accouché, Dany, son mari, accomplirait désormais ce miracle d'aider les mères des régions boréales à donner la vie. Elle songea que, bientôt, elle aussi voudrait avoir des enfants pour réparer la perte ancienne de celui qui aurait pu être leur premier bébé.

Quand ils ressortirent de la clinique pour repartir en traîneau, le ciel avait allumé ses millions d'étoiles et, au détour de la route, il s'embrasait de rouge et de jaune en des formes mouvantes et irréelles. C'était une aurore boréale, spectacle grandiose qui se révèle dans le Grand Nord... Lydia s'émerveilla encore une fois :

— Comme tout cela est beau!

Derrière l'église, des touristes japonais, qui étaient dans l'avion un peu plus tôt, s'exclamaient et, armés de leurs appareils, prenaient des milliers de photos, persuadés que la seule vue du phénomène leur porterait chance pour le reste de leurs jours.

CHAPITRE XVII

Avril 1998.

De mois en mois, les ressources des villages indiens de la Côte-Nord se multipliaient. On devait ce succès aux nouvelles façons de prendre des vacances et à l'esprit explorateur de tous ceux qui partaient en voyage. Les Indiens proposaient des activités qui faisaient la joie des Blancs et ceux-ci avaient inventé un nouveau terme : celui de l'écotourisme. Sur le territoire de Maliotenam où résidaient Gaby et sa famille, les randonnées en traîneau à chiens avaient la vedette. Il ne s'était pas écoulé plus de quelques semaines depuis que Myriam et Mike, avec les jeunes, étaient venus prendre le pouls des randonnées en traîneau, et déjà on recevait de nombreuses demandes. Et de partout sur la lande, on entendait :

— Yaoh ! Yeh…

— Yah, yah !

On avait dû produire une liste d'attente pour de prochains séjours. Des cousins de Gaby et d'Ida avaient saisi la balle au bond et se lançaient eux aussi dans l'aventure pour participer à ce qui était une vraie renaissance du mode de vie autochtone. Les chiens étaient les rois. Les femmes tricotaient plus que jamais pour les parer de pompons et de grelots qui résonnaient au long des sentiers. Comme dans l'ancien temps. Le village devenait célèbre à cause de la gentillesse avec laquelle les habitants accueillaient les vacanciers. Ils leur dévoilaient les secrets des traditions. Un vaste mouvement à la fois écologique et sympathique aux peuples des Premières Nations était en train de naître, à l'écart des projets destructeurs qu'une petite poignée d'hommes se croyait autorisée à exécuter, quitte à rompre la chaîne de la vie dans ses délicats rouages.

Encore plus que les Québécois, les vacanciers venus d'Europe étaient nombreux. Ils se découvraient des intérêts non seulement pour la saison hivernale, mais aussi pour l'été, piqués par la passion du Nord. Les séjours sous la tente avaient leurs fidèles. On dressait des huttes de sudation, on descendait les rivières en canot. Bien sûr, les croisières pour admirer les baleines avaient elles aussi un succès fou. Qui aurait pu penser à ce genre de révolution quelques années plus tôt? Au début, on avait fait de la publicité dans quelques revues spécialisées, mais le bouche à oreille fonctionnant sans réserve, on avait vite été débordé par rapport au projet initial. Pas de publicité tapageuse, pas de frais démesurés. Les clients s'inscrivaient, amenaient des amis. Pour la plupart, c'étaient des jeunes gens qui cherchaient à se libérer du carcan qu'ils enduraient toute l'année: un travail déshumanisé et des contraintes de vie devenues insupportables.

Dans la région, les activités ne manquaient pas. On découvrait la faune, la flore et le talent des artistes du pays. On voulait préserver la nature, coopérer avec elle et cela devenait urgent. En moins de deux ans, on construisit plusieurs chalets de bois rond qui comportaient tout le confort dont pouvaient rêver les vacanciers. Avec de la bonne humeur à revendre, d'intrépides Innus les emmenaient à la découverte des ressources boréales dans des randonnées inoubliables. C'était une fête perpétuelle qui réjouissait non seulement les Occidentaux, mais aussi les Amérindiens. Ceux-ci se replongeaient dignement dans leurs racines, un peu grâce au bon sens d'Ida qui avait vu venir la mode et les répercussions positives qu'elle aurait dans la communauté.

De plus en plus de jeunes Autochtones avaient ainsi la capacité de s'épanouir chez eux et vivaient aux côtés de leurs ancêtres la vie dont ils avaient rêvé, gardant jalousement leurs coutumes et les transmettant à ceux qui voudraient les entendre pour faire comprendre leur peuple.

*

On approchait à grands pas du mois de mai. Le fleuve libérait ses derniers embâcles et les oies blanches par milliers remontaient vers le nord, caquetant à qui mieux mieux sous l'œil impassible des gros cargos qui filaient vers Montréal. Myriam ouvrit la fenêtre :

— Entends-tu ?

Pierrette ne put réprimer un sourire.

— À chaque saison, c'est le même bonheur… Le cri de la vie qui s'élance…

— C'est beau.

Les deux femmes étaient arrivées un peu plus tôt de la grande ville avec plusieurs valises. Myriam posa son sac et donna un baiser à Pierrette :

— Je suis si heureuse qu'enfin tu aies cédé au bon sens ! Nous étions angoissés, Mike et moi, à l'idée de t'abandonner seule dans Montréal…

— Je dois reconnaître que vous aviez raison…

— Il a fallu presque trois ans pour te convaincre!

Pierrette sourit et rendit son baiser à Myriam.

— J'espère que tu seras heureuse parmi nous et qu'on ne te donnera pas l'occasion de le regretter…

— Sois tranquille, je ne regrette rien!

— Même pas ton jardin?

— Bien sûr, Myriam, je regrette mon jardin, mais il faut savoir abandonner certaines choses lorsqu'elles deviennent encombrantes… Plus la vie avance et plus il faut s'alléger…

— Tu parles comme une Indienne!

— J'en suis fière. Et puis, il y a tant de va-et-vient chez vous, tant de belles initiatives et tant de beaux paysages à me faire décrire que je ne pourrai jamais m'ennuyer…

— Qu'est-ce qui t'a fait changer d'avis alors que, quelques jours plus tôt, tu refusais encore notre proposition?

— Heu, vois-tu, j'ai compris tout à coup que les temps avaient changé et que je ne pouvais pas, même en m'accrochant à mes souvenirs, faire revivre le passé. Le passé disparaît, il s'évapore et ne représente qu'une image. Il meurt de lui-même. La vie s'écoule au présent et l'avenir prend forme et se modèle d'après les choix qu'on fait au jour le jour…

— Alors?

— Alors, j'ai accepté l'idée qu'il fallait suivre le courant et aller de l'avant.

— C'est aussi ce que disent Mike et Gaby! Tant de personnes refusent de se tourner vers demain…

— Tous ceux qui ont peur de leur liberté de choix!

Pierrette fit lentement le tour de la maison en s'arrêtant devant chaque fenêtre, puis revint vers Myriam.

– Parle-moi de vous tous…

– Alors, installe-toi, nous avons le temps…

La vieille femme s'assit dans le fauteuil face à la cour, comme elle aimait le faire lorsqu'elle était chez elle. Myriam, avant de prendre place sur le sofa, sortit un album de photos qu'elle ouvrit sur ses genoux.

– Tu vas être obligée de me donner tous les détails, car je ne vois que des formes imprécises…

Depuis qu'elle avait subi une opération aux yeux, la vue de Pierrette devenait floue malgré ses lunettes. Et Myriam, ravie d'évoquer tous ceux qu'elle aimait, se mit à tourner les pages une par une :

– Ici, c'est la naissance de ma petite-fille Kateri… Guillaume et Chloé en sont fiers, c'est une adorable fillette aux yeux bleus qui va bientôt faire ses premiers pas…

– Je vais la connaître…

– Très vite… Avant qu'on se mette à table ! Regarde comme Lydia et Dany étaient beaux le jour de leur mariage ! Ils sont heureux, dans le nord…

– Et là ?

– C'est la dernière photo que je possède de Laurence… Elle nous manque !

– Je sais, l'éloignement est cruel, mais il faut la laisser vivre selon son choix…

– Comme tous ceux que nous aimons…

Guillaume et Chloé ouvrirent la porte de l'entrée et Kateri, qui osait à peine poser ses petits pieds l'un devant l'autre, tendit les bras vers sa grand-mère.

AUTRES TITRES PARUS
DANS LA MÊME COLLECTION

Dupuis, Gilbert, *L'étoile noire*

Dussault, Danielle, *Camille ou la fibre de l'amiante*

Fauteux, Nicolas, *Comment trouver l'emploi idéal*

Fauteux, Nicolas, *Trente-six petits cigares*

Fortin, Arlette, *C'est la faute au bonheur*
    (Prix Robert-Cliche 2001)

Fortin, Arlette, *La vie est une virgule*

Fournier, Roger, *Les miroirs de mes nuits*

Fournier, Roger, *Le stomboat*

Gagné, Suzanne, *Léna et la société des petits hommes*

Gagnon, Madeleine, *Lueur*

Gagnon, Madeleine, *Le vent majeur*

Gagnon, Marie, *Emma des rues*

Gagnon, Marie, *Des étoiles jumelles*

Gagnon, Marie, *Les héroïnes de Montréal*

Gagnon, Marie, *Lettres de prison*

Gélinas, Marc F., *Chien vivant*

Gevrey, Chantal, *Immobile au centre de la danse*
    (Prix Robert-Cliche 2000)

Gilbert-Dumas, Mylène, *1704*

Gilbert-Dumas, Mylène, *Les dames de Beauchêne. T. I*
    (Prix Robert-Cliche 2002)

Gilbert-Dumas, Mylène, *Les dames de Beauchêne. T. II*

Gilbert-Dumas, Mylène, *Les dames de Beauchêne. T. III*

Gill, Pauline, *La cordonnière*

Gill, Pauline, *Et pourtant elle chantait*

Gill, Pauline, *Les fils de la cordonnière*

Gill, Pauline, *La jeunesse de la cordonnière*

Gill, Pauline, *Le testament de la cordonnière*

Girard, André, *Chemin de traverse*

Girard, André, *Zone portuaire*

Grelet, Nadine, *La belle Angélique*

Grelet, Nadine, *Les chuchotements de l'espoir*

Grelet, Nadine, *La fille du Cardinal. T. I*

Grelet, Nadine, *La fille du Cardinal. T. II*

Gulliver, Lili, *Confidences d'une entremetteuse*